CECILIA SAMARTIN

Señor Peregrino

Roman

Oversatt av
Natalie Normann

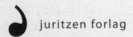
juritzen forlag

TARNISHED BEAUTY

Copyright © 2006 by Cecilia Samartin
Norwegian translation rights by arrangement with
John Hawkins & Associates, Inc., New York, USA
and Licht & Burr Agency, Copenhagen, Denmark

Norsk utgave © 2006, 2007, 2008, 2009, 2010
juritzen forlag as, oslo
www.juritzen.no

Omslagsdesign: Trygve Skogrand
Foto: Tony Anderson, Getty Images og Trygve Skogrand

Satt med Sabon 10,4/13,5
hos Copyright Grafiske Design AS
Papir: 52 g Bulky 2,3
Trykket hos Norhaven A/S, Viborg 2010
11. opplag

ISBN 978-82-8205-017-3

1

Det var ikke første gang en jente ropte voldtekt når magen vokste under skjørtelinningen. Men når det gjaldt Lorena, tvilte ingen på at det var sant. Hun hadde alltid vært en stille og enkel jente. Selv da reisen gjennom puberteten forvandlet henne til en forførende skjønnhet med mørke og mystiske øyne, var ydmykheten hennes oppriktig. Hun lot seg ikke påvirke av komplimentene som både venner og fremmede øste over henne. Hun aksepterte bare rosen deres med et ørlite nikk.

Mødrene i landsbyen brukte henne som eksempel til etterfølgelse for sine egne døtre, men de fleste av de andre jentene utforsket sin nyoppdagede seksualitet som om de tilfeldigvis hadde funnet en bryter som skrudde på solen, og som de ikke klarte å holde fingrene unna. De forsøkte å få med seg Lorna i de eggende lekene sine, i håp om å overbevise mødrene om at Jomfru Maria ikke var blant dem. Og det fantes ikke tvil om at det ville vært flott å se Lorenas attributter i aksjon, for hun trengte verken å løsne den tredje knappen i blusen eller stjele morens leppestift for å bli lagt merke til. Hun var vakker på samme måte som morgengryet er vakkert, uten pynt eller hovmod.

Det gikk rykter om at hun var av kongelig byrd og hadde kommet seilende i en kurv over havet til Mexico på samme måte som Moses seilte nedover Nilen i Egypt. Det var selvfølgelig ikke mulig for noen å fatte hvilken skjebne som ventet kongelige i den støvete landsbyen Salhuero like utenfor Guadalajara hvor Lorena bodde. Og da fantasien gled over i misunnelse, var det den samme gruppen av jenter som minnet alle, spesielt de unge mennene, om at både hun og den eldre søsteren Carmen ble født i et horehus i nabolandsbyen, og var blitt oppfostret av den dypt religiøse enken Gabriela som hennes egne barn. Ingen visste helt hva som hadde skjedd med den biologiske moren deres. Om hun hadde dødd under fødselen eller hadde forlatt sine barn, slik som så mange andre kvinner i hennes situasjon.

En så dårlig herkomst kunne ha ødelagt for alle sjanser til å få en bedre fremtid, men utallige friere overså Lorenas fortid, fascinert som de var av hennes kyske skjønnhet. De la frem sine hensikter så ærbødig og lidenskapelig som de kunne. Og da tiden var inne for Lorena til å vurdere ekteskap, fant hun seg i utallige forslag og anbefalinger fra moren og søsteren om hvem som var den beste kandidaten, siden dette var en mulighet for familien til å bedre sin stilling med et gunstig giftermål.

Lorena var tiltrukket av en vennlig gutt med lyse øyne, som hadde kommet på besøk om søndagene etter messe. Han var sønn av en velstående kjøpmann som eksporterte tropisk frukt over grensen mot nord. Carmen var grovbygget og tung, spesielt sammenlignet med søsteren. Hun insisterte på at han ikke var mann nok, og at hun heller burde tenke på slakterens sønn. Han var en mørk og svartsmusket unggutt med øyne som skamløst vandret ned i blusen på enhver kvinne som tilfeldigvis sto foran ham. Med en lys kakling og et klask på sine enorme hofter insisterte Carmen på at en mann som det visste hvordan han skulle behandle en kvinne. Lorena gjorde det klart hva hun foretrakk, og like etterpå begynte så smått forberedelsene til bryllupet.

Ifølge rykter og omhyggelige utregninger måtte voldtekten ha skjedd omtrent samtidig med at Posadaen, en høytid til minne om jomfru Marias leting etter herberge, ble feiret i midten av desember. Landsbyboerne var også ganske sikre på hvem voldtektsmannen var. Han var blitt sett noen ganger før ved store anledninger som bryllup og begravelser, når det var lett å forsyne seg av forfriskninger uten å tiltrekke seg særlig oppmerksomhet – en landstryker som søkte noe å drikke og et sted å sitte hvor han kunne betrakte ungjentene som flagret omkring som duer på torget. En gang i tiden hadde han vært en vakker mann. Den kraftige kroppen og de jevne ansiktstrekkene pekte i den retningen, selv om tid og alkohol hadde ødelagt ham slik at bare den mest oppmerksomme kunne ane hva som en gang hadde vært.

Det ble sagt at da Lorena var på vei til festen, lurte han henne inn i en forlatt bygning med en løgn om at han hadde skadet foten og trengte hjelp. Lorena var oppdratt i ly av morens kristne tro, og nølte ikke med å følge ham. Og så snart hun var innenfor rekkevidde, var voldtekten like effektiv som den var rask. Hun fortalte ingen om hendelsen, og siden hun hadde for vane å kle seg sømmelig, kunne hun lett skjule den økende midjen også for seg selv. Men to uker før bryllupet overrasket Gabriela henne mens hun badet, og besvimte nesten ved synet av datterens mage og bryster, like tunge som sekker av tørket chili klare for markedet.

Den unge mannen ville likevel gifte seg med henne, så forelsket var han, men familien forbød det og flyttet for sikkerhets skyld, i tilfelle sønnen skulle vise seg å være mer egensindig enn de trodde. Fire måneder senere fikk Lorena . høre at han hadde giftet seg med en annen, men hun hadde ikke krefter til verken å gråte eller si noe, ikke engang til å reise seg fra stolen. Barnet var ventet når som helst.

Det ble fremsagt mange bønner og tent mange lys etter at overgrepet ble kjent. I denne enkle landsbyen hvor hvert barn ble sett på som en velsignelse, var det til og med et lønnlig håp om at hun ville miste barnet og bli spart for resultatet av denne forferdelige forbrytelsen. Svangerskapet gikk uten problemer, og etter ni måneder og to uker klarte ikke Lorena lenger å tenke på skammen hun hadde lidd under, takket være de uutholdelige smertene som jaget gjennom kroppen hennes og som var verre enn noe annet hun hadde opplevd før.

Fødselen var rask, barnet gled inn i verden så fort at jordmoren nesten mistet det på jordgulvet. Hun måtte le, selv om hennes posisjon vanligvis krevde at hun holdt en bister mine. Hun hadde tatt imot barn i over femti år, men hun var spesielt engstelig for denne fødselen, siden hun visste så godt hva som lå bak.

– Det er en jente, sa hun da hun hadde fått samlet seg.

Spedbarnet klynket i stedet for å hyle av sine lungers kraft, men hun pustet bra, og øynene myste mot det svake lyset da hun reagerte på stemmene rundt seg med små rykninger i de lubne armene og beina. Det var et vakkert barn, perfekt formet, nesten engleaktig i de fine trekkene. Jordmoren hadde aldri sett en nyfødt som hadde så klare øyne så raskt etter fødselen. Hudfargen var som varm honning i stedet for den hissige rødlige fargen som var vanlig hos nyfødte. Granskingen hennes myknet til et varmt smil, som om hennes anstrengelser hadde bidratt til å gjøre barnet perfekt. En kort stund var de ubehagelige hendelsene som hadde skapt barnet, glemt og hun klarte bare å beundre det fantastiske livet som sprellet i hendene hennes.

Lorena var nesten bevisstløs av utmattelse og falt i søvn mens jordmoren og Gabriela tok barnet med bort til vaskevannsfatet. Jordmoren fuktet en klut med varmt vann og begynte å vaske det lille ansiktet, armene og magen, det søte, lille hemmelige området akkurat så lite og blygt som det burde være, og lårene og føttene før hun snudde henne rundt for å vaske ferdig. Gabriela kvalte et gisp, og for andre gang gled barnet nesten gjennom fingrene på jordmoren.

Tykt og rødt som et åpent sår dekket merket de små skuldrene og ryggen, hele veien til stumpen og ned til baksiden av knærne. Med skjelvende hender klappet jordmoren merket i håp om at det var noe som hang igjen etter etterbyrden, ikke noe annet, men det kunne ikke vaskes bort mer enn de klare øynene og den lille munnen som snurpet seg etter mat. Hun la raskt spedbarnet tilbake på bordet. – Jeg har sett mange fødselsmerker, i alle farger og fasonger, men ikke noe som dette. Det er ... det er som om barnet har sittet i djevelens hånd.

Hun fikk sin beskjedne lønn, og forlot huset uten å komme med sine vanlige instruksjoner om hvordan ammingen kunne utføres uten ubehag for moren, og andre råd hun hadde å gi. Gabriela vasket ferdig spedbarnet og pakket henne godt inn i et teppe, fast bestemt på at Lorenas første glimt av barnet skulle være det vakre, plettfrie ansiktet som liknet sånn på morens. Neste morgen aktet Gabriela å krype på sine knær til kirken. Hun skulle begynne fra fontenen midt på torget, og ikke stanse før hun kom frem til hovedalteret. Hele veien dit og tilbake igjen ville hun tigge Herren om å fjerne merket. Lorena hadde lidd nok til å være så ung, hun begynte livet som foreldreløs og ble frarøvet sin eneste sjanse til å gjøre et godt giftermål. Misdannelsen kunne bli for mye for selv den sterkeste kvinne. Enda så disiplinert hun var, hadde Lorena begynt å bli skjør, som tørr småved som kunne antennes av en varm vind. Gabriela hadde vært bekymret for at hun ikke kom til å overleve svangerskapet, og hver dag hadde hun bedt Carmen sjekke om søsteren fortsatt pustet i sengen sin.

– Sov nå, barnet mitt, sa Gabriela da hun hørte Lorena røre seg. – Barnet ditt har det bra, og du kan se henne senere.

– Hun gråt ikke.

– Hun har det bra. Hvil deg nå, sa Gabriela, overbevist om at hun kom til å trenge mer enn hvile for å overleve det som lå foran henne.

– Jeg skal kalle henne Jamilet, sa Lorena overraskende, spesielt siden hun hadde nektet å snakke om navn under svangerskapet. – Det kom til meg akkurat da hun ble født, som en sang langt borte fra, og jeg kjente en sånn fred da jeg hørte det.

– Da blir det Jamilet, sa Gabriela og la barnet i kassen som fungerte som krybbe.

Jamilet ble kjent som engelen med djevelens merke av alle i landsbyen, til tross for Gabrielas beste intensjoner. Hun passet omhyggelig på å unngå upassende snakk om merket. Jamilet vokste opp godt vant med uttrykket av bekymret ærefrykt i blikkene som så på henne, noen ganger direkte, mens andre kastet et blikk fra øyekroken eller var bare ansikter som flagret forbi henne som en parade av spøkelser skremt av de levende. Hennes egne store øyne begynte å vise en viss ømhet som kom av medlidenhet, slik at da hun var tre år, kunne hun se tilbake på de fremmede som glodde på henne med samme alvor og visdom som en prest som forsto både livets og dødens mysterier.

Dette førte bare til at frykten landsbyboerne følte for henne, økte. Et barn som var perfekt i ansiktet, men skjulte en avskyelig masse av blodfylte misdannelser som få hadde sett, men alle hadde hørt om. Noen sa det lignet en ny-slaktet ku, andre påsto det buktet seg som slanger i en blodig grav. De få som hadde sett det, kanskje på markedet, når hun trakk av seg teppet moren alltid pakket henne inn i til tross for det varme været, sa at det var umulig å beskrive det, og at de ikke fikk sove på mange netter etterpå.

Lorena taklet sin skjebne som om den var en kronisk lidelse som verket jevnt og trutt gjennom årene og tappet henne for de få kreftene hun hadde. Hun bar sitt martyrium som en krone, og holdt hodet høyt hevet når hun en sjelden gang gikk ut av huset. Hvis hun hadde blitt beundret før, ble hun nå høyt aktet som en kvinne med et utrolig mot, en kvinne som bar sitt barns forbannelse med en ufattelig verdighet.

– Det er fornuftig av henne å holde barnet hjemme som hun gjør, sa de når de så henne gå alene nedover den samme veien hvor hun en gang ble overfalt.

– Så ung og vakker. Hun kan fortsatt finne seg en ektemann. Hadde det bare ikke vært for at hun er så besatt av barnet. Det beste ville være å forlate henne, slik som hun selv ble forlatt.

Hodene nikket som tung frukt rede til å falle fra greinene de satt på. – Hun er så knyttet til henne og bruker det lille hun har av penger for å forsøke å få bort djevelmerket. Det kommer merkelige folk til alle døgnets tider til huset. Noen ganger svært sent på natt, men de lukker vinduene og jeg kan ikke se hva de gjør.

– Stakkars Lorena, sa de alle. – Stakkars, stakkars Lorena.

Lorena klarte å samle litt håp da tiden kom da Jamilet skulle begynne på skolen. Hun visste at datteren hadde et usedvanlig lyst hode. To år gammel snakket hun allerede i hele setninger, og begynte kort etter å fortelle de mest fantastiske historier om alt hun så. Insektene hun fant i chiliåkeren bak huset, hjalp henne å dyrke jorden, og de foretrakk mørket under steiner fordi de var sjenerte. Fuglene som landet på vindusrutene, sladret om naboen som hadde tilbrakt hele natten på utedoen, hvor han kvittet seg med plagene etter for mye tequila. Og så var det månens frustrasjon over sine barn som var spredt over hele himmelen og som nektet å gjøre pliktene sine.

– Så du bør ikke være så sint på meg, mamma, sa hun.

– Jeg er ikke så slem som stjernene.

Lorenas bekymring forsvant, og hun tillot seg et sjeldent smil. Datterens rike evner måtte da overskygge alt annet når de ble oppdaget, merket ville bli oversett og kanskje til og med helt glemt. Og så, når tiden var inne, kunne hun finne motet til å fortelle datteren at det fantes. Som det var nå, fikk curanderaene beskjed om ikke å nevne det når de forsøkte å behandle det. I stedet måtte de si at de passet på at Jamilet holdt seg sunn og frisk. Hvis behandlingen var smertefull, måtte de forklare at det var normalt at det vonde gjorde vondt når det forlot kroppen.

Det var godt over førti grader på Jamilets første skoledag, men Lorena insisterte på at datteren kledde seg i langermet kjole og genser. Hun fikk henne til å love at hun ikke skulle ta dem av før hun kom tilbake til middag. Jamilet holdt sin første og eneste skolebok tett mot brystet fordi hun hadde fått beskjed om å ikke miste den. Bestemoren beklaget seg over at de hadde brukt mer penger på den lille boken enn på mat for en hel uke.

Jamilet beundret bildet på forsiden et øyeblikk. En gutt og en pike gikk til skolen med sine egne bøker, og hun smilte når hun tenkte på at snart var hun som dem. Jamilet lengtet etter andre barns selskap. Hun satt hver eneste dag og så på dem gjennom vinduet når de gikk forbi som en fargerik og bråkete elv av latter og løping.

Hun ville ha foretrukket å gå alene sammen med barna, men visste bedre enn å protestere mot moren som kontrollerte henne, ikke med sinne eller straff, men med en trist-het som ruvet like stor og tung som svarte måner i blikket hennes. Jamilet unngikk å se for mye på moren, for gjorde hun det, følte hun ikke at hun hadde krefter nok til å leke eller til å le, eller til å passe på chilipepperne i bakhagen. Bare når Lorena sov, lettet tristheten hennes. Midt på natten, når andre barn våknet av mareritt, følte Jamilet seg tryggest når hun krøllet seg sammen mot moren og fant den roen hun lengtet etter.

Den første dagen tok Lorena henne i hånden da de gikk ut på veien. Barna ble øyeblikkelig tause. Noen krysset over til den andre siden, og Lorena strammet taket. Jamilets fingre verket da de kom til svingen i veien, ikke mer enn noen knappe hundre meter fra skolegården.

– Løp av gårde, Jamilet, sa Lorena. – Jeg holder øye med deg herfra.

Jamilet gjorde som hun fikk beskjed om, og snudde seg ikke for å se på moren, selv om hun for en gangs skyld i sitt korte liv ønsket å gjøre det. Hun følte at de andre barna betraktet henne, gransket hvordan hun gikk og hvordan hun holdt boken foran seg som et skjold. Hun kikket verken til høyre eller venstre, men ned på føttene, hypnotisert av de skinnende spennene på de nye skoene, som glitret for hvert skritt. Hun hørte barna hviske, men det var ikke den sorgløse og glade hviskingen som hørte sammen med harmløse spillopper eller planer om lek. Jamilet var altfor vant til den sorten hvisking som kom av frykt.

Med blikket vendt ned fikk hun øye på småsteinene som hoppet på bakken. De minnet henne om hvordan vinden feide opp støvet i bakhagen når hun luket chiliåkeren. Hun syntes det lignet baklengs regn som fant veien til himmelen. Bestemoren, som ikke ble så lett distrahert fra arbeidet sitt, hadde faktisk rettet seg opp for å se på den mørke skyen mens Jamilet fortalte historien om det baklengsregnet, og hvordan støvet på jordet ble levende når Guds pust rørte ved det. Hun visste at det var større sjanse for at bestemoren ville lytte hvis hun ga historien et religiøst preg, men hun ville fortelle barna en annen versjon som de kom til å like bedre. Hun tenkte på hvordan hun skulle begynne da hun oppdaget at småsteinene var blitt store steiner på størrelse med en hånd som vinden umulig kunne klare å løfte. En av dem traff henne i ankelen med et høyt smell og fikk henne til å snuble.

Hun hørte morens desperate rop, og så barna som sto på rad og rekke på den andre siden av veien. Noen hadde steiner i hendene, og andre sto bøyd for å lete etter flere. Lorena løp mot henne med øyne som ikke var triste, men levende av frykt. Jamilet begynte også å løpe, ivrig etter tryggheten i morens armer, da et kraftig smell i tinningen fikk armene hennes til å falle ned. Før mørket kom, kjente hun varmen fra blodet som rant i øret, og hørte en så høy ringing at hun ikke var sikker på om barna ropte eller lo som de gjorde når hun så på dem gjennom vinduet.

Da Jamilet åpnet sine slørete øyne, var morens ansikt det første hun så, mykt av tristhet igjen. Lorena la en kald klut på datterens hode. Så hørte Jamilet Gabriela som ståket på kjøkkenet og slamret med grytene, som hun ofte gjorde når hun klaget over den usle hjelpen hun fikk fra døtrene og sin eneste datterdatter med husarbeidet. Selv om bråket hun laget denne ettermiddagen, hadde en helt annen årsak.

Jamilet skvatt til av bråket og strakte ut en hånd mot moren. – Hvorfor kastet barna stein på meg, mamma?

Lorena la ømt Jamilets arm tilbake på sengen. – Stille nå. Jeg skal bare stanse blodet.

Jamilet snakket igjen, sånn at bestemoren hørte henne. – Jeg ville fortelle dem historien om baklengsregnet, abuela, men jeg rakk det ikke.

–Det er en flott historie, Jamilet, sa bestemoren stramt.

Hun slapp en gryte ned i vasken og en annen på toppen av den igjen.

Jamilet kjente en skarp smerte i hodet og holdt pusten til smerten gikk over i en dempet banking. Hun snudde seg mot moren igjen.

– Hvorfor kastet de steiner på meg, mamma?

Lorena la datterens hånd på bandasjen og forlot rommet uten et ord. Hun kom tilbake noen minutter senere med et håndspeil, og bar speilet de hadde i stuen, under armen. Hun ba datteren legge seg på siden, og trakk opp nattskjorten hennes så langt det gikk. Hun la det store speilet bak henne.

– Vær forsiktig med hva du gjør, Lorena, sa Gabriela, men Lorena nølte ikke da hun ga Jamilet det lille speilet og holdt det slik at datteren kunne se hele merket. Jamilet kikket inn i speilet og trodde hun hadde fått øye på såret i hodet.

– Blør jeg ennå? spurte hun forskrekket.

– Det er ikke blod, sa Lorena. Hun tvang stemmen til å lyde sterk, slik man gjør når man skal fortelle om et dødsfall i familien. – Du ble født med merket på ryggen, og barna vet tydeligvis om det. De forstår ikke …

Hun nølte, stemmen ble svakere, men hun hentet seg inn igjen. – Jordmoren som tok imot deg, var ikke diskré.

Carmen hadde kommet inn og var i ferd med å smøre en fersk tortilla. Hun hadde hørt alt om hva som hadde skjedd med Jamilet på vei til skolen. – Diskré? sa hun mens hun stappet tortilla i munnen. – Etter at den gamle heksen døde, ble hun slukt av rotter. De fant den svarte tungen hennes liggende i en haug med bein og hår fordi ikke engang rottene ville røre den skitne tungen hennes.

– Carmen! gispet Gabriela.

– Det er sant, mor. Hvorfor skal jeg ikke si det når det er sant?

Vanligvis ville Jamilet ha stilt tanten mange spørsmål om rottene og hvordan de fant liket og alle mulige grusomme detaljer, men hun klarte ikke å rive blikket fra det veldige, blodige landskapet som bredte seg over skuldrene hennes. Det virket ufattelig at hun så på noe som satt fast i hennes egen kropp, og hun strakte nølende hånden rundt for å trykke fingeren på de røde kantene. Huden kjentes tykk og fremmed, og den boblet og snurpet seg enkelte steder som en svidd tortilla. Men denne tingen var styggere enn noe annet hun hadde sett. Til og med styggere enn rottene og slangene og de slimete krypene som bodde under steiner, og som fikk de fleste barn og kvinner til å skrike, og menn til å demonstrere sitt mot i småsaker.

Hun samlet krefter til et spørsmål. – Går det bort, mamma?

Lorena tok speilet fra datteren og trakk ned nattkjolen igjen mens hun tenkte på hva hun skulle si. Øynene hennes lyste opp, og hun skjøv frem haken. – Selvfølgelig. Vi har bare ikke funnet ut hvordan ennå.

– Vær forsiktig med hva du sier, Lorena, advarte Gabriela igjen, men hun hadde snakket med datteren så mange ganger om dette at hun ikke forventet at hun kom til å høre på henne denne gangen heller.

Lorena kastet et blikk på den eldre søsteren som smurte sin andre tortilla.

Det er sant, mor, sa hun med et uvant trassig nikk.

– Hvorfor skal jeg ikke si det når det er sant?

Et par ganger i året hentet Jamilet skoleboken ned fra den høye hyllen på kjøkkenet hvor de oppbevarte krydder, for å se på bildet av gutten og jenta på omslaget. Blodet hadde tørket og falmet til en skygge over verdenen deres. Og da hun åpnet boken for å se på formene og de intrikate merkene som hun visste var den mystiske koden for ord og historier, kjente hun skjelvingen fra en sorg innerst i hjertet, en sorg hun ikke våget å dele med noen.

Menneskene i hennes lille verden lot til å ha slått seg til ro med å være analfabeter, og klarte seg ved å spørre naboer om hjelp. Selv fremmede som kom til døren for å selge såkorn og gjerder og sånt, ble bedt om å lese dette og hint. En gang kjøpte Gabriela en myk plastkost som var helt ubrukelig på de grove gulvene hennes. Hun ville at selgeren skulle gjøre henne en gjentjeneste ved å lese et brev som akkurat hadde kommet fra Mexico City, bare for å oppdage at brevet var sendt til feil adresse.

I de stille timene når dagens arbeid var unnagjort, satt kvinnene ofte rundt kjøkkenbordet og reparerte klær eller broderte. Det hendte at Jamilet spurte stille, nesten like stille som surringen fra en gresshoppe, om hun kunne få lov til å gå tilbake til skolen. Spørsmålet ble aldri tatt alvorlig. Det ble forkastet uten et ord, og hun satt igjen uten annet å holde seg til enn den håpløse tristheten i morens øyne. Disse øynene, trette og fjerne som om de søkte ro og fred, glimtet bare til i ekte interesse når det ble snakk om jordnære emner som en ny oppskrift på røde bønner som kvinnene hadde hørt om på markedet, eller at melkemannens sønn hadde fått sitt tredje barn utenfor ekteskap. Noen ganger dreide samtalen inn på praktiske ting og behovet for å ansette en altmuligmann.

– Hvis min far var i live, hadde vi ikke trengt å bekymre oss for å hyre inn en altmuligmann, sa Jamilet når hun hørte dette.

Den eneste andre måten å fange oppmerksomheten deres på, var å snakke om faren, og Jamilet benyttet enhver anledning til å gjøre dette. Hun var fascinert av de stjålne blikkene kvinnene utvekslet, umiddelbart etterfulgt av en intens konsentrasjon om sømmen. Etter en stund ville en av dem svare, noen ganger ved å minne Jamilet om at faren hennes døde for mange år siden. Så uheldig det hadde vært at han ble trampet på av seks hester på én gang slik at det ikke var mer igjen av ham. Året før hadde han druknet, og året før det igjen hadde det vært en tragisk hendelse med flere banditter som av ukjente årsaker hadde rettet pistolene sine mot det samme målet mellom beina hans og skutt alle kulene sine på en gang.

2

Carmen reiste nordover like etter Jamilets sjuårsdag. Det overrasket ingen. Hun hadde klaget i årevis over mangelen på jobber, og over utålelig dumme landsbyboere. Drømmen hennes var å leve i en moderne verden hvor ingen brydde seg om hvor mange menn hun danset med en lørdagskveld, eller om hun virkelig hadde en føflekk på rumpa formet som en sigd. Når hun snakket slik, skjente Gabriela på datteren for at hun viste frem altfor mye av sin frodige kropp for Gud og hvermann. Hun advarte henne om at et dårlig rykte var som stygg lukt for den uvaskede, til og med verre, siden det ikke gikk an å vaske det bort med et langt, varmt bad. Dette inspirerte gjerne Carmen til å kaste seg ut i en kaskade av skitne ord som kunne høres nesten en halv kilometer unna.

Etter at hun hadde reist, ble det mye roligere, og det var mer enn nok arbeid til å holde alle i ånde. Det var klesvasken, mating av hønsene og passing av chilipepperne som grodde som julepynt året rundt. Det var å feie bort støvet som blåste inn fra de åpne jordene, og hjelpe Gabriela med matlagingen. Hun begynte å bli gammel. Det var vanskelig for henne å hakke løk og knuse hvitløk og chilipepper til sausen hun brukte som basis for nesten alle måltider.

Bortsett fra arbeidet med å passe på chilipepperne, likte Jamilet kjøkkenarbeidet best. Hun ble etter hvert en ganske god kokk. Dette gjorde at da det ble snaut med penger, fulgte hun moren daglig for å arbeide i den amerikanske familiens hus i byen. Det lå i et fasjonabelt nabolag i Guadalajara hvor gatene ble spylt daglig, og vinduene var pyntet med blondegardiner og friske blomster. Barn gikk til skolen med barnepiker bundet til hendene som kjæledyr, og vendte hjem hver dag i lunsjpausen for å fryde seg over delikatessene familiekokken tryllet frem. Selv om Lorena søkte på jobben uten å ha verken papirer eller anbefalinger, bestemte Millerfamilien seg for å ta en sjanse. De syntes den vakre kvinnen med de triste øynene og datteren hennes var usedvanlig forfinede, selv om de var bønder fra Salhuero som søkte arbeid akkurat som alle andre. Datteren var også vakker, og ville bli en fin venninne for deres egen datter Mary. De ble ansatt på stedet. Seks dager i uken i fem år tok Jamilet og moren bussen fra landsbyen så de kunne komme på jobb nøyaktig klokken sju og ha frokosten klar før mr. Miller forlot huset.

Jamilet og Mary, som bare var noen få måneder yngre, ble gode venninner. Jamilet likte at Mary lo tilsynelatende uten noen spesiell grunn, som om gleden satte seg på henne som en sommerfugl for å kile henne nådeløst til hun lot seg overtale til en vennligsinnet skøyerstrek eller en annen lek. De tilbrakte endeløse timer sammen mens de lot som de fisket i fontenen foran huset, eller hoppet paradis på de glatte keramiske flisene som Lorena skrubbet på sine knær hver morgen. De flettet hverandres hår og stakk blomster i flettene som om de var alver eller dronninger. Men det Jamilet likte aller best, var å lære de amerikanske sangene Mary insisterte på at hun måtte pugge slik at de kunne synge sammen. Det var sanger med rare navn som «Jailhouse Rock» og «Blue Suede Shoes». Mary fortalte at de var svært populære der hun kom fra, og at alle guttene og jentene der hadde sin egen platespiller.

Hun fortalte Jamilet andre ting om landet sitt, om veiene som var dekket av asfalt selv utenfor byene og der hvor fattige mennesker bodde. Hun beskrev bygninger av glass som skinte som speil, og som var mye høyere enn noe i Guadalajara.

– De er like høye som de fjellene som rekker til skyene, sa Mary med store, blå øyne mens hun blåste tyggegummibobler. – Det er derfor de heter skyskrapere.

Etter det første året hos Millerfamilien snakket Jamilet godt engelsk, og det var nedslående for Millerfamilien at Mary ikke hadde plukket opp spansk på samme måten. De foreslo at jentene kanskje kunne snakke med hverandre på spansk, men Mary nektet.

– Jeg liker å være læreren. Dessuten kan ikke Jamilet lese, og du kan ikke være lærer hvis du ikke kan lese.

Jamilet bøyde hodet over den pinlige sannheten, og saken ble droppet.

En morgen Mary stakk tusenfryd i Jamilets hår, oppdaget hun den øverste kanten av merket som stakk opp av kragen. Hun strøk fingeren over det for å se om det skiftet farge når hun tok på det, og slapp tusenfryden da hun oppdaget at det ikke skjedde.

– Hva er det? spurte hun og pekte på merket med den lille fingeren sin som om hun fryktet at det skulle hoppe opp og bite henne.

Jamilet glattet håret over kragen igjen, og heten steg opp i kinnene hennes, men hun tenkte fortere og klarere enn hun noen gang hadde gjort i sitt liv, fast bestemt på ikke å miste sin eneste venninne.

– Det er en litt skremmende historie, sa hun og snudde seg rundt mens hun sperret øynene dramatisk opp. – Hvis jeg forteller det til deg, er det ikke sikkert du får sove om natten.

Mary bet seg i leppen og tenkte litt. – Det er ok, jeg ser skremmende filmer hele tiden, og jeg sover veldig godt så lenge jeg har lyset på.

De satte seg ned i et stille hjørne av gårdsplassen. Jamilet begynte å fortelle henne en fantastisk historie som handlet om hekser og cucuyer, en slags monstre, som holdt til under sengene til barn. Når barna sov som dypest, krøp disse ondskapsfulle beistene ut og forsøkte å stjele intetanende barn fra hjemmene deres. De holdt dem i munnen akkurat slik som de bar sine egne unger, og hoppet ut av vinduet med dem før de våknet.

– Jeg var heldig, avsluttet Jamilet, som hadde lagt merke til Marys skjelvende underleppe. – Jeg våknet før den gamle heksen klarte å få meg ut av vinduet, men hun rakk å sette merket sitt på meg likevel.

Mary svelget historien og kom raskt over frykten. Det bleke ansiktet sprakk i et stort smil som avslørte to fortenner pakket inn i metalltråd. – La meg se det igjen, sa hun og strakte seg etter Jamilets krage.

Jamilet stanset hånden hennes. – Det er hemmelig.

– Det der er ikke hemmelig, sa Mary, og pekte mellom beina sine så dydig hun maktet. – Dette er.

– Vel, det er hemmelig for meg, sa Jamilet rolig. – Det er det mest hemmelige stedet mitt.

Jamilet lurte på hva Mary ville gjøre hvis hun hadde fått vite at merket strakte seg over skuldrene, hele ryggen og helt ned til baksiden av knærne. Ville hun smilt da? Hun bestemte seg for ikke å ta sjansen. Det var best å beholde dette som en hemmelighet, selv for sin eneste venninne, akkurat som hun og moren hadde blitt enige om før de begynte å arbeide for Millerfamilien.

– Folk er redde for det de ikke forstår, Jamilet, hadde moren sagt. – Og det finnes nok frykt i livet som det er.

Men det var Lorena som brøt løftet da mr. og mrs.

Miller spurte om merket datteren hadde sett. Jamilet lurte på om hun hadde misforstått moren da hun ble kalt inn på kontoret og bedt om å snu seg rundt og løfte blusen høyt opp for at ekteparet Miller selv kunne få se. Jamilet gransket morens øyne. De var ikke triste, men glitret av liv som de av og til gjorde.

Da Lorena gjentok hva hun ønsket, gjorde Jamilet som hun ble bedt om, og ventet på gispet av skrekk som ville komme. Men det kom ikke annet enn stillhet og den fjerne lyden av rennende vann fra fontenen hvor Mary ventet på at venninnen skulle komme tilbake. Jamilet lurte på om disse amerikanerne uttrykte sjokk på en annen måte enn meksikanere, som hadde en tendens til å komme med høye klagerop til helgener og Guds mor når de ble konfrontert med sykdom og misdannelser. Et øyeblikk trodde Jamilet at de hadde besvimt der de sto, men hun våget ikke å snu seg for å se.

Men så trakk mr. Miller pusten dypt, som om han plutselig husket hvordan det var å puste. Han renset halsen for å skjule det.

– Vi kjenner en lege, sa han og tvang stemmen til å være rolig. – Han er utdannet i USA, men har praksis her i Guadalajara.

– Jeg har ikke penger til en slik lege, sir, sa Lorena skamløst.

Hun visste nøyaktig hva hun gjorde.

Mrs. Millers svar kom skingrende og øyeblikkelig. – Det tar vi oss av. Du kan ta ned blusen din nå, lille venn, sa hun, og hvisket noe til mannen som Jamilet ikke kunne høre.

Lorena hadde alltid fortalt datteren at det et sted i verden fantes håp om et mirakel, og at det like gjerne kunne finnes i nord som ethvert annet sted. Hvis de klarte å bygge skinnende metallbygninger som rakk til himmelen, måtte det da finnes en lege som kunne fjerne merket? De hadde for lengst mistet troen på curanderos som viftet med blader og tente lys mens de messet og helte etsende medisiner på Jamilets hud. Det førte ikke til annet enn uutholdelige smerter og blemmer på toppen av styggedommen.

Behandlingene endte alltid på samme måte. Bandasjert og blødende lå Jamilet utslitt på sengen, ute av stand til å sove på ryggen på mange dager. De fikk beskjed om at hvis merket ikke forsvant i løpet av tre dager, ville det aldri forsvinne. Og som alltid kom og gikk de tre dagene, og som oftest var merket rødere og hissigere enn før.

Natten før timen hos Millerfamiliens lege var ikke uttrykket i Lorenas øyne trist, men usedvanlig håpefullt.

– Jeg kjenner noe vidunderlig i hjertet som jeg ikke har følt før, sa hun, selv om hun aldri hadde vært så blek. Jamilet strøk en finger langs de små svetteperlene som dukket opp i morens panne.

– Vil det gjøre vondt, mamma? spurte hun, selv om hun visste at det ikke spilte noen rolle.

Men Lorena svarte ikke. Hun hadde allerede sovnet, leppene beveget seg i stille bønn.

Jamilet og Lorena ventet på venteværelset i en skinnende kontorbygning med tepper i stedet for fliser, og bilder av perfekt frukt på veggene. De satt på kanten av en liten sofa og følte seg utenfor og klønete mens velstående, motekledde klienter annonserte sin ankomst til sekretæren, som kjente alle ved navn. Flere av dem var unge piker på samme alder som Jamilet. De klaget over kviser i ansiktet, men Jamilet så ikke noe til det de snakket om, selv om hun anstrengte seg aldri så mye.

En ung mann hadde et mer alvorlig problem, og Jamilet forsøkte å ikke stirre på de hissigrøde merkene som så ut

24

som små vulkaner i ansiktet og nakken hans. Hun forsto det sky og nedslåtte uttrykket som viste at han søkte trøst i sitt eget indre univers. Der kunne han gjøre lyden av hjerteslagene sine om til en symfoni hvis han ville – alt for å avlede ham fra de kritiske blikkene og reaksjonene rundt ham. Jamilet lurte på hva som ville skje hvis hun snakket til ham. Ville han svare? Ville han tillate seg selv å høre? Hun lurte på det til hun glemte hvor hun var, til fantasien tok overhånd og hun ikke lenger kjente morens svette hånd på kneet sitt.

– Er det første gang du er her? spør Jamilet.

– Nei, jeg har gått hos doktor Martinez lenge, men som du ser, har ikke det hjulpet noe særlig.

– Jeg har ikke vært her før, og jeg er litt redd.

Han gransker ansiktet hennes fra panne til hake. – Det er ikke noe galt med deg.

– Hvis du så ryggen min, ville du forstå. Jeg har blitt brent og skrubbet av curanderos og landsbyleger så lenge jeg kan huske, men ingen klarer å fjerne merket. De sier det er det verste de noen gang har sett. Det skremmer til og med dem som påstår at de har makt over onde ånder.

Han rister på hodet. – Hvis det er så ille som du tror, kan du like gjerne gå med en gang. Jeg har mest lyst til å stikke av selv.

Jamilet hvisker sånn at sekretæren ikke kan høre. – Jeg har hørt at de beste legene finnes i nord.

– De sier så, hvisker han tilbake. – Og jeg har penger til å reise dit, men jeg snakker ikke et ord engelsk.

Jamilet faller nesten av stolen. – Jeg snakker tilfeldigvis utmerket engelsk. Min beste venninne lærte meg det. Og jeg kan masser av amerikanske sanger også.

De stirrer på hverandre et øyeblikk. De vet hva de må gjøre, men er redde for å si det høyt.

25

– Når skal vi dra? spør Jamilet til slutt.

– Hva med akkurat nå ... før de roper opp navnene våre?

Resepsjonistens stemme tordner og vekker Jamilet fra drømmen. – Jamilet Juarez. Du kan komme inn nå.

Doktor Martinez var en liten, men imponerende mann med myke, fyldige hender. Han begynte med de sedvanlige høflighetsfrasene og forklarte at hans gode venner, ekteparet Miller, hadde beskrevet Jamilets problem da de ba ham undersøke henne.

De er gode mennesker, sa han da han nærmet seg Jamilet.

– Og de er glade i deg og din datter.

– Vi står i takknemlighetsgjeld til dem, mumlet Lorena.

– Og til Dem for at De vil se oss.

Han ba Jamilet legge seg med ansiktet ned på undersøkelsesbenken, og forsikret henne om at han bare skulle se på merket. Han ville si fra hvis han måtte ta på henne, og når han gjorde det, ville det bare bli med fingrene og ikke instrumenter eller nåler. Jamilet slappet godt av, selv om hun kunne se moren knyte hendene i fanget fra der hun lå.

Doktor Martinez trakk Jamilets bluse opp til skuldrene og skjørtet ned til hoftene for å kunne vurdere størrelsen på merket. Hun lyttet mens han pustet; støtt og lavt gikk pusten inn i og ut av lungene, og hun kunne føle varmen i blikket som gransket merket. Etter noen minutter ble hun overrasket over å høre fascinasjon i stedet for hån da han snakket.

– Jeg har aldri sett maken, mumlet han. – Det medisinske navnet for merket, som dere kaller det, er hemangiom. Tilstanden er ikke uvanlig. Omtrent ett av hundre barn blir født med en eller annen form for fødselsmerke, men dette her ...

Det virket som om han slapp opp for ord da han trykket på utveksten i nakken. Den var tykk av blodårer og lignet nudelsuppe med litt buljong. – Dette er ganske usedvanlig.

Etter enda flere minutter ba han Jamilet om å sette seg opp, og gjorde tegn til at undersøkelsen var over.

– På mange måter er du heldig, sa han. – Ganske mange hemangiomer som dette befinner seg i ansiktet. Jeg har også lest om tilfeller hvor hele kroppen var påvirket, selv om det er ytterst sjelden. Det fører også til andre komplikasjoner, men jeg antar at du ikke har hatt problemer med hjertet eller leveren ... anfall, for eksempel.

– Hva slags anfall? spurte Lorena. Hendene hennes var hvite og stive i fanget.

– Det er nevrologiske problemer, sa doktor Martinez og lette etter ord som hans enkle pasienter kunne forstå. – Noe som skjer i hjernen. De elektriske impulsene blir forstyrret, og ...

– Jamilet er frisk som en hest, doktor, sa Lorena. – Hun har aldri vært syk, ikke hatt snue engang.

Hun senket hodet og strakte ut fingrene som om hun så på dem for første gang og undret seg over at de kunne bevege seg av seg selv. – Men ... noen ganger stirrer hun ut i luften og vil ikke svare når jeg snakker til henne. Jeg tror hun dagdrømmer.

– Stemmer det?

Doktor Martinez snudde seg mot Jamilet. Han fisket frem en liten lommelykt fra jakkelommen og lot lyset gli forbi øynene hennes flere ganger. Han plasserte hendene på hoftene. – Hører du moren din disse gangene når hun sier at du dagdrømmer?

– Jeg liker å finne på historier, og noen ganger hører jeg ikke noe annet enn min egen stemme i hodet mitt.

Doktor Martinez rynket pannen. – Hvor lenge har du funnet på historier?

– Siden jeg var liten, til og med før jeg kunne snakke.

– Hører du bare din egen stemme? Eller hører du andre stemmer også?

Jamilet lirket seg frem til enden av undersøkelsesbenken.

– Jeg hører mange stemmer. Det er som et helt teaterstykke inni hodet mitt, sånne som de har i kirken i påsken, bare at det er jeg som finner på alle ordene, og hvis stykket er virkelig godt, kan jeg se alt sammen inni hodet mitt også.

Doktor Martinez smilte av dette rare, enkle barnet som snakket med en sånn glød om historiene sine. – Jeg tror ikke vi har noe å bekymre oss over her.

Han dunket henne vennlig i pannen med pekefingeren.

– Det sitter en utmerket hjerne inni dette vakre hodet.

Han snudde seg mot Lorena. – Han bør også legge til at det kan være arvelige faktorer som fører til denne tilstanden.

Han vurderte det forvirrede uttrykket i ansiktet hennes og fortsatte. – Det kan arves fra slektninger, akkurat som øyefarge og høyde. Jeg antar at du ikke har noe ...

Lorena ristet på hodet og presset sammen leppene, godt forberedt på det hun visste ville komme nå.

– Og faren? Vet vi?

– Min mann døde for mange år siden, doktor, og han hadde ikke merket eller hva det nå var du kalte det.

– Han ble drept av banditter, la Jamilet til siden hun ganske nylig hadde bestemt seg for at dette var den versjonen av hans bortgang som hun syntes var den beste. – De skjøt ham midt mellom beina.

Doktor Martinez hevet forbauset øyebrynene før han hostet høflig og strakte seg etter journalen på bordet.

Lorenas stemme var skingrende. – Og behandling, doktor?

– Om det går an å fjerne det, mener du?

Lorena nikket engstelig. Øynene hennes ble blanke mens hun åpnet vesken for å finne et lommetørkle.

Doktor Martinez' ansiktsuttrykk, som hadde vært så selvsikkert like før, ble tvilende. – Jeg beklager å måtte skuffe deg, men jeg er redd det er lite vi kan gjøre på dette tidspunktet. Vi kunne kanskje ha behandlet det intensivt da Jamilet var yngre, men nå er det umulig å fjerne det uten å risikere alvorlige skader.

– Men hvordan kan hun gå gjennom livet med den forferdelige tingen som lever på ryggen hennes, doktor? bønnfalt Lorena uten lenger å bry seg om å være sømmelig eller fattet.

– Se på ansiktet hennes. Hun er vakker, min lille Jamilet. Det må da være noe vi kan gjøre, et annet sted vi kan dra.

– Jeg forstår bekymringen din, sa doktor Martinez, og øyebrynene hans trakk seg sammen av vel innøvd medfølelse. – Det finnes noen nye behandlingsformer som bruker lasere, et slags intenst lys. Men jeg har liten erfaring med dette. Det har vært gjort lovende forsøk, men jeg tviler sterkt på at det i din datters tilfelle ...

– Hvor kan vi finne sånn behandling? glefset Lorena.

– I nord ... jeg tror det finnes noen klinikker i Los Angeles som har begynt å bruke lasere på mer overfladiske fødselsmerker.

Lorena tørket pannen for tredje eller fjerde gang. Hun pustet tungt, og det virket som om øynene hennes rullet løst i øyehulene.

– Går det bra, señora?

– Ja, sa hun. Hodet sank. – Bare litt trøtt.

– Mamma!

Jamilet hoppet fra undersøkelsesbenken da hun så moren gli ned fra stolen og havne i en haug på gulvet.

Lorena fikk diagnosen hjerteproblemer og ble liggende på sykehuset i flere dager. Da hun ble skrevet ut, kunne hun ikke lenger arbeide for Millerfamilien, eller noe annet sted. Hun måtte skåne hjertet så mye som mulig, og spares for

29

alle dårlige nyheter. Hun skulle sitte på verandaen om dagen når været var fint, eller bli liggende i sengen som vendte mot vinduet med utsikt til bakhagen, slik at hun kunne se Jamilet leke og passe på chiliplantene.

Millerfamilien kom på besøk et par ganger og tok med seg kartonger fulle av bokser med bønner, grønnsaker og kjøtt som allerede var ferdig tilberedt. En sjelden luksus. Av mangel på boksåpner fikk Gabriela vist sin dyktighet med hammer og kniv. Hun var så henrykt over gavene at hun ikke engang blunket da kniven glapp og skar et dypt kutt i fingeren hennes.

Jamilet benyttet anledningen til å vise Mary hagen hun hadde pleiet i så mange år. Chilipepperne var blanke og lubne, og hun var stolt av å kunne si at de ble ansett for å være de beste på markedet. Mary kastet et kort blikk på dem og sa seg enig i at de var vakre, selv om hun ikke likte chilipepper siden de brant på tungen og fikk henne til å svette. Jamilet viste henne bekken som rant flere meter bak det beskjedne huset deres, som til og med var mindre enn skjulet hvor Millerfamilien oppbevarte bilen og hageredskapene sine.

– På den andre siden av den elven er verden, fortalte Jamilet venninnen, for det hadde hun alltid trodd, og hun hadde aldri vært lenger nord enn det.

Mary nikket, ikke særlig imponert. Hun virket mye mer opptatt av de nye lakkskoene sine. Etter at hun hadde tråkket på den løse jorden som Jamilet nettopp hadde snudd og vannet, ble lakken full av små søleflekker.

– Det er ikke noen elv, sa Mary og tørket skoen med hendene. – Hvis du vil se en skikkelig elv, bør du dra til Rio Grande. Den er hundre ganger så stor som denne.

Hun rettet seg opp, irritert fordi hun ikke klarte å fjerne sølen. – Har du en serviett eller noe som jeg kan tørke skoene med?

Jamilet så seg om, men var i villrede om hva hun skulle gjøre.

– Det er helt i orden, sa Mary. – Bare vis meg hvor badet er.

Jamilet pekte på elven og smilte.

Det var siste gang hun så Mary. Flere måneder senere fikk de vite at Millerfamilien hadde flyttet tilbake til Texas. Jamilet forestilte seg sin amerikanske venninne med blond hestehale som danset frem og tilbake når hun gikk på de asfalterte veiene, glatte som grammofonplater. Hun lo og frydet seg over speilbildet sitt i glassbygningene som var like høye som fjell. Og hun var veldig glad for å ha rene sko.

Lorenas hjerteproblemer, som hadde vært under kontroll med hvile og intetsigende småprat, ble plutselig verre. Sytten år gamle Jamilet var overrasket over hvor praktisk hun tok seg av alt selv om moren kunne dø når som helst, og det plaget henne. Hun burde ha vært knust ved tanken på å miste den personen hun elsket høyest i verden, men tristheten ble på en måte presset bort og hang like utenfor rekkevidde. Hun fant styrke i en lengsel hun ikke klarte å forklare verken for seg selv eller andre.

Hun ble klar over denne styrken da hun så merket for første gang. I det øyeblikket kjentes det som om innvollene knyttet seg til sengestolpen for å forhindre at hun fór opp fra madrassen og ut gjennom taket. Hun hadde også kjent den samle seg i henne da hun endelig godtok at hun aldri ville få gå på skolen, og at det meste hun kunne forvente fra landsbyen var avmålt respekt, født av medlidenhet på det beste, og tilbakeholdt avsky på det verste. Etter å ha hatt muligheten til å studere fenomenet på nært hold, hadde hun lært at ikke bare elsket folk frykten sin, de nøt den som evigvarende og trofast underholdning. Når hun gikk til markedet eller nedover gaten i et ærend, minnet hun dem om at de var heldige uansett hvordan de hadde det, for når de vasket seg i elven eller i brønnen om kvelden, enten de nå hadde såpe eller bare vann og friksjon, ble de rene fra topp til tå, foran og bak.

– Moren hennes er døende, og hun feller ikke en tåre, sa landsbyboerne. – Ansiktet hennes er som en statues. Ikke en tåre.

– Overrasker det deg? hvisket de. – Hun har hjertet til en djevel, og djevelen blir ikke trist av døden.

– Det går rykter om at hun reiser nordover når moren er død.

– Jeg har bedt om det i årevis. Helt siden hun ble født, har ikke jordene mine vært like fruktbare, og hennes ser ut som de trives. Hun har forbannet oss alle.

– Barnet mitt som døde to måneder etter at Jamilet ble født, vet du? Curanderaen hadde ingen annen forklaring.

Etter hvert som morens sykdom forverret seg, vokste Jamilets historier forbi fantasiene som hadde hjulpet henne da hun var barn. De boret ned i dypere lengsler som evnet å trøste sjelen hennes. Hun tilbrakte timer med halvlukkede øyne og dirrende øyelokk mens moren sov. Gabriela ba Jamilet be når hun følte hjertet visne av smerte, men historiene lettet smerten bedre enn noe annet.

– Mamma, stå opp. Det er tid for frokost, og du har sovet så lenge. Forventer du at jeg skal gjøre alt arbeidet her?

Mammas øyne glir opp, og hun smiler som om hun bare later som hun sover. – Hvor lenge har jeg sovet?

– Altfor lenge, sier Jamilet og trekker ned teppene. – Kom og se hva jeg har laget til deg.

Mamma står opp. Hun legger et sjal over skuldrene mens hun føres inn på kjøkkenet. Bordet er dekket til frokost med tortillas, chorizopølse og egg med fersk chilisaus og to dampende krus varm sjokolade.

De ser på hverandre over bordet mens de spiser, øre av glede.

– Du virker så glad, Jamilet. Jeg har aldri sett den lille piken min så glad.

– Jeg har en overraskelse til deg, mamma.

Hun slår sammen hendene som et barn. – Enda en overraskelse? Hva er det?

– Vi reiser nordover, mamma. Vi drar i dag. Vi skal få oss et nytt liv der hvor de skinnende bygningene rører himmelen. Jeg snakket med mr. og mrs. Miller, og de har allerede ordnet jobber til oss der. Og de har et ekstra rom i herskapshuset sitt som de ikke bruker. De sier vi kan få det til vi finner vårt eget sted, og vi kan bruke så lang tid vi bare vil for å finne akkurat det riktige huset.

– Hva med bestemoren din? Hun er for gammel til å bo alene.

– Hun vil ikke dra, mamma. Jeg har allerede spurt henne, og hun er veldig sikker på at hun ville bli ulykkelig der og veldig lykkelig her med chilihagen og hønsene. Legen fortalte meg i dag at hun er sterk som en hest, og at det å få litt bedre plass ville være bra for henne.

Mamma godtar dette uten spørsmål. – Ja vel, da får vi vel pakke litt.

– Jeg pakket mens du sov, mamma. Vi trenger ikke gjøre noe annet enn å dra.

– Og hva med merket, Jamilet? Jeg orker ikke tanken på å forklare alt sammen til enda flere mennesker … mennesker som ikke forstår.

Jamilet la en konvolutt på bordet.

– Hva er det?

– Jeg fikk dette brevet i går, mamma.

– Burde vi ikke finne noen som kan lese det for oss?

Kanskje hvis vi snakker med Rolandos sønn Pepe nede i veien ...

Jamilet tar konvolutten, bretter ut brevet og begynner å lese med klar, høy stemme. Hun leser om en avtale neste uke med en berømt lege i nord som helt sikkert kan fjerne merket i løpet av noen timer eller maksimum tre dager. Prosedyren vil være smertefri, og de kan betale over tid.

Tårene renner nedover mammas ansikt. – Jamilet, jeg har aldri fått så fantastiske nyheter før. Og når har du lært å lese? Jeg hadde ingen anelse.

– Jeg bare fant ut av det en dag jeg ventet på at du skulle våkne. Jeg hadde den lille boken i fanget mitt, og jeg ba akkurat slik abuela har lært meg, og plutselig begynte alle linjene på arket å snakke til meg med sine egne stemmer. De laget bilder, og jeg forsto alt der og da.

– Det er et mirakel.

– Verden er full av mirakler, mamma. Alt vi må gjøre, er å finne dem som tilhører oss.

Jamilet våknet av lyden av gråt. Gabriela lå på kne ved Lorenas seng, med hendene foldet rundt en rosenkrans og pannen presset mot den.

– Hold henne nær deg alltid, gode, nådefulle Far. Gi henne ro og den freden hun aldri fikk kjenne her på jorden. Hun var vakker og ikke ment for slike lidelser.

Hun oppdaget at Jamilet var våken, og skulte mot henne gjennom tårene. – Legg deg på kne og be, barn. Din mor er død.

3

Jamilet bestemte seg for at det beste var å klippe håret like over ørene. Hun gjorde det uten dikkedarer, på samme måte som hun trimmet stilkene fra tomatene når de var modne og rede til å spises. Deretter presset hun brystene flate ved å tvinne strimler av et tynt, hvitt stoff rundt brystkassen. Stoffet hadde hun funnet under morens seng. Gabriela hadde sagt at det var helligbrøde å bruke stoffet som skulle ha blitt morens brudekjole på en sånn måte. Men Jamilet feide bort alle forestillinger om blasfemi da hun slo fast at selv om det var ukomfortabelt, kunne hun puste, og det var det viktigste. Hun gransket seg selv kritisk i det eneste speilet i huset. Med et par løse bukser og en bredbremmet hatt trukket langt ned i pannen, lignet hun en underernært unggutt med veike skuldre og små føtter.

Gabriela forsøkte å ta motet fra Jamilet da hun feide opp tykke lokker av svart hår fra kjøkkengulvet, men hun valgte et annet argument enn det hun hadde brukt mot Carmen mange år tidligere. – Hvem skal passe på hagen min? jamret hun inn i hendene mens hun passet nøye på at hun sprikte nok med fingrene til å kunne se. – Å være avhengig av almisser er en langsom død i dette landet.

Jamilets uttrykk forble glatt og ubøyelig. – Tía Carmen sender deg penger hver måned, og det samme skal jeg

35

gjøre. Alle vet at det er lett å tjene penger i nord. Ikke glem at jeg snakker engelsk.

Gabriela senket hendene og stirret på barnebarnet med øyne merket av grå stær. Selv med håret klippet av over ørene var Jamilet vakker. – Livet er ikke som en av historiene dine hvor du kan vri på den i hodet sånn at slutten alltid blir lykkelig. Det finnes ingen kur for merket ditt, ikke engang i nord. Jeg har visst det helt siden jeg krøp på mine knær til Guds hellige alter etter at du ble født. Jeg har aldri fortalt moren din dette, fordi jeg visste at hun bare ville lide enda mer, men hvis jeg kan forhindre at du gjør denne forferdelige feilen, skal jeg fortelle deg det nå.

Hun lente seg på kosten, og ansiktet myknet av minnet. – Jeg ba om et mirakel og så opp på Vår Herre der Han hang på korset. Akkurat da falt en lysstråle gjennom vinduet og lyste opp kronen Hans. Først forsto jeg ikke hva det betydde, men så snakket Han til meg.

Hun lukket de melkeaktige øynene og svaiet litt. – Han fortalte meg at du må bære merket med stolthet og overgi lidelsene dine til Herren. Merket er din egen tornekrone, og en dag vil den bringe deg ære.

Hun åpnet øynene som var like klare som en ørkennatt. – Så du skjønner vel at hvis du drar nordover, vil du bli like skuffet som alltid? Denne gangen kommer du til å være alene …

– Jeg vil være sammen med tía Garmen.

– Det er jo enda verre!

Gabriela begynte å feie igjen, med et slikt raseri at støvskyer virvlet opp rundt dem. – Gud vet hva slags liv den jenta lever. Hun forteller meg at hun går til kirken hver søndag, men jeg tror ikke på henne. Jeg er overbevist om at hun drikker mer enn noen gang. Det er et mirakel at hun kan sende penger i det hele tatt.

Jamilet fanget bestemorens kost og satte den til side.

Hun tok tak i hendene hennes og klemte dem mellom sine egne. – Jeg har aldri fortalt deg dette, men Gud snakket til meg også, abuela. Da jeg ba så inderlig mens mamma døde. Han fortalte meg at jeg måtte dra nordover, og at jeg ville finne en kur.

Jamilet ventet på at avsløringen skulle synke inn.

– Hvordan hørtes han ut? spurte Gabriela, fascinert og rørt over at barnebarnet hadde opplevd en religiøs åpenbaring, hun som vanligvis ikke gadd å si bordbønn før maten.

Jamilet så angrende rett inn i bestemorens øyne, hun gledet seg ikke over å finne på historier om det bestemoren holdt kjært.

– Det var ikke som stemmen til en person. Det var mer som dempet torden som holdt tilbake styrken sin, slik at du kunne lytte og vite at det var Gud uten å bli redd.

– Dempet torden, gjentok Gabriela to ganger. – Sånn hørtes han ut for meg også.

Den tolv timer lange bussreisen var den eneste hvilen Jamilet ville få på mange dager. Hun forsøkte å gjøre sitt beste for å sove, men var så opprømt at hun ikke klarte å lukke øynene mer enn et minutt eller to. Hun studerte ordene på papiret, tantens adresse i Los Angeles. Hun forsøkte å huske kvinnen hun ikke hadde sett på ti år. Alle sa at de aldri hadde kjent to søstre som var så forskjellige. Jamilet så for seg moren som satt stille i en krok og betraktet verden med store, mørke øyne. Hun presset frem et nølende smil hvis hun måtte. Carmen likte å le høyt av sine egne vitser. Hun jaktet alltid etter sjanser til å fylle sine enorme lunger med luft og skrike ut gleden eller raseriet eller hva det nå måtte være, som om det å puste som alle andre ikke var interessant nok.

Jamilet betraktet den meksikanske ørkenen som suste forbi vinduet. Flekker av lysebrunt og grønt gled over i hverandre og ble til en tåkete utsikt av horisonter mens den jevne lyden av motoren og hjulene ble en engstelig vuggesang. En som passet bedre til hopping enn vugging, men som likevel lindret. I denne hypnotiske roen kunne hun tydelig se tanten sitte ved kjøkkenbordet med beina opp som om hun var mannen i huset, uten å bry seg om at de brede hoftene og rumpeballene var delvis synlige for alle som var til stede.

– Ta ned beina, ville Gabriela si. – Må du vise hele verden sakene dine?

– Hele verden? Ser du hele verden her inne, Jami?

Jamilet så seg om i rommet, ivrig etter å vise hvor flink hun var til å gjøre som hun fikk beskjed om, og ristet på hodet. Men hvis verden dukket opp i skikkelse av Pepe nede i veien med et fat av morens tamales i bytte for en pose chili, eller melkemannen kom på sin ukentlige runde, tok ikke Carmen føttene ned eller rettet på skjørtet så mye som en tomme. I stedet smilte hun ertende og kikket for å se om de stjal et glimt av den frodige enden hennes, noe de alltid gjorde. Da lo hun som om hun akkurat hadde bevist noe viktig for seg selv, selv om Jamilet ikke kunne forestille seg hva det var, men hun lo med likevel, og når tanten triumferende blunket til henne, blunket hun tilbake.

Sannheten var at Jamilet gikk med på det meste av tantens forslag. Carmen var tilbøyelig til å dele raust av sine meninger om en mengde temaer: nødvendigheten av en kald øl om morgenen for å klarne tankene, den bortkastede energien ved for mye høflighet, den hemmelige arrogansen som bodde i hjertet til de overdrevent beskjedne, for å nevne noen. Men for Jamilet var det aller viktigste å stå på god fot med tía Carmen og å få varme seg i latteren hennes som fylte huset som tjue mennesker eller flere.

Når Lorena rynket på nesen over søsterens stygge ordbruk, eller når Gabriela kom med en irritert bønn til Vår

Herre om å lede hennes fortapte sjel, var Jamilet taus. I tankene sine, helt innerst i sin uforbeholdne beundring, jublet hun. Hvordan kunne hun kritisere tía Carmen i hjertet, når tanten var den eneste personen hun kjente som ikke var redd for merket? Faktisk brydde hun seg ikke noe om det i det hele tatt, og ble verken skremt eller plaget av tanken på forbannelser og straff fra Gud. Jamilet visste at Carmen ville lære henne hvordan hun skulle bli sterk og møte verden med hevet hode og rak rygg. Hun ville utvilsomt like Jamilets mannlige forkledning, og de ville le til de rullet på gulvet som fulle gårdsgutter. Hun kunne se alt sammen for seg og høre tantens stemme drønne over bussens motordur.

– Og du kan glemme alle de fjollete reglene moren og bestemoren din har proppet i hodet ditt siden du var spedbarn. De vil ikke hjelpe deg det minste her.

– Jeg skal glemme alt, tía, sier Jamilet smilende. – Jeg skal til og med glemme mitt eget navn, hvis du vil.

Carmen ser spørrende på henne. – Ikke innbill deg noe, sier hun.

Sammen går de ut i byen. Bakken under føttene deres er laget av blank marmor, akkurat som gulvet frem til alteret i kirken. Bygningene som omgir dem, er et virvar av kantete former og farger som strekker seg over skyene. Tía ser seg rundt, og selv om hun aldri har blitt særlig imponert av noe annet enn rumpa til en flott mann, blir hun fylt av ærefrykt en stund.

– Det er ikke skitt på bakken her, sier hun. – Og se der oppe.

Hun peker mot den øverste randen av byen, hvor betong og glass glir over i en himmel som er blåere enn noen himmel hun har sett før. – Dette er den typen mirakler du kan tro på.

På mindre enn to dager krysset Jamilet ørkenen. Selv en lommelykt kunne vekke uønsket oppmerksomhet, og derfor var det bare stjernene som lyste opp stien. Det var mye farligere å forsøke å krysse uten en erfaren grenselos, eller coyote, som de ble kalt, som kunne lede dem. Coyotene kjente passene gjennom juvene og bandittene som streifet langs grensen på utkikk etter meksikanere de kunne rane.

Jamilet hadde slått seg sammen med seks andre nær grensen, folk som akkurat som henne ikke hadde penger nok til å betale for en slik luksus. De bestemte seg for å våge kryssingen på egen hånd. De ville være tryggere og rekke over lengre distanser hvis de kunne gå gjennom ørkenen om natten, når det var kjølig. Hvis alt gikk etter planen, ville de krysse Rio Grande ved et rolig vadested og dukke opp på den andre siden hvor alt var fremgang og håp – i nord.

Jamilet kjente en nervøs oppstemthet ved tanken på at hun var så nær målet. Reisen hadde vært lettere enn forventet. Hun hadde vært forberedt på å bruke dager, til og med uker, på å krysse grensen, fullstendig klar over at mange ble tatt og sendt tilbake bare for å forsøke igjen allerede neste dag. Slik kunne det fortsette i ukevis, og ofte ble de mest utholdende arrestert og holdt fengslet i måneder. Men her var hun, deltaker i en plan som var like ukomplisert som å gjøre husarbeid.

Juan, en mann med mild stemme og et lett smil, var den eneste i gruppen hun stolte på. Når noen klaget over at den radmagre guttungen forsinket dem eller ikke sanket sin del av veden når de slo leir, minnet Juan dem på at det ville være lurt å spare på kreftene til Rio Grande, og at bandittene alltid var ute, sånn at et kraftig bål var idiotisk uansett. Jamilet passet på å gå bare noen skritt etter ham, og når det var tid for å hvile, lå hun alltid så nær ham hun kunne.

Juan betraktet sin unge reisekamerat med økende mistenksomhet. Han var godt kjent med forfallet i nord, med åpen prostitusjon og mennene som kledde seg som kvinner og danset nesten nakne i klubber som lå i de skumlere strøkene i de store byene. Jaime måtte da være på vei til et slikt sted. I Juans landsby ble menn som ham hengt opp i trær og pisket til presten var overbevist om at ondskapen var banket ut av ham. Juan la merke til Jaimes smale håndledd. Denne her hadde aldri hengt i et tre, og en så myk hud ville ikke overleve for mange piskeslag. Han følte mer medlidenhet enn avsky, og fortalte henne at broren skulle treffe ham på den andre siden av elven og ta ham med til Los Angeles. Hvis han betalte sin del av bensinen, var Jaime velkommen til å sitte på med dem, sa han.

Jamilet var på gråten over å møte så mye hell. Hun hentet frem pengene hun gjemte i sokken, og ga alt sammen til ham før han rakk å skifte mening. Hun var nå blakk, men stolte på sin egen evne til å lese en manns karakter. Hun tvilte ikke på at Juan var en god mann som ikke ville skade eller lure henne.

Natten før de skulle krysse elven, var den så nær at de kunne høre vannet tordne forbi mellom landet i nord og landet i sør. Jamilet forestilte seg at lyden var Guds stemme, ikke så fjernt fra beskrivelsen hun hadde gitt bestemoren bare noen dager tidligere, selv om det føltes som et helt liv siden. Var beskjeden illevarslende eller løfterik? Hun kunne ikke være sikker, men hun tvilte ikke på at det lå et budskap til henne der. Før søvnen innhentet henne, løftet hun blikket mot nattehimmelen og sverget på stjernelysene at hvis hun ikke hadde klart å kvitte seg med merket i løpet av to år, ville hun ta sitt eget liv. Hun ville ikke vente på at Gud skulle ta det bort, slik moren hadde gjort. Hun ville rett og slett bare klatre opp på den høyeste bygningen i byen og hoppe ut. Hun fant trøst i tanken på at det ville bli umulig å skjelne merket i den blodige massen som ville være igjen av henne. Alle som hoppet fra et så høyt sted, så nøyaktig like ut, og på den måten ville hun i det minste ha lyktes.

Neste morgen våknet Jamilet og stirret rett inn i de støvete støvlene til reisekameratene sine der de sto over henne. Et par av dem lo nervøst, og de andre ruslet av gårde for å pakke sine få eiendeler. Da hun snudde seg for å gjøre det samme, kunne hun ikke røre verken armer eller bein, og forsto at de hadde bundet henne mens hun sov.

Juan, som hadde ventet på at hun skulle våkne, satt på huk like ved for å kunne snakke privat med henne. – Jeg beklager, Jaime, sa han. – Hvis du visste hva de egentlig hadde tenkt å gjøre, ville du takket meg. Disse guttene forstår seg ikke på sånne som deg, og det gjør vel ikke jeg heller, men det er ingen unnskyldning for grusomheter, så pass vet jeg.

Jamilet strevde for å komme løs, men jo mer hun trakk i tauene, jo mer strammet de til rundt håndleddene og anklene. Det tok bare noen minutter før hun var helt andpusten av anstrengelsene.

– Du kaster bort tiden, sa Juan og ristet på hodet over det sørgelige synet. – Jeg er ekspert på knuter.

En mann sparket jord i ansiktet på henne da han gikk forbi, og mumlet en forbannelse. Han var tydelig glad for at det hele var over, og ivret etter å fortsette neste fase av reisen før det ble for sent. Han begynte å ta av seg beltet, støvlene og resten av klærne til han sto splitter naken i solen. Jamilet hadde aldri sett en naken mann i sitt liv. Til tross for frykten og forvirringen ble hun et øyeblikk trollbundet av synet og de merkelige flekkene av hår som vokste over hele kroppen hans. Han så ut som om han hadde blitt dyppet i egg og brødsmuler, og som om det hadde festet seg bedre på noen steder enn andre. Det merkeligste av alt var mannens penis, som minnet henne om den deformerte og kraftløse armen til et spedbarn.

– El joto vil ha deg, José, ropte en av mennene da han la merke til Jamilets måpende interesse. – Kanskje du skal gi ham en smaksprøve.

– La ham være. Det er ille nok at vi har bundet ham på denne måten, svarte Juan.

– Du vil bare ha ham for deg selv, hånte bråkmakeren, men han hadde det for travelt med forberedelsene sine til å bry seg.

– Jeg har ikke penger, sa Jamilet og bøyde nakken for å se Juan i øynene.

Han hentet frem sedlene hun hadde gitt ham fra baklommen og stappet dem ned i støvelen hennes. – Tauet er lett, hvisket han mens han gjorde det. – Gni det mot en skarp stein noen ganger, og du er fri. Etterpå bør du reise hjem og be til Gud om at Han tilgir deg perversjonen din.

Han kastet et blikk mot elven og skalv ved tanken på hva som ventet. – Så liten som du er, vil du aldri klare å komme deg over til den andre siden likevel.

Da Juan gikk til de andre som sto ved elvebredden, lurte Jamilet på om hun skulle fortelle ham at han tok feil, men synet av så mange nakne menn og vissheten om at hun ville bli nødt til å kle av seg som dem, fikk henne til raskt å innse at situasjonen sannsynligvis ville bli verre for henne, ikke bedre. Hun holdt seg taus, og så motvillig på mens Juan vrengte av seg klærne. Han rullet sammen dem og forsyningene sine i en stram bylt. Etterpå la han den på hodet og knyttet den fast under haken med beltet.

Det var et faktum at en gruppe meksikanske menn som lusket over jordene med dryppende, våte klær, garantert ville vekke mistanke og føre til en telefon til immigrasjonsmyndighetene. Rancheierne som bodde nær grensen,

43

oppdaget dem som ørner, og det gikk rykter om at selv konene deres ringte til myndighetene fordi de holdt utkikk fra kjøkkenvinduene mens de vasket opp. De illegale innvandrerne ble ofte tatt og holdt i varetekt før tallerknene rakk å tørke. Men hvis de klarte å holde byltene ute av vannet mens de krysset elven, ville de være tørre og påkledde i løpet av et blunk. De ville spre seg utover de nærmeste jordene og kunne lett gli inn blant de andre rancharbeiderne i området.

Det tok ikke lange tiden før mennene begynte å skrike og bære seg mens de forbannet det iskalde vannet og de glatte rullesteinene. De hørtes ut som sårede kyr. Ropene varte en stund, og flere trengte oppmuntring før de våget å krysse. Etter hvert forsvant klagene deres i bråket fra elven. Jamilet var ikke sikker på om de hadde omkommet, eller om de hadde klart å ta seg over til den andre siden.

Det tok litt over en time for Jamilet å frigjøre hendene med fremgangsmåten Juan hadde foreslått. Hun tilbrakte resten av dagen og det meste av kvelden sammenkrøpet på elvebredden, hvor hun betraktet elven mens den strømmet forbi som en enorm, glitrende slange. Den brakte med seg småkvist og greiner, av og til en plastpose på sin bølgende rygg. Hun spiste resten av eplet hun hadde spart, og drakk ofte vann fra elven. Hun lyttet til vinden som hvisket i trærne, og enda ivrigere til stillheten som lå mellom alle lydene fra naturen rundt henne, i håp om at Guds stemme skulle fortelle henne hva hun måtte gjøre. Men alt hun kunne være sikker på, var sine egne hjerteslag, og pusten som gikk inn i og ut av kroppen hennes, og som fortalte henne at hun burde være takknemlig for å være i live, og ikke noe annet.

Månen hang høyt på himmelen da hun trakk av seg klærne og rullet alt hun hadde i en bylt. Alt bortsett fra støvlene. Hun husket klagene fra mennene, og var overbevist om at med støvlene på ville hun være stødigere på foten når hun gikk på de glatte steinene. Hun stålsatte seg mot vannet som virvlet rundt føttene og over anklene, opp til knærne, lårene, og som fylte de varme hulrommene i skrittet med en voldsom kulde som var smertefull og skremmende på en gang. Selv om hun hev etter pusten og skalv kraftig, fortsatte hun lenger ut i elven til den rakk henne over livet og nappet i brystene som et barn med skarpe tenner. Hun klemte sammen øynene mot smerten og samlet så mye styrke hun maktet. Ikke lenge etter så hun for seg det velkjente, fæle ansiktet til den redselen og avvisningen hun hadde levd med hele livet. Sannheten var at elven var varmere enn det vonde i fortiden, og pinnene og søppelet som dunket inn i kroppen hennes, var ikke mer truende enn et vennlig dytt i ribbeina.

Og så, like før hun ga etter for den bitre kulden, sang elven for henne. – Et liv uten fortvilelse er mulig, sang den om igjen og om igjen med sitt dypeste brus. – Hvis du holder ut ... hvis du holder ut ...

Stemmen, mektigere og mer fengslende enn den stygge fortiden, pløyde en kløft gjennom bevisstheten hennes, ned til kjernen av sjelen, og hun fulgte stemmen gjennom mørket til hun ikke hørte noe og ikke følte noe, bortsett fra en nummen og død fred. Hun var sikker på at elven hadde tatt henne og at hun fløt som et løvblad på vannflaten, at hun snurret og duppet med strømmene og ble flyttet av en kraft som overgikk den mest paralyserende frykten hun noen gang hadde følt. Og det var ingenting annet hun kunne gjøre enn å følge med strømmen.

Da Jamilet falt sammen på elvebredden, klarte hun verken å røre seg eller puste på en lang stund. Tankene danset i hodet hennes av glede over at hun hadde klart å komme seg til miraklenes land. Da hun endelig kjente blodet strømme gjennom armer og bein, og hun hadde sjekket at hun ikke hadde fått alvorlige skader, kledde hun på seg klærne, som stort sett var tørre. Resten av natten lå hun sammenkrøpet under en tornete busk som luktet appelsinblomster og mynte. Og der sov hun trygt.

Neste morgen våknet hun av en merkelig stikkende følelse over hele kroppen. Hun åpnet øynene og oppdaget at en hær av fete, svarte maur kravlet over henne. Hun spratt opp, vrengte av seg klærne og hoppet ut i elven uten å skjenke den forferdelige opplevelsen fra kvelden før en tanke. Tilbake på bredden begynte hun å banke hvert eneste klesplagg mot en trestamme til hun var sikker på at alle maurene var borte. Da hun gikk mot en grusvei som førte vekk fra elven, trodde hun at hun kunne kjenne et par maur kravle nedover ryggen. De kommer til å minne meg på at jeg også er en overlever, tenkte hun tilfreds.

Hun vandret i flere timer gjennom en skog av piletrær og bomullstrær, som drømmende draperte seg over hverandre som slitne dansere etter en særlig utmattende forestilling. Selv om hun syntes den droplete skyggen fra trærne var avkjølende, ble hun bekymret da hun ikke så tegn til andre reisende. Hun hadde fått beskjed om at de beste veiene var overstrødd med menneskeekskrementer. På grunn av dette ble det også sagt at om du gikk deg vill om natten, trengte du bare å bruke nesen for å finne riktig vei.

Feltflasken var nesten tom da hun fikk øye på et gårdshus mindre enn en mil unna. Da hun kom nærmere, så hun at det var et enkelt, enetasjes hus med en bred, overdekket veranda. Hun skimtet en klessnor i hagen, hvor det hang flere par jeans og langermede skjorter. Størrelsen på klærne viste at de tilhørte en usedvanlig høy og kraftig mann. Jamilet nærmet seg varsomt, hun huket seg ned da hun dukket frem fra skyggene og beskyttelsen i skogen. Hun bestemte seg for at det tryggeste var å følge en hekk som førte vekk fra huset mot låven, hvor hun håpet hun kunne hvile et par timer. Hvis hun var heldig, fant hun noe å spise også. Dyrefôr var helt greit, alt var bedre enn den gnagende sulten i magen.

Låvedøren sto på gløtt, og hun smatt inn uten problemer. På bakken lå en sekk som luktet gjødsel, men det brydde hun seg ikke om. Den var stor nok til å brukes som teppe. Hun tok den med seg til det mørkeste hjørnet i låven og krøllet seg sammen som en katt. Før hun rakk å legge seg til rette, ble døren til låven skjøvet opp. Silhuetten av en liten person, kanskje et barn, dukket opp i dørsprekken. En dobbeltløpet rifle hvilte på hoften, godt synlig. Jamilet gransket henne og så at det ikke var et barn, men en ung kvinne, knapt tjue, og åpenbart i de siste ukene av svangerskapet. Hun hadde på seg en kjole som var flere nummer for stor, og mannfolkstøvler som rakk henne til knærne. Det rødlige håret hang løst rundt ansiktet og så ut som om det ikke hadde blitt børstet på mange dager. Men det mest fremtredende var et enormt blåmerke på venstre kinn og øye, hovent nok til at det ellers pene ansiktet virket skjevt. Jamilet kunne helt tydelig se det i lyset som falt inn gjennom sprekker i låveveggen.

Den unge kvinnens skade hadde ikke svekket synet hennes. Hun fikk raskt øye på Jamilet som krøp sammen i hjørnet. Jamilet kom seg på føttene, og da hun gjorde det, hevet den unge kvinnen riflen slik at den pekte mot Jamilets hode.

– Kom deg for helvete bort fra min eiendom, kommanderte den unge kvinnen. – Jeg ringte grensepolitiet da jeg så deg luske rundt her, og de kommer fort, så det er best du gjør det samme hvis du vet hva som er best for deg.

Jamilet strakte seg etter bylten for å gjøre akkurat det, og kvinnen fortsatte. – Jeg skyter deg hvis du gjør noe dumt.

Hun senket rifleløpet til det pekte direkte mot Jamilets underliv.

– *Los huevos* – ballene, sa hun og brukte det spanske uttrykket, siden hun mistenkte den fremmede for ikke å forstå engelsk. – Bang, bang ... bort med *los huevos*.

Jamilet svarte på engelsk. – Jeg har ikke *huevos*. Jeg er en jente, akkurat som deg.

Den unge kvinnen senket riflen ørlite grann før hun raskt løftet den igjen og stirret inn i skyggene i låven, som om hun forventet at noe eller noen skulle hoppe frem.

– Jeg er alene, sa Jamilet rolig. Selv med riflen pekende mot seg klarte hun ikke å samle krefter nok til å bli redd.

Den rødhårede jenta senket riflen. – Jeg har aldri hørt om en jente som krysset elven alene før. Og jeg har forbanne meg aldri truffet noen som snakker så bra engelsk heller.

Kvinnen gransket Jamilet med vaktsom interesse. – Og hvorfor er du kledd sånn?

– Jeg trodde det ville være tryggere å reise som en gutt, svarte Jamilet og trakk på skuldrene. Hun forsto jo at hun hadde tatt fullstendig feil.

– Vi trenger ikke flere meksikanere her, verken gutter eller jenter. Jeg fatter ikke hvorfor dere ikke kan holde dere i deres eget land, hvorfor dere sniker dere hit som tyver.

– Jeg leter etter en lege, sa Jamilet.

– De har leger i Mexico.

– Ikke en sånn lege som jeg trenger.

Et blaff av nysgjerrighet myknet kvinnens ansikt. Jamilet kastet ikke bort tiden. Hun trakk opp skjorten og snudde seg, sånn at den verste delen av merket, hvor huden var på sitt tykkeste og rødeste, ble synlig.

– Fy faen! utbrøt kvinnen. – Det ser ut som om du er blitt flådd levende!

Hun skulle til å si noe mer, men ble avbrutt av lyden av bilhjul som rullet over grusveien utenfor. Et øyeblikk senere kom lyden av en bildør som ble åpnet og lukket, fulgt av skritt på verandaen.

– Nancy. Hei, Nancy! ropte en mann.

Kvinnen ble litt nervøs og virket forvirret. Hun senket riflen til løpet pekte ned mot gulvet, og stirret tomt på Jamilet, stirret på henne mens hun stappet skjorten tilbake i buksene.

– Vent her, og ikke lag en lyd, sa hun.

Hun gikk ut og lukket låvedøren ettertrykkelig etter seg.

Jamilet kikket ut mellom sprekkene i låveveggen og så kvinnen hun antok var Nancy, krysse gårdsplassen og gå mot verandaen mot mennene som ventet på henne. Hun lente seg avslappet mot riflen og krysset de støvlekledde beina mens hun snakket rolig med de to politifolkene i mørkegrønne uniformer. En lang buss i samme farge, med vinduene dekket av netting, sto parkert i oppkjørselen. Det satt fire meksikanske menn bakerst i bussen, tre sov og en betraktet scenen på verandaen. Jamilet gjenkjente øyeblikkelig Juan, og da han løftet hendene for å klø seg på nesen, så hun at han også hadde håndjern på. Til tross for alt syntes hun synd på ham. Han hadde beskyttet henne så godt han kunne under omstendighetene, og hun håpet at fengselsoppholdet ikke ble langvarig for ham.

Nancy pekte forbi veien mot skogen som Jamilet hadde gått gjennom. Etterpå gikk hun inn i huset og kom ut igjen med en ølboks til hver av politifolkene. De tok imot gjestfriheten med et nikk før de gikk ned fra verandaen og klatret inn i bussen igjen. Da den kjørte nedover veien i den retningen Nancy hadde pekt, steg en tjukk støvsky opp fra dekkene og skjulte kjøretøyet. Derimot var det mulig å høre motorduren en god stund.

Da alt var rolig igjen, vendte Nancy tilbake til låven, uten riflen denne gangen. Hun ba Jamilet følge med henne inn på kjøkkenet. Der laget hun et måltid av kylling og

rester av maismos. Jamilet forsøkte å spise høflig da taller-
kenen ble satt foran henne, men etter noen få, forsiktige
smakebiter stappet hun i seg maten som et vilt dyr. Nancy
sto ved vasken og så på henne mens hun fylte feltflasken
med vann fra kranen. Siste gang Jamilet hadde sett vann
fra en sånn kran, var i Millerhuset.

– Hvordan skjedde det ... det med ryggen din? spurte
Nancy da Jamilet nesten var ferdig. – Har noen banket deg
så fælt?

Jamilet ristet på hodet, og svelget den siste munnfullen
maismos. – Jeg ble født med det.

– Gjør det vondt?

Jamilet trakk på skuldrene, og kikket på blåmerket i
Nancys ansikt. Hun oppdaget at kvinnen hadde et hakk i
en fortann også.

– Gjør det vondt? spurte hun og pekte på kinnet hennes.

– Bare når jeg smiler, sa Nancy og tørket hendene på
skjørtet.

Hun kikket ut gjennom vinduet som vendte mot kles-
snoren.

– Jeg ... jeg har en gammel, sint hest på låven. Jeg burde
nok kvitte meg med ham.

– Det burde du nok, sa Jamilet, sikker på at hun ikke
hadde sett en hest på låven. – Eller sette ham ut på et jorde
og håpe noen stjeler ham.

Nancy lo lett, ignorerte smerten og tok Jamilets taller-
ken til vasken.

Jamilet følte en umiddelbar kontakt med Nancy, som
fikk henne til å snakke uten å tenke så mye over hva hun
sa. Og da hun begynte å fortelle historien sin, innså hun at
hun aldri hadde følt et sånt behov for det før. Møtet med
døden hadde gitt henne selvtillit og autoritet til å snakke,
og instinktivt visste hun at det var sjelden å finne en så
vennlig og interessert tilhører. Hun fortalte Nancy om

hvordan hun ble født med merket, som landsbyboerne trodde kom fra djevelen, og om alt hun hadde lidd på grunn av det. Hun fortalte henne om årene i Millerhuset, om morens langvarige sykdom og død, og om avgjørelsen om å reise hjemmefra. Hun fortalte henne om hvordan hun hadde gått gjennom ørkenen om natten, og hvordan hun hadde blitt bundet mens hun sov. Hun skalv da hun beskrev hvordan det var å krysse elven alene, og hvordan det minnet henne om frykten og avskyen hun hadde levd med hele livet. Å overleve alt det hadde gitt henne en større selvtillit enn hun noen gang hadde kjent, og ga henne håp om å finne kuren hun søkte i nord. Hele tiden lyttet Nancy henrykt mens hendene hennes strøk over magen. Da det virket som det ikke var noe mer å si, følte Jamilet seg skamfull over å ha vært så påtrengende. Hun takket Nancy klønete for at hun hadde tatt seg tid til å lytte, og for gjestfriheten hun hadde vist. Så reiste hun seg og spurte om veien til Los Angeles.

– Los Angeles er langt unna. Du må ta bussen, og det er dyrt.

Jamilet fisket frem alle pengene sine fra støvelen og la dem på bordet foran Nancy.

– De er ubrukelige her. Det er meksikanske penger, sa Nancy.

Uten et ord forsvant hun inn i spiskammerset. Et øye-blikk etter kom hun tilbake med en liten bunke sedler i hånden. – Det burde være nok her til en enveisbillett til Los Angeles, med litt til overs. Det er en busstasjon i neste by som ligger omtrent fire mil nedover veien. Bare hold deg i nærheten av trærne i tilfelle grensepatruljen kommer til-bake denne veien.

Jamilet var overveldet av følelser i møte med en slik sje-nerøsitet. – Jeg … jeg kan ikke ta pengene dine.

– Du tar dem ikke – jeg gir dem til deg.

Hun grep tak i Jamilets hånd og presset sedlene inn i den.

– Du vet hva de sier når du har penger og ingenting å bruke dem på, de ... de begynner å stinke så fælt at selv en gammel hest kjenner stanken. Det er best jeg kvitter meg med dem.

Samme ettermiddag befant Jamilet seg på en Greyhound-buss til Los Angeles, stedet hvor tía Carmen bodde, og hvor Lorena trodde man kunne finne mirakler. Med de få dollarene hun hadde til overs, kjøpte hun en hamburger, pommes frites og en liten cola. Det var den første hamburgeren hun hadde smakt noen gang, og hun spiste den med andakt mens hun stirret ut av vinduet og tenkte på Nancy. Det begynte å bli mørkt, og Jamilet var overbevist om at hun kunne se morens ansikt sveve over hennes i vindusglasset. Hvis hun lukket øynene halvveis, ble synet klarere og umulig å ignorere. Og da moren snakket, var stemmen hennes mer virkelig enn motorduren, mer som lyden av en glad fløyte.

– Jeg må bare rose deg, sa hun. – Jeg hadde ikke trodd du skulle komme så langt. Du har mer mot og styrke enn jeg trodde.

Jamilet svarte. – Da jeg gikk ut i elven, forsto jeg at frykt og mot dytter hverandre av gårde, omtrent som bestevenner.

– Det er sant, sa Lorena.

– Tror du Nancy noen gang vil reise fra mannen som slår henne?

– Jeg vet ikke, men jeg vet at det å hjelpe deg gjorde at hun følte seg sterkere.

– Jeg kommer aldri til å glemme hva hun har gjort for meg, mamma.

Lorena ba datteren tie og legge hodet ned så hun fikk sove. Jamilet adlød. Hun kjente den myke berøringen fra

morens fingre mot tinningen, og hørte den vakre vugge-
sangen moren sang for henne da hun var veldig liten.

– Ikke slutt å synge før vi kommer frem, mamma. Vær
så snill, ikke slutt.

Da Jamilet gikk av bussen neste dag, glødet hun av den
samme varmen som hadde vært hos henne siden møtet
med Nancy. Likevel kjente hun godt vinden som feide
gjennom skyskraperjuvene i sentrum av Los Angeles. Den
var ikke noe annerledes enn vinden hun kjente hjemmefra,
som blåste gjennom ørkenens juv, bortsett fra at på dette
stedet var de enslige ulene erstattet av en febrilsk kakofoni
av biler som tutet, sirener som hylte og en summende
travelhet hun bare hadde kjent når det var problemer
hjemme – når elven gikk over sine bredder, eller det brøt ut
brann på jordene. Men i denne byen virket det som om
folk hastet av gårde med mål og mening, ikke panikk, og
det fascinerte Jamilet voldsomt.

Det var virkelig fantastisk å gå blant menneskene i
denne byen som om hun var usynlig. Selv da hun våget å
se dem rett i ansiktet, snudde de seg som regel ikke. De la
ikke engang merke til at hun snek seg rundt i den skitne
forkledningen som ville ha vakt mistanke i landsbyen hen-
nes og helt sikkert ført til konfrontasjon. I løpet av noen få
minutter etter ankomsten avgjorde Jamilet at rettferdighe-
ten var levende og i utmerket stand på dette stedet hvor
alle ble avfeid med så mye sinnsro, og at overtro umulig
kunne trives i sprekkene av polert glass og betong slik den
trivdes som sopp hjemme.

Ved å vise frem lappen med Carmens adresse til frem-
mede som virket som om de hadde mykere og mindre trav-
le øyne enn andre på gatene hun passerte, klarte Jamilet til
slutt å komme seg østover i byen, hvor det mylderet av
raser og farger hun hadde sett til nå, og vek unna for men-

nesker med stort sett den samme brunfargen som henne selv. Her var alle meksikanere, og snakket spansk eller engelsk med spansk aksent. På hvert eneste gatehjørne lå et marked eller en restaurant i meksikansk stil. Det fantes til og med et lite, rundt torg, akkurat som i hver eneste landsby og by sør for grensen.

Gaten Carmen bodde i, var så trafikkert at Jamilet var sikker på at hun hadde sett flere biler kjøre forbi i løpet av fem minutter enn hun hadde observert i landsbyen i hele sitt liv. Høyt over bakken hang et virvar av kabler strukket mellom husene som en baldakin. På noen steder satt duene tett i tett på ledningene og kikket på kaoset under seg med rolig likegyldighet. Huset var en liten, sukkertøyrosa bungalow, men det var lett å se av flassingen her og der at det en gang hadde vært malt i en enda verre blåfarge. Eiendommen var omgitt av et nettinggjerde som rakk en tomme eller to over Jamilets hode. Porten var stengt, men hengelåsen var åpen. Etter å ha sjekket adressen tre ganger for sikkerhets skyld, ruslet hun inn i forhagen og opp en sprukken betongsti som ledet til inngangsdøren. Hun banket på og ventet, forventet hele tiden å høre tanten brøle velkommen, men alt var stille. De nedtrukne gardinene beveget seg ikke. Hun innså at tanten sikkert var på jobb fortsatt, så hun slapp ned knyttet sitt og satte seg ned på trappen for å vente. Hun skar en grimase over stivheten i leggene. Selv etter å ha jobbet ute på jordene i timevis, hadde hun ikke fryktet at knoklene skulle falle ut av leddskålene, sånn som hun gjorde nå. Reisen hadde tatt på, og hun hadde mest lyst til å rulle seg sammen som en ball og sove i mange dager.

Men det ville ikke være hyggelig for tanten å finne niesen sovende når de endelig møttes igjen. Hun lot blikket gli interessert over hagen. Det var for det meste jord med noen få gresstuster her og der. Søppelet som blåste omkring, hadde satt seg fast under gjerdet, og hun fordrev tiden med å prøve å finne ut om hun kjente igjen noen av de amerikanske merkene hun så. Så vidt hun kunne skjønne, hadde tanten en sterk forkjærlighet for Cheetos og Oreokjeks.

Hun lente seg frem, og kikket oppover og nedover gaten. Hun la merke til at de fleste husene var av samme størrelse og ikke skilte seg noe særlig fra hverandre. Noen hadde tepper hengende i vinduene, og overgrodde hager overfylt av en broket samling av forkastede møbler og bildeler som rustet i solen.

Jamilet lente seg tilbake og strakte ut beina, takknemlig for at ettermiddagssolen hadde flyttet seg så hun kunne hvile i delvis skygge. Hun tok av seg hatten og dro fingrene gjennom håret før hun satte den på igjen. Ville hun kjenne igjen tía Carmen etter så mange år, og ville tía Carmen kjenne henne igjen? Mens hun grublet over dette, la hun merke til en ung mann som satt og ventet på en veranda, omtrent som henne, med utstrakte bein mens han støttet seg på albuene. Han hadde på seg en hvit T-skjorte, og det mørke håret var kortklippet over ørene. Selv på denne avstanden var det lett å se den fine kjevelinjen og skuldermusklene. Som så mange unge menn som reiste rundt og lette etter arbeid på ranchene hjemme, hadde han en atletisk kroppsbygning. Kvinner likte å hyre folk som ham, spesielt hvis mennene deres hadde en tendens til å bli lenge i byen.

Hun rettet på hatten så hun kunne fortsette å se på ham uten å bli avslørt. Plutselig reiste han seg og gikk ned fra verandaen, på vei mot kanten av eiendommen nærmest henne. Han viste med et nikk at hun skulle gjøre det samme. Jamilet spratt opp og gikk mot gjerdet. Glemt var smertene i beina.

– Hun kommer ikke hjem på en stund, ropte han over trafikkbråket med vennlig stemme.

Det var rart å høre en meksikansk gutt snakke engelsk så perfekt uten spor av aksent. Jamilets engelsk var god, men hun visste at aksenten var like tykk som fersk salsa. – Det er greit. Jeg venter, ropte hun tilbake, fornøyd med valget av ord og mangelen på grammatiske feil.

Hun hadde hørt Mary rope så mange slike fraser i årenes løp. Hun kunne helt sikkert finne frem flere av dem hun hadde lagret i hukommelsen.

Gutten sperret opp øynene, og han tok sjansen på å krysse gaten i to, tre lange skritt. På så nært hold var han høyere enn han virket på avstand, og de brune øynene glitret av nysgjerrighet. Et smil lurte i munnvikene.

– Si det en gang til, sa han utfordrende.

Jamilet ble slått av hvor flott han var, til og med flottere enn rancharbeiderne hjemme, som kunne slentre inn på en dans og få viljen sin med hvilken som helst jente de valgte.

– Si hva igjen? svarte Jamilet og rettet nervøst på hatten.

Gutten plasserte hendene langt ned på hoftene og ristet på hodet.

– Du er en jente. Stemmen din og ...

Han lente seg nærmere. – Ansiktet ditt og alt.

Jamilet kjente at hun rødmet.

– Hvorfor er du kledd sånn? spurte han, som en som var vant til å få svar.

Jamilet trakk på skuldrene, usikker på om hun burde fortelle ham årsaken til den fine forkledningen. Hun hadde fått mange advarsler mot å røpe at hun hadde krysset grensen ulovlig, og tenkte at det luresté var å holde munn. Fargen i kinnene hennes ble dypere mens han ventet på et svar. Hun leste noe i blikket hans, noe sterkere enn nysgjerrighet – vennlighet, og det var det som gjorde at hun svarte ærlig. Det, og det faktum at hun ikke hadde noen annen forklaring på utseendet sitt, og det kjentes av en eller annen grunn viktig å forklare det ordentlig.

– Jeg krysset grensen for et par dager siden. Jeg kledde meg slik så jeg ikke ville bli tatt.

– Å, du er en wetback, sa gutten og nikket meget-sigende, men han kom likevel nærmere. Wetback var betegnelsen på meksikanere som krysset elven og ble våte på ryggen.

Han tok tak i gjerdet mellom dem, og så på henne gjennom nettingen som om hun var et dyr i en zoologisk hage.

Jamilet innså at statusen hennes ikke hadde økt det min-ste, men hun glattet på kraven med så mye verdighet hun klarte å mønstre.

– Jeg heter Jamilet.

– Jeg er Eddie.

Han kastet på hodet, men flyttet ikke blikket fra ansik-tet hennes. – Pearly, kjæresten min, bor over gaten.

Jamilet var fascinert av måten han snakket på. Måten leppene hans la seg så glatt over tennene på når han smilte bredt og avslappet, som om verden og alt i den var til for å underholde ham personlig. Da hun ikke reagerte på det siste han sa, oppsto en taushet mellom dem. Det kjentes som om han krøp inn i øynene hennes, og stupte til en dybde hvor det var mørkt og kjølig. Tiden som gikk, spilte ingen rolle. Hun kunne ikke se bort, til tross for det økende ubehaget hun følte.

Han slapp blikket hennes, kanskje syntes han selv det var litt ubehagelig, og skottet mot tantens hus. – Hun er ganske kul. Hun kjøper øl til oss av og til når hun er i godt humør.

– Hun er tanten min, sa Jamilet og nøt den uventede gle-den over samtalen. Hun forsto at hun måtte svare på et vis hvis hun håpet å forlenge den.

Han ristet på hodet og rynket pannen. – Du ligner ikke på henne i det hele tatt, sa han. – Og det er en kompliment.

Ikke for å fornærme deg, men tanten din er ikke mye å se på.

Akkurat da var det noe som fikk ham til å kaste et blikk over skulderen. Kroppen hans stivnet, som om noen hadde helt en bøtte iskaldt vann nedover ryggen hans. En slående vakker ung kvinne gikk over gaten mot huset hvor han hadde ventet. De tykke plattformskoene hun hadde på seg, smalt i fortauet for hvert skritt. Jamilet var fascinert av leppene hennes, som var malt så mørkerøde at de nesten virket svarte, og det lange, mørke håret med striper av rødt og gull. Men det var kvaliteten på kvinnens hud som fengslet Jamilet mest av alt. Hun var nesten naken i en ermeløs topp og et miniskjørt som skimret gyllent i sollyset. Beina hennes, foran og bak, fra ankel til lår, var pudderaktig myke. Alt fra skuldrene hennes til armene, strupen og toppen av brystene, var like perfekt som om hun var laget av silketråd. Det fantes ikke en flekk noe sted, bare ren, uskadet hud overalt. Jamilet visste at dette måtte være Pearly, Eddies kjæreste.

Uten et ord til Jamilet løp han over gaten til henne, men hun skjøv ham bort med de myke skuldrene da armen hans la seg rundt den smale midjen. Eddie lot seg ikke avfeie så lett. Han fulgte etter kvinnen opp trappen til huset og la hånden på hoften hennes, lot den hvile der som om hun tilhørte ham og ingen andre. Mens hun vred om nøkkelen i låsen, hvisket han noe i øret hennes, og hun skjøv ham bort igjen, men lekent denne gangen, irritasjonen var borte. Smilene deres var drømmende da de gikk inn i huset, og Jamilet var sikker på at hun hørte latter etter at de lukket døren. Hun lurte på om de rev av seg klærne med en gang for å elske, eller om de kom til å vente en passende tid, kanskje spise litt først. Jamilet husket at tía Carmen og hennes kjærester alltid spiste noe, før de begynte å ta på hverandre i setet i den gamle rustne lastebilen som sto forlatt på det bakerste jordet. Tía insisterte på det.

Plutselig kjente Jamilet trettheten i kroppen igjen. Hun sukket og gikk sakte opp trappene til Carmens hus. Der ventet hun til kvelden dukket opp i en stålgrå skumring som ikke lignet det minste på de svarte nettene i landsbyen. På dette stedet kjempet byens lys effektivt for å holde mørket borte, og den konstante trafikken virvlet opp nok støv til å skape en evig dis. Jamilet klarte ikke holde seg lenger. Hun krøllet seg sammen, godt skjult fra gaten bak den brede verandaen, stakk bylten under hodet og falt i søvn.

En kraftig hånd rusket henne i skulderen. – Våkn opp, du skremte livsskiten ut av meg.

Stemmen var både streng og velkjent.

Jamilet slo øynene opp, og så rett i ansiktet til en kvinne som lignet litt på den tía Carmen hun husket. Denne kvinnen hadde den samme flate nesen og det brede ansiktet, og det samme grove, svarte håret som ringlet seg vekk fra pannen i små, tette krøller. Men hun var mye større enn den tía Carmen hun husket. Denne kvinnen kunne med letthet være tre tía Carmener i en.

Jamilet satte seg brått opp og stirret inn i mørke øyne så skarpe som barberblader.

Kvinnen slo over i spansk. – Er du min søster Lorenas jente? spurte hun og gransket mistenksomt det korte håret og guttebuksene.

Jamilet kjente underleppen dirre av følelser. Det var fantastisk å bli gjenkjent på dette fremmede stedet og høre morens navn nevnt, som om hun fortsatt var i live. Hun ble fylt av et intenst håp og en lengsel som gjorde henne stum. Hun klarte bare å nikke.

– Du dukket opp mye fortere enn jeg hadde trodd, sa tanten da hun stakk hånden i vesken. Hun fant øyeblikkelig frem et nøkkelknippe som snurret som en vindharpe. – Noen bruker uker på å komme seg over.

–Jeg krysset elven alene, svarte Jamilet.

Hun fant endelig stemmen igjen, men den var tynn og jentete selv om hun ville den skulle ose av selvtillit og styrke. Hun spratt opp og samlet sammen tingene sine før Carmen rakk å åpne nettingdøren og de to låsene på hoveddøren. Dette ga Jamilet et øyeblikk eller to til å studere tantens hårfasong, som var like massiv som den var innfløkt, som om en forseggjort fontene frosset rundt ansiktet hennes. I den andre enden var de små, fete føttene hennes stappet ned i lærsko. Og mellom disse to ytterpunktene var et imponerende midjemål, like stort og rundt foran som bak.

Døren gled endelig opp, og Jamilet fulgte tanten inn i det mørke huset. En fæl, bittersøt stank omhyllet dem begge. Det minnet Jamilet om den klamme, innestengte stanken av forsømt søppel. Da lyset ble skrudd på, ble mistanken bekreftet. Møblene var dekket med lag av skrot og søppel som virket som om de var smeltet sammen over tid, slik voks smelter i solen. Hvis man så nøye etter, var det mulig å finne sånn noenlunde den frynsete sofaen og TV-apparatet som sto på steinblokker foran den. Stuebordet midt i rommet var litt lettere å skjelne, fordi bordet avslørte restene av Carmens siste hjemmemåltid. Tomme ølkanner, fettete papirtallerkener, og et virvar av fargerikt godtepapir fra godteri som for lengst var fortært.

Carmen så på det som om hun så det for første gang, og trakk på skuldrene. – Beklager rotet, sa hun.

Etterpå kastet hun vesken sin på sofaen, og fortsatte til kjøkkenet som var i en enda verre tilstand enn stuen. Jamilet klarte ikke la være å måpe over utslagsvasken, som flommet over av skitne kopper og kar, og kjøkkenbenkene som var fylt av åpne esker etter enhver tenkelig form for ferdiglaget mat. Noen av eskene var tygget i stykker, og små biter lå strødd utover gulvet og benkene. Jamilet visste godt hva det betydde. Rotter. Og ut fra det hun kunne se, hadde de levd godt sammen med tanten hennes i lang tid.

Carmen pløyde seg gjennom rotet, sparket bort det hun traff på veien mens hun gikk mot kjøleskapet. Hun rev opp døren med et rykk og hentet ut en boks med øl. Etterpå gikk hun til side, og hevet øyebrynene som en invitasjon til Jamilet, som høflig takket nei. Carmen brydde seg ikke om å lukke døren før hun rev opp boksen og helte halvparten av ølet i seg i en slurk. Hun tømte den i enda en stor slurk, kastet boksen i hjørnet og åpnet en ny før hun slengte igjen døren.

– Sånn, sa hun så vennlig hun kunne. – Nå føler jeg meg menneskelig igjen.

Hun dyttet bort en stabel aviser fra kjøkkenstolene og ned på gulvet, og ba Jamilet sette seg. Hun hadde litt vanskelig for å få til dette selv, og vrikket den frodige baken den frem og tilbake over stolen.

– Sånn, sa hun og kvalte en rap som ga henne vann i øynene. – Nå som du er her, hva slags planer har du?

Jamilet holdt fortsatt det lille knyttet tett inntil seg, sjokkert over omgivelsene, men likevel opprømt over spørsmålet. Ingen hadde noen gang spurt henne om noe slikt i hele hennes liv. Livskursen hennes hadde alltid virket som den var forutbestemt av chilipepperne, den avsidesliggende landsbyen og jorden. – Jeg vil ha en jobb, svarte hun.

– Den gamle kvinnen forventer at du også skal sende henne penger, hva?

– Litt, men jeg skal spare mesteparten.

– Å ja? Hvorfor det?

De uforskammede, brune øynene leste noe i hvert sekund av tiden det tok Jamilet å svare.

– Jeg vil spare penger til … til fremtiden.

Carmen smalnet blikket, ikke helt overbevist. – Du må ikke tro du får alt gratis her, eller noe sånt.

–Jeg skal betale for meg, sa Jamilet.

Hun var henrykt over at tanten lot det bli med det. Hun var en av de få som faktisk hadde sett merket, men det var lett å se hvordan det nye livet hennes hadde rotet med minnene hennes. På dette stedet var det ikke nødvendig å kjenne til den beste tiden å plante mais på. Du kunne overleve uten å huske at du skulle holde deg i skyggen på veien til markedet, ikke bare fordi det var kjøligere, men fordi det også var den beste måten å unngå slanger på, som jo trivdes i solen. Jamilet gledet seg over at merket ikke befant seg i tantens minnesamling. Kunne hun ha glemt det fullstendig? Jamilet kjente et glimt av håp. Å være hundrevis av mil borte fra alle som kjente til merket, var det nærmeste hun hadde kommet en kur.

– La meg vise deg huset, sa Carmen blidt, med ølboksen fortsatt i hånden da hun gled av stolen. Hun førte an ut av kjøkkenet og gjennom stuen med Jamilet i hælene. – Jeg har ikke hatt tid til å fikse rommet ditt, så ikke vent deg for mye.

Carmen stanset foran den siste døren i enden av gangen og skrudde på lyset. Rommet var på størrelse med et stort kott. Det var stappfullt av esker, sko og gamle klær fra gulv til tak. Så mange lag med støv hadde lagt seg til ro på toppen av alt sammen at det virket som om det hadde vært dekket av en tynn, grå gardin i mange år. I den andre enden sto en flekkete madrass lent opp mot veggen.

– Jeg bruker det som lagerrom, sa Carmen mens hun dyttet bort den nærmeste esken med foten. – Det meste av dette trenger jeg sikkert ikke lenger.

Jamilet forsøkte å finne noe hyggelig å hvile blikket på. Hun var klar over at Carmen holdt øye med henne, men heldigvis hadde hun lang erfaring i å skjule følelsene sine. Hun hadde for lengst lært hvordan hun skulle holde ansiktsmusklene i ro, øynene rolige og stø, selv om det stormet av følelser inne i henne. Der og da visste hun at hvis hun tillot seg selv et øyeblikks svakhet, ville hun falle sammen på gulvet i en dam av tårer.

– Dette er helt fint, tía, sa hun blidt. – Jeg rydder opp i morgen, men i natt kan jeg sove på sofaen, hvis det er greit for deg.

Carmen stirret på niesen. – Et øyeblikk minnet du meg om moren din, sa hun, uvant vemodig.

Så trakk hun på skuldrene, sparket av seg skoene og vraltet nedover gangen på nakne føtter som var like tykke og firkantede som vafler. Hun slo på lysene på badet og avslørte et enormt badekar før hun vraltet tilbake til stuen. Hun stirret på niesen en stund, og foldet armene som en diger kringle over brystet.

– Ok, vi må få avklart noen ting først hvis dette skal fungere, sa hun. – Du var så liten da jeg dro at du sikkert ikke husker den ene tingen som gjør meg rasende.

Jamilet flyttet på de såre føttene og ristet på hodet.

Carmen gransket niesen med et vaktsomt blikk, og lot øynene gli opp og ned. – Du kan kalle meg en feit megge, og det gjør meg ingenting. Du kan si at jeg er den digreste slusken nord for Sydpolen, og det gjør meg heller ingenting. Vet du hvorfor?

Munnen vred seg nesten til et smil, og så ble hun gravalvorlig igjen.

– Hvorfor, tía?

– Fordi det er sant. Men hvis du forteller meg at jeg er den søteste jenta på to bein, blir jeg steinforbanna.

Jamilet møtte tantens hissige blikk og kjempet mot fristelsen til å slippe løs et smil. Hun husket at noen ganger var tanten morsom uten å ville det, eller uten å forsøke å være det, og da kunne du havne i problemer. – Jeg skal ikke lyve for deg, tía, sa hun så oppriktig hun kunne.

Carmen veivet med armen i et brått anfall av godmodighet.

– Jeg mener ikke bare deg ... alle. Jeg liker bare ikke løgner.

Jamilet satte fra seg bagen på armlenet på sofaen, ikke helt sikker på hva hun skulle gjøre nå. Carmen ble borte et øyeblikk, og kom tilbake med et gammelt teppe som hun kastet til Jamilet.

– Tía, sa Jamilet mens hun brettet ut teppet. – Spiser du ikke middag før du legger deg?

– Næ ... jeg spiste i bowlinghallen. En diger osteburger, som jeg alltid gjør på onsdager når det er bowlingkveld.

Jamilet senket blikket. Bare tanken på en osteburger ga henne vann i munnen. Det siste hun hadde spist, var en halv kjeks som var igjen etter frokosten. Magen hadde klaget siden klokken tolv, selv om hun hadde klart å slukke tørsten ved å drikke fra kranen i hagen.

Carmen satte hendene på hoftene. – Er du sulten nå?

Jamilet klarte bare å svare med det talende blikket til den skrubbsultne.

– Vel, jeg ... jeg visste ikke at du skulle komme i kveld, sa Carmen usikkert. – Det finnes ikke noe her. Kanskje noen kjeks.

Hun tenkte seg om. – Kanskje ...

Jamilet innså det håpløse i situasjonen, og satte opp et lyst ansikt. – Det er ok, tía. Akkurat nå trenger jeg søvn mer enn jeg trenger mat.

– Er du sikker?

– Det går bra.

Og det var nok til å sende Carmen til sengs uten den minste bekymring.

Etter å ha ryddet sofaen for alle ølboksene og matvareemballasjen, redde Jamilet sengen sin så godt hun kunne. Hun lukket øynene og forsøkte å glemme hvor sulten hun var, ved å tenke på Eddie og hvordan han hadde sett på henne gjennom gjerdet tidligere på dagen. Hun følte at det

64

var en sjelden følsomhet i sjelen hans, og forestilte seg at han var den typen som ville gjøre store anstrengelser for å fange en edderkopp i huset og slippe den uskadet ut, uansett hvor høyt kvinnene protesterte. «Du er en jente, er du ikke?» hadde han spurt, og hun likte måten han hadde smilt på. Som om han var veldig fornøyd, veldig fornøyd over å få vite at det var hun.

4

Jamilet beundret fruktene av slitet sitt. På kjøkkenet gransket hun de skinnende kjøkkenbenkene og kaffekoppene som sto pent stablet opp ved siden av kaffekjelen, klar for frokost neste morgen. I stuen fantes ikke en eneste ølboks. De hadde blitt samlet sammen med haugene av matpapir og kastet i søppeldunkene utenfor til dunkene bulte og lokkene vippet opp som frekke hatter. Sofaen var grundig rengjort og putene pent stilt opp, fra ende til ende. Det var ikke lenger nødvendig å myse gjennom lag av fettete støv for å se TV-skjermen. På badet var badekaret skrubbet, speilet pusset og gulvet vasket. I sitt eget lille rom kastet Jamilet alt som åpenbart var skrot før hun organiserte og ommøblerte myriadene av esker i et hjørne av rommet. Til slutt feide hun rotteskitten ut sammen med alt det andre.

Det eneste rommet hun ikke rørte, var tantens. Hun kikket inn og ble ikke overrasket over å se at rotet hadde tatt kontrollen over dette rommet også, om enn i noe mindre omfang. Det lå klær overalt, bøker og forskjellige magasiner var strødd utover sengen. De lignet bøkene hun hadde sett stablet i en haug i stuen. Jamilet hadde sortert dem etter beste evne, slik at de alle vendte samme vei. Nå og da bladde hun gjennom sidene med tommelen. Først i den ene retningen, så i den andre. Hun frydet seg over den kjølige brisen mot ansiktet og lukten av trykksverte på papiret.

Etterpå studerte hun omslagene. De var alle forskjellige, men likevel like. Vakre kvinner som henga seg til atletiske menn med bulende muskler, og som strevde med å kontrollere lidenskapen, for det var alltid et bryst eller et lår som truet med å åpenbare seg. Ansiktsuttrykkene deres var også fascinerende. Halvlukkede øyne i åndeløs ekstase, blafrende nesebor og atskilte lepper, som om de skulle til å bite i en saftig fersken. Hun brant av nysgjerrighet etter å få vite hva slags historier det var som kunne føre til en så vanvittig tilstand.

Mens hun vasket, vendte hun flere ganger tilbake til bøkene for å se på ansiktene og undre seg. Mens hun pusset speilet på badet, skakket hun på hodet og smalnet blikket for å etterligne ansiktsuttrykket til en av kvinnene. Lidenskap blandet med sinne, den ømme overraskelsen som hos en dåkalv, idet hun dekker over de nakne brystene, og de forføreriske øynene som bar bud om vilje til underkastelse eller å bli tatt med makt. Mens hun lekte denne leken, grublet hun over det mest fascinerende spørsmålet av alle, nemlig hvor og når tanten hadde lært seg å lese.

Da Carmen kom hjem, stivnet hun i døråpningen. Matvareposen hun holdt i den ene hånden, gled ut gjennom fingrene hennes og falt mot gulvet med det umiskjennelige dunket fra en sekspakning. Vesken fulgte like etter.

Herregud, sa hun og trakk i den løse huden under haken.

– Jeg har aldri lagt merke til hvor stort dette huset er ...

Hun ruslet inn som om hun var i transe, usikker på hvor hun skulle se, før hun plutselig vendte seg mot kjøkkenet. Der ble hun stående midt i rommet med halvåpen munn og blunke med øynene. Raskt dukket hun hodet under kjøkkenbenken, som om hun håpet å ta noen på fersken der. Også her møtte blikket hennes et fantastisk syn. Der hvor det i går hadde vært umulig for henne å få plass til føttene på grunn av alt det oppsamlede søppelet, var det nå skinnende rent. Hun rettet seg langsomt opp, lang i ansiktet av sjokket. Det var sjelden Carmen ble målløs, og hun forsøkte å riste av seg følelsen og ta seg sammen, men det tok noen sekunder.

– Hvordan har du klart å gjøre alt dette på en dag? spurte hun til slutt.

Jamilet følte at hun vokste av stolthet, og rettet skuldrene til tross for trettheten. – Jeg jobber hardt.

– Det gjør du jaggu, sa tanten og hevet sitt massive bryst som om hun mistet pusten bare av tanken. – Du har gjort jobben til ti mennesker her, Jamilet.

Så begynte hun å le. – Å, hjelpe meg, Louis kommer til å gjøre i buksene.

– Louis?

Carmen la hendene på hoftene og følte seg tydeligvis mer som seg selv igjen. – Å, du kommer til å treffe ham, sa hun litt nervøst. – Han kommer hit i kveld.

Hun skottet på klokken, vraltet raskt til soveværelset sitt og sto foran døren, usikker på om hun skulle gå inn eller ikke.

– Jeg har ikke vasket rommet ditt, tía, sa Jamilet. – Jeg tenkte jeg ville spørre deg først …

– Ikke spør neste gang, sa Carmen blidt før hun forsvant inn.

Mens Jamilet ryddet bort ølboksene tanten hadde latt stå igjen i stuen, banket det på døren. Hun åpnet den og oppdaget en middelaldrende mann som sto i døråpningen. Han hadde hud like mørk som kruttsterk kaffe, og en pistrete, grå bart som krøllet seg over leppene hans. Han slapp ned sin egen pose med øl på nøyaktig samme sted som Carmen, og så enda mer forbløffet ut enn hun hadde gjort.

– Unnskyld meg, sa han og tok et forsiktig skritt frem.

– Har jeg kommet til riktig hus?

Han gjentok spørsmålet med høyere stemme, slik at Carmen skulle høre ham på soverommet sitt.

– Har jeg kommet til riktig hus, kvinne?

Han var på nippet til å le nå.

– Ja, det har du, gamle mann, svarte Carmen og klukket, noe som fikk ham til å sprekke av ren fornøyelse. – Jeg har vel det, da, sa han og snudde seg mot Jamilet med et blidt, skjevt smil.

I motsetning til Carmen tok han med sin egen pose ut på kjøkkenet mens Jamilet fulgte etter ham.

– Har du gjort alt dette? spurte han og så seg rundt mens han åpnet sin første øl.

Jamilet nølte med å svare. Hun la merke til at Louis drakk sin øl fortere enn tanten. – Jeg gjorde alt sammen i dag, sa hun.

Hun betraktet adamseplet hans, som hoppet opp og ned tre ganger før han satte fra seg boksen på benken og svelget et rap.

– Det er utrolig ... hva heter du?

– Jamilet.

Han nikket. Øynene hans var litt slørete. – Du er kusinen, ikke sant?

– Niesen.

Han knipset med fingrene og pekte på ansiktet hennes. – Ja, det stemmer. Niesen. Carmen fortalte meg at du skulle komme.

– Jeg tror ikke hun regnet med at jeg skulle komme så snart, sa Jamilet.

Hun håpet at han ville fortelle henne at hun tok feil, at tanten hadde sett frem til ankomsten hennes helt siden hun fikk vite om søsterens død, og at hun hadde vært syk av bekymring for sin eneste niese.

Louis trakk en finger langs kanten på ølboksen, tilsynelatende lurte han på om han skulle ha en til så fort.

– La meg fortelle deg noe om tanten din, sa han med et beundrende glimt i øyet. – Hun forventer ikke noe, og legger ingen planer for det hvis hun gjør det. Selv om hun hadde visst ett år i forveien at du skulle komme, ville det vært det samme for henne.

Jamilet tok den tomme boksen og kastet den i søppelbøtten. Hun håpet at han hadde lagt merke til hvor den var.

– Du må være virkelig trøtt, sa han og lente seg mot benken. Han kikket på de mørke ringene under øynene hennes og de bleke leppene.

Trøtt var ikke ordet for det. Det eneste som holdt henne i gang og på beina nå, var de kreftene hun hentet fra gnister av angst hver gang hun holdt på å falle sammen. – Jeg sov ikke så godt i går, sa hun.

– Du spiste sikkert ikke så godt heller, sa han med et megetsigende blunk.

Jamilet trakk på skuldrene. Munnen hennes klarte ikke å samle spytt lenger. Den var knusktørr, og smerten i magen hadde begynt å hamre i ørene hennes om ettermiddagen. Den eneste lindringen hun hadde fått, var da hun glefset i seg noen gamle kjeks som hun fant i kjøkkenskuffen ved siden av en uåpnet pakke rottegift.

– Hun er en god kvinne, tanten din, men hun er ikke mye til vertinne, sa han. – Hun har ikke sansen for det.

Akkurat da gjorde Carmen sin entré. Kledd i en rød kjole med en utringning så dyp at den nesten var en halv meter lang, og likevel var det masse som ikke var synlig. Det svarte håret var satt høyt opp, og hun hadde på seg så store øreringer at de kunne ha kvalt en ku.

Carmen smilte fra øre til øre, henrykt over å se Louis glo storøyd på utringningen og splitten i skjørtet som avslørte et kraftig lår. Jamilet syntes han virket liten og krokete ved siden av henne, som en pinne noen hadde fisket ut av bålet før den ble til aske. Hun forestilte seg at hvis tanten skulle omfavne ham, ville han gå i oppløsning i de digre armene hennes og ødelegge kjolen.

Men Louis var overbegeistret og smilende. Han sugde på den pjuskete barten som om den var dyppet i honning. – Du er et flott stykke kvinnfolk, erklærte han.

Carmen fniste og viste frem skulderen. Han spratt unna og hoppet tilbake mot henne. – Et helsikes sexy kvinnfolk, la han til og strøk hånden sin over den frodige bakenden hun fristet med, før han plasserte hånden på skulderen hennes og la ansiktet i mer alvorlige folder.

– Niesen din er veldig sulten, sa han og nikket mot Jamilet. – Hun har vasket for deg hele dagen, og jeg tror vi bør få i henne litt mat før vi går ut.

Carmens ansikt ble brått blekt og slapt, tydeligvis skuffet over at komplimentene endte så fort.

– Det er i orden, sa Jamilet. – Jeg kan spise noe her.

– Spise hva da? spurte Louis. – Det finnes ikke mat i dette huset, det har det aldri gjort. Stemmer ikke det, Carmencita?

Carmen furtet og gransket en løs tråd på ermet. – Jeg liker som regel å spise ute.

– Ja vel, men niesen din trenger også mat ... min lille blomst.

Han godsnakket med henne, med selvtilliten til en som har hatt stor suksess med sånne taktikker før. – Hva om jeg blir her i natt?

Dette muntret opp Carmen nok til at hun gikk til kjøleskapet for å hente sin første øl. Hun tilbød Louis en boks, og han tok imot ved å holde hånden opp i luften som en kantspiller. Hun snudde seg mot niesen, og Jamilet overrasket seg selv med å gjøre det samme som Louis. I løpet av noen sekunder fløy ølbokser gjennom luften som kalde bomber. Jamilet fanget sin som en proff, knipset opp tappen med pekefingeren. Boksen gurglet på en slags vennlig måte. Hun hadde aldri vært nysgjerrig på hvordan øl smakte, men var sikker på at alt måtte være bedre enn de gamle kjeksene og det lunkne vannet som var alt hun hadde fått i seg denne dagen.

Hun tok en forsiktig slurk og kjente det kjølige bruset over tungen og i hele munnen, bittert og mørkt som svidd brød. Gommene begynte å kile etter neste slurk, og hun tygget på boblene som rant ned i halsen. Etter noen få slurker til var hun varm på ørene og i kinnene, og en deilig, nummen følelse hadde bredt seg over leppene og deler av ansiktet. Sulten hun hadde kjent, forsvant nesten, og hun svaiet mens hun lyttet til tanten og Louis. Hun forsøkte å finne mening i det de sa. Et øyeblikk trodde hun de snakket et språk som verken var spansk eller engelsk, siden hun ikke forsto et ord av samtalen. I stedet konsentrerte hun seg om hårene i Louis' bart, som flagret som bregner i vinden når han snakket. Ør av øl forestilte hun seg at det både regnet og blåste, og at vinden når som helst kunne gå over i stiv kuling. Hun svelget fnisingen sammen med en ny slurk.

Før hun visste ordet av det, hadde Carmen tatt henne i skuldrene og ført henne mot døren. – Ok, la oss få noe i magen din, pysa. Du oppfører deg som om dette er din første øl.

Det kjentes som om føttene hang løst i anklene, og Jamilet var redd de kunne falle av hvis hun gikk for fort. – Det er min første øl, sa hun og tok en ny slurk.

Mesteparten rant nedover haken hennes.

Carmen og Louis lo da de hjalp henne inn i den gamle Pintoen hans. Hun satt i baksetet og drakk, og følte seg gladere enn hun hadde gjort på måneder. Lett og fri, og ikke bekymret over hvor sulten hun var, eller over om hun ville finne en jobb, ikke engang over merket. All engstelse forsvant i dette berusende og skjebnesvangre øyeblikket.

Hun følte seg herlig varm, som om gyllen væske rant gjennom årene hennes.

Motoren startet med et host. Hun kikket ut av vinduet over gaten og fikk øye på Eddie som satt på verandaen med Pearly. Hun hadde sett etter ham hele dagen, og der satt han og så henne drikke øl i baksetet til en gammel manns bil mens hånden hans hvilte på Pearlys perfekte lår. Pearly hadde ikke lagt merke til at oppmerksomheten hans var borte, og snakket hele tiden. Fingrene med de lange neglene flagret i luften, som om de dirigerte et orkester med beundrere som irriterte henne.

De kjørte til Tinas Tacobod noen kvartaler unna, lot Jamilet sitte i bilen og kom tilbake etter noen minutter med en hvit papirpose flekket av fett. Den var brennende varm og luktet så godt at Jamilet fikk vann i munnen.

Utenfor huset rakte Carmen Jamilet nøkkelen. – Lås deg inn og legg den under matten.

Det var vanskelig å finne dørhåndtaket og å åpne bildøren, og da hun klatret ut, mistet hun nesten den dyrebare matposen i rennesteinen.

– Trenger du hjelp? spurte Louis.

Tía Carmen viftet utålmodig med hånden. – Hun skal bare til døren, for himmelens skyld.

– Ja, men hun er full som en alke.

– Hun er helt fin.

De ventet til Jamilet kom frem til trappen, og kjørte av gårde da hun åpnet døren. Hun skulle til å legge nøkkelen under matten som hun hadde fått beskjed om, da hun kikket opp og så at de fortsatt satt der. Eddie kysset Pearlys hals som om han var en vampyr, og hånden hans var under skjorten hennes som om han pumpet blod fra hjertet hennes så han fikk mat. Jamilet glemte sulten. Hun gjemte seg i skyggene og så på mens de vred og vrikket på seg som slanger, stakk hendene inn mellom hverandres klær, og flyttet leppene som om de spiste fra hverandres munn. Hun så på til hun ble matt i knærne og ikke lenger holdt ut knurringen i magen.

Da hun endelig gikk inn i huset for å spise middagen, var den iskald.

5

Jamilet sov til midt på dagen neste dag, og våknet med en dundrende hodepine. Hun så seg rundt og husket hvor hun var. Hun husket også de to andre ølboksene hun hadde helt i seg etter middagen, og ble kvalm ved tanken. Hun sverget på at dette skulle bli den første og siste bakrusen i hennes liv. Hun hadde sett mer enn nok av hvordan det gikk med folk som trøstet seg med brennevin i landsbyen. Stort sett var det menn, som vandret i gatene som spøkelser på jakt etter et nytt sted å hjemsøke og tigge om småpenger. De fant ofte døden i en grøft eller på noens jorde. Likene lå oppsvulmede og glemte i dager og uker til de ble funnet, som regel av vettskremte barn som lekte uten voksnes tilsyn.

Det var på en måte verre for kvinner. Alkoholen påvirket dem mindre tydelig til å begynne med, gjorde kinnene kledelig røde, og ga dem mot til å snakke og bevege seg med den fristende mangelen på hemninger som fikk menn til å legge merke til dem. Dette var de samme kvinnene som tente lys til langt på natt. Hvis du gikk forbi husene deres, kunne du se skygger bevege seg i vinduene og høre den lave, sensuelle latteren som var forbundet med svik og forbudte ting som ble nytt til det ekstreme. Om morgenen dukket mennenes koner opp og hamret på dørene deres, før de gikk sin vei, gråtende i forkleet. Sånn kunne det fortsette i mange år, til kvinnen en dag ville dukke opp med rødkantede, matte øyne og lure på hvor det ble av alle sammen, og hvorfor nettene var så mørke og dagene enda mørkere. Nei, det ble ikke noe mer øl på Jamilet.

De neste ukene holdt hun seg i ånde med husarbeidet. Med tantens velsignelse begynte hun å kaste ut alt skrotet som hadde hopet seg opp i årevis. Hun satte av en hel uke bare til klesvask. De fleste morgenene etter at Carmen hadde dratt på jobb, sto Jamilet ute og hengte opp nyvaskede klær og sengetøy til tørk. Hun begynte å lage mat om kveldene også, etter oppskrifter Millerfamilien hadde likt. Carmen gledet seg over hjemmelaget mat når hun vendte tilbake fra jobben, og begynte å dukke opp tidligere for å kunne snakke med niesen om dramatikken og frustrasjonene i livet sitt mens måltidet putret ferdig.

Jamilet satte også pris på disse stundene. Hun fant trøst og underholdning i tantens oppriktige meninger om alt mulig. Det bekreftet at livet i nord ikke hadde forandret henne så mye likevel. Det var stunder da Jamilet følte det som om de satt rolig rundt kjøkkenbordet i Mexico. Lorena sydde stillferdig mens Gabriela brummet over Carmens manglende interesse for sitt eget rykte eller for helsen sin. Jamilet lo alltid med og var på tantens parti, men nå følte hun mer sympati for bestemorens side av saken, og håpet at med et rent hus å bo i og god mat å spise ville Carmen ønske å leve et sunnere liv.

En kveld, etter å ha helt i seg sin tredje øl, oppfattet Carmen niesens kritiske blikk. – Ikke glo sånn på meg, glefset hun. – Hvem tror du at du er? Jomfru Maria?

Jamilet sukket og kastet de tomme boksene i søppelkassen uten å bry seg om å si noe. Hun visste at det ikke fantes noe svar hun kunne komme med, som ville få Carmen til å lytte. Hun hadde brukt opp alle i løpet av de ukene hun hadde bodd her. Hun hadde minnet tanten om de nedbrutte kvinnene i landsbyen, og om den tidlige, uverdige døden som alle fylliker opplevde. Da det ikke virket, forsøkte hun å fortelle at for mye øl førte til enorme mager på både kvinner og menn, og at nesene deres ble store og røde. Carmen lo midt i drikkingen og satte nesten ølet i halsen.

– Du må jo tro at jeg er pokker så dum som liksom skal tro på det der, sa hun. – Louis drikker tre ganger så mye som meg, og han er skinnmager som en fugl.

Hun kaklet igjen, tok en ny slurk og falt i tanker. – Det er én del av ham som blir stor og rød ...

Hun skottet på Jamilet og brølte nesten av latter. – Men den sitter i hvert fall ikke i ansiktet hans.

Andre ganger satt Carmen og skulte mens hun drakk ølet med overdreven slurping, men Jamilet visste at tantens humør ville lysne så snart Louis dukket opp. Han kom nesten hver kveld, omtrent en time eller så etter Carmen. Før det passet hun nøye på å skifte til noe som fremhevet den dype kløften mellom brystene, selv om hun måtte avsløre den forferdelige tilstanden midjen var i for å kunne gjøre det. Men Louis syntes alt ved Carmen var fortryllende, og hvis han kunne få henne til å le, var det enda bedre. Det var ingenting han likte bedre enn å se brystene hennes disse. Han lette alltid etter enhver mulighet til å si: «Jeg liker mine kvinner store og frekke.»

Ofte med munnen full av Jamilets hjemmelagede mat og hånden under bordet for å kjærtegne Carmens frodige lår.

Sent en kveld våknet Jamilet av en merkelig uling, helt annerledes enn de voldsomme elskovslydene hun var vant til fra de nettene Louis overnattet. Dette var den lave stønningen fra døden som gjorde seg klar til å fange byttet sitt. Iskald av skrekk sto Jamilet opp for å se etter tanten. Soveromsdøren hennes sto på gløtt, og Jamilet kikket inn.

Tanten lå naken på sengen, brystene fløt ut over kroppen som altfor mye krem på toppen av en porsjon med is. Hun klynket og ropte på Louis, som ikke var der, skjønt puten på hans side fortsatt viste avtrykk etter hodet hans.

– Tía, hva er det? spurte Jamilet, overveldet over synet av så mye nakenhet.

Carmen gjorde ikke noe forsøk på å dekke seg til da Jamilet kom inn i rommet. – Han er en fordømt drittsekk.

Hun forsøkte å løfte hodet noen tommer, før det falt tilbake på putene igjen. – Megga truer ham med politiet, og han må løpe av gårde til henne …

Hun snudde seg brått og feide telefonen ned fra nattbordet. Den havnet på gulvet med en serie disharmoniske plingelyder.

– Mener du Louis?

– Mener du Louis? hermet Carmen med avsky. – Selvfølgelig, hvem ellers?

– Har han problemer med politiet?

Det virket som om Carmen plutselig følte behov for sømmelighet, og hun trakk lakenet over magen. – Han har problemer med kona. Hvem er det hun tror hun er, som ringer her midt på natten? Og hvordan i helvete fikk hun mitt telefonnummer? Det skulle jeg likt å vite.

Jamilet var målløs. Til tross for Louis' forkjærlighet for øl og en enda større forkjærlighet for Carmens fyldige figur, trodde hun at han i bunn og grunn var en snill og anstendig mann. Hun satte pris på at han takket henne for maten hver kveld, og hvordan han passet på å si hvor mye bedre alt var blitt etter at hun kom.

– Det begynner å kjennes ut som et hjem her, sa han og plantet et kyss på Carmens kinn. – Og vi kan takke niesen din for det.

– Har Louis en kone? spurte Jamilet til slutt.

– Og tre snørrete unger, svarte Carmen og rullet seg over

på siden. – Og jeg vil ikke høre noe kjefting fra deg, er det klart?

– Jeg skal ikke kjefte på deg.

– Ja visst.

– Det er bare det at ...

– Her kommer det ...

Carmen grep tak i nærmeste pute, og stappet den rundt hodet og ørene.

– Du sa jo at du ikke kan fordra folk som lyver, sa Jamilet, høyt nok til at det trengte gjennom puten.

Carmen snudde seg så halve ansiktet var synlig, og glodde smaløyd på niesen. – Og så da?

– Hvordan kan du tåle Louis hvis han lyver for kone og barn? Hver dag han er her hos deg, så lyver han jo for dem?

Carmen rullet seg over på ryggen igjen, og klarte å løfte hodet opp noen tommer til haken hvilte på brystet. Hun stirret storøyd opp i taket mens hun funderte på dette merkelige dilemmaet, dette angrepet på livsfilosofien sin som hun selv hadde åpnet for. Men så blåste hun opp kinnene og stirret krigersk på Jamilet. – Han lyver ikke for meg, gjør han vel?

Før Jamilet rakk å svare, pekte Carmen raskt på henne.

– Nei, det gjør han ikke, så hold kjeft.

Hun falt sammen på sengen og begynte å stønne igjen.

Jamilet trakk teppet over tantens føtter, som vred seg i takt med smerten. – Jeg beklager at du har det så vondt, tía. Vil du at jeg skal hente noe til deg?

Føttene hennes roet seg, og hun svarte med et klynk. – Varm melk med vanilje og sukker, sånn som du laget sist.

I løpet av noen minutter kom Jamilet tilbake med et dampende krus som hun satte ved siden av tanten der telefonen hadde stått. Carmen tok flere forsiktige slurker og virket som hun kom seg litt.

79

– Jeg vil ikke høre navnet hans i dette huset igjen, hører du?

– Jeg forstår, tía.

Jamilet ventet noen minutter til, og da det virket som om tanten var roligere og på nippet til å sovne, begynte hun å liste seg ut av rommet. Men Carmen stanset henne med et uventet spørsmål.

– Tror du han ligger med henne, Jami? Tror du den magre drittsekken ligger med den meggete kona si mens jeg ligger her og lider?

– Nei, det er jeg helt sikker på at han ikke gjør, svarte Jamilet litt forskrekket.

– Hvorfor ikke? Hvordan kan du være så sikker?

Jamilet svarte uten å tenke seg om. – Fordi det er sent og han sikkert er trøtt.

Carmen hamret knyttneven rasende i sengen. – Pokker ta, du skal si at det er fordi han elsker meg, og ikke henne. Du skal si at han bare er hos henne av plikt, men at hjertet hans tilhører meg.

– Han elsker deg, selvfølgelig gjør han det, svarte Jamilet fort. – Det jeg mener, er at det er synd at han er gift.

– Ja, sukket hun. – Det er synd.

Carmen gikk ikke på jobb resten av uken. Hun fikk Jamilet til å ringe gassverket og fortelle dem at hun hadde fått mageinfluensa, og ikke kunne komme til telefonen fordi hun var på toalettet med konstant diaré.

– De stiller ikke for mange spørsmål hvis du forteller dem det, sa hun.

Hun ble værende på rommet sitt hele dagen, hun sov eller leste i en av de mange bøkene sine med bilder av halvnakne menn og kvinner som omfavnet hverandre på omslaget. Men det virket som om disse bare gjorde henne enda mer ulykkelig. Noen ganger fant Jamilet henne gråtende, og boken hun hadde lest, lå med brukket rygg i den andre enden av rommet som en skadet fugl.

Om kveldene foretrakk Carmen å ligge strakt ut på sofaen foran TV-apparatet og helle i seg øl etter øl til hun tippet over på siden og sovnet. To ganger hadde ikke Jamilet klart å vekke henne, og tanten måtte sove hele natten på sofaen.

Mot slutten av uken banket det lett på døren, og Jamilet åpnet. Utenfor sto Louis med et skjevt flir. Den ene foten hans dunket nervøst mot terskelen. Jamilet gikk raskt ut og lukket døren så Carmen ikke skulle oppdage at han sto der. Tanten hadde allerede drukket sin første sekspakning, og var i ferd med å sovne.

– Hun er svært opprørt, hvisket Jamilet. – Det er best du går.

Louis skottet opp fra føttene sine. – Det er hun som regel, sa han og så ut som et angrende barn. – Men det går over.

– Mener du at dette har skjedd før?

Louis hevet øyebrynene og la en klok hånd på Jamilets skulder. – Og det kommer sikkert til å skje igjen.

Han gikk forbi henne inn i huset, og satte seg på sofaen ved siden av Carmen. Et sjenert smil lekte på de smale leppene hans. Carmen blunket ikke, men tok en ny øl. Det var som om en flue hadde satt seg på sofaen ved siden av henne, og ikke mannen hun hadde lengtet etter i tre forferdelige dager.

Uforferdet, til og med muntert, begynte Louis å tigge om tilgivelse med utbrudd av poetisk fortvilelse. Han snakket om hvordan livet hans manglet mening uten henne, tomheten i hjertet sitt, og så videre.

Jamilet satte seg overfor dem, fascinert av scenen. Hun hadde dømt Louis veldig hardt de siste dagene, og hadde overbevist seg selv om at han ikke var så snill og følsom

som hun trodde, men en løgner og bedrager som man ikke kunne regne med bar ut søppelet. Hun ble derfor overrasket da det gikk opp for henne at hun håpet Carmen ville gi etter, eller i det minste vise en eller annen form for reaksjon. Men Carmen blunket ikke engang, fortsatte bare å granske neglene sine. Louis kom med mer og mer desperate kjærlighetserklæringer, om gleden han følte i hennes nærvær og at han nå forsto at ingen annen kvinne kunne sammenlignes med henne. Han ble rød i ansiktet og fikk tårer i øynene, men likevel nektet hun å se på ham, ja, lot ikke engang til å ville vedgå at han satt der.

– Du kan da svare ham, tía, sa Jamilet, ute av stand til å holde seg lenger.

– Hold kjeft, svarte Carmen og rullet med øynene.

Louis grep inn. – Hun ser hvor grusom du er.

Carmen trakk pusten og kjempet tydeligvis mot et overveldende behov for å ikke bare svare, men brøle mot ham av all sin kraft. Louis slikket seg om leppene og ventet. Men da det ble tydelig at hun på en eller annen måte hadde funnet styrke til å motstå ham, sukket han så ulykkelig som han maktet, og snakket med overbevisende resignasjon.

– Jeg forstår at du virkelig mener det denne gangen. Hjertet mitt vil være knust for resten av mitt liv, men en mann innser når han kaster bort tiden.

Han pustet ut som om han kom med sitt siste sukk, og skjøv seg selv opp fra sofaen. Han subbet mot døren, og Carmen blunket én gang. Han strakte seg etter dørvrideren, og det rykket til i munnen hennes. Han åpnet døren, og de sammenpressede leppene hennes slappet av. Hun begynte å snakke med ord som var overraskende myke.

– Hvis jeg er alt det, hvorfor går du da ikke fra henne?

– Dette har vi snakket om før, Carmencita. Du vet at jeg ikke kan dra før barna er store og ute av huset. Det kommer ikke til å endre seg.

Han tok et skritt over terskelen, og Carmen snakket igjen.

– Hvor skal du?

– Hvor kan jeg gå?

– Du kan bli hvis du vil, din drittsekk. Det endrer seg heller ikke.

Og Louis smelte øyeblikkelig igjen døren og plantet seg ved siden av Carmen, hvor de satt tett sammen resten av kvelden til de trakk seg tilbake til soverommet. Den kvelden falt Jamilet i søvn til lyden av entusiastisk, tøysete elskov, men hun sov bedre enn hun hadde gjort på en uke.

6

Badet, med sitt enorme badekar og sine skinnende hvite fliser, var det hyggeligste rommet i huset. Her fant Jamilet fred og ro fra sine bekymringer, selv om det også var her hun undersøkte merket. Hun kunne se mesteparten av det hvis hun stilte de to speilene over vasken slik at de reflekterte hverandre, og snudde seg halvveis rundt og så over en skulder. Første gang hun gjorde dette, satte hun pusten i halsen. Under det harde lyset var merket som rød lava, frosset i tid, som rant over skuldrene og ryggen hennes, dekket rumpeballene og hang i tykke tråder nedover lårene til toppen av knærne. Det var verre enn hun husket, og virket enda mer fremmedartet når hun så det på nytt, omringet av alt det hvite.

Det virket som om de ukene hun ikke hadde sett på merket, hadde påvirket hukommelsen hennes; skrekken ved det hele hadde falmet til det knapt var mer enn en ubehagelig irritasjon. Men enda en gang måtte hun akseptere at merket ikke var den typen problem. Det var ikke en haug med rotteinfisert møkk, eller måneder med oppsamlet skittentøy som kunne fjernes med en stor dose selvdisiplin.

Det var ikke noe rart at hun hadde ventet så lenge med å finne seg en jobb og begynne å spare pengene hun trengte for å kvitte seg med det. Hun hadde søkt tilflukt i støvtørking og rydding og røring i gryter på ovnen, alt hun pleide å gjøre i Mexico, og funnet trøst i vissheten om at akkurat nå kjente ingen til misdannelsen hennes. Skamfull, men ikke motløs, senket hun kroppen i det brennvarme badevannet og lovet seg selv at fra denne dagen av skulle hun studere merket daglig, fra nakken til knærne, sånn at hun aldri mer skulle glemme hvorfor hun hadde reist nordover.

Da tanten kom hjem samme ettermiddag, fulgte Jamilet etter henne inn på soverommet og ventet til hun begynte å ta av seg strømpebuksen. En enorm oppgave.

– Tía Carmen, det er på tide at jeg finner meg en jobb, sa hun.

Carmen sparket strømpebuksen inn i et hjørne. – Har du ikke nok å gjøre her?

– Jeg vil tjene penger. Jeg ... jeg må betale deg husleie.

Carmen tenkte litt på dette og trakk på skuldrene. – Jeg trenger ikke penger til husleien.

Hun satte seg forsiktig ned på sengen og gned de såre føttene.

– Det har jo gått veldig bra her. Hvorfor går du ikke til samfunnshuset? De kan lære deg hvordan du skal lese der borte, akkurat som de lærte meg. Det tar ikke hele dagen, og du kan fortsatt holde ting i orden her.

Jamilet nølte. Det var fristende, men hun var ivrig etter å sette i gang med planene sine. Hun gruet seg til å si det hun måtte si nå, men hun visste også at hun kunne gå rundt grøten på denne måten i mange dager, uten å komme noen vei.

– Tía, jeg vil ha en jobb så jeg kan spare penger og gå til en lege.

Carmen stivnet i et sjeldent øyeblikk av uselvisk bekymring.

– Er du syk?

– Jeg er ikke syk. Det er merket, tía. Jeg vil gå til en lege. Det kommer til å koste mange penger å bli kvitt det.

Det tok noen sekunder før forståelsen kom til syne i Carmens ansikt. Det fantes ikke lenger tvil om at det var først nå hun husket merket.

– Å, *det*, sa hun til slutt. – Er du fortsatt bekymret for *det*?

Jamilet visste knapt hvordan hun skulle reagere. Tanten snakket om merket som om det var en dum kvise eller føflekk som lett kunne skjules av sminke. Plutselig ble engstelsen blandet med skam, for sannheten var at hun ikke var bekymret – hun var besatt. Det fantes ikke et øyeblikk på dagen da hun ikke tenkte på merket. Det lå alltid i tankene hennes, som en torn mellom øyebrynene. – Ja, mumlet hun. – Jeg er fortsatt bekymret.

Carmen reiste seg og grep tak i sin egen mage så den lignet et enormt kjøttstykke. – Se på dette, sa hun og ristet på den for hvert ord. – Jeg bærer dette faenskapet med meg uansett hvor jeg går, og du ser ikke at jeg er bekymret. Jeg har likevel fått meg en mann, sa hun med et snøft.

Deretter trakk hun på seg et par joggebukser og en matchende tubetopp i knallrosa, som var to størrelser for liten.

Jamilet var på gråten. Hun ville ha byttet merket for en solid rullepølsemage når som helst. Hun ville tatt imot med glede, og ansett seg selv for å være heldig. Som hun ville elsket å våkne grytidlig hver morgen og løpe ut i gatene, kledd i en liten topp for å vise sine glatte, fyldige skuldre for hele verden. Hun ville spist gelé og kjøttsuppe til frokost, lunsj og middag. Det ville vært fantastisk. Hun ville elsket å være like feit og enorm som en sirkusfrik, hvis det betydde at hun ble kvitt merket. Men det ville ikke bli mer diskusjon i dag. Noen minutter senere satt Carmen med beina på bordet foran TV–apparatet og drakk sin første øl. Jamilet visste bedre enn å spørre henne mer den kvelden.

Noen få dager senere kom Carmen hjem og slengte en konvolutt på kjøkkenbenken.

– Sett i gang, sa hun til Jamilet, som var travelt opptatt med å kutte opp en kylling til middag. – Åpne den.

Hun tørket hendene på oppvaskhåndkleet og åpnet konvolutten. Inni lå et kort med ord og nummer på begge sider. Hun så spørrende på tanten.

– Med det lille kortet kan du få en hvilken som helst jobb du vil ha, sa Carmen, svært så fornøyd med seg selv.

– Kan jeg?

– Visst kan du det, så lenge du husker at navnet ditt er Monica og ikke Jamilet.

Carmen satte fra seg vesken og gikk bort til kjøleskapet.

– Jeg har betalt gode penger for det der. Med din engelsk vil ingen tro at det ikke er ekte.

Jamilet var klar over at det ble solgt falske dokumenter i mange deler av byen. Med papirer av god kvalitet var det mulig å finne bedre jobber hvor man fikk betalt minimumslønn, noen ganger mer. Uten slike papirer måtte de fleste nøye seg med å jobbe i en av de mange ulovlige fabrikkene som regelmessig ble raidet av immigrasjonsmyndighetene.

– Hva hvis jeg blir tatt? spurte hun.

– Å, jeg vet ikke. De kommer sikkert til å kaste deg i fengsel en stund, gi deg vann og brød en uke, og så sende deg på hodet over grensen. Og da er du heldig.

Hun snudde seg mot Jamilet, hard i ansiktet. – Så pass godt på kortet, og ikke vis det til folk. Skjønner du?

Kledd i et mørkeblått skjørt som rakk nedenfor knærne og en nystrøket, hvit bluse, følte Jamilet seg sikker på at merket ikke var synlig. Hun stakk forsiktig det falske identitetskortet sammen med fødselsattesten sin i en liten tøypung, og festet den på innsiden av behåen for å være trygg. Da trengte hun ikke å være redd for å rote det bort eller miste det. Det ville alltid være med henne, like over hjertet. Planene om å finne en jobb var like enkle. Mannen på supermarkedet hadde fortalt henne at med et så pent ansikt og søtt smil kunne hun helt sikkert få seg jobb i varemagasinet som solgte lekre klær og sko til forretningsfolk. Det var dit hun var på vei nå.

Carmen gransket henne da hun kom ut av badet. – Vent litt, sa hun og styrtet til rommet sitt.

Noen minutter etterpå dukket hun opp med et knallrosa skjerf flagrende mellom fingrene. Hun la det rundt niesens hals, knyttet det sånn og slik, før hun tok et skritt tilbake for å beundre verket sitt. – De er idioter hvis de ikke ansetter deg, sa hun.

Senere samme dag rundet Jamilet hjørnet til tantens hus med en sko dinglende i hver hånd. Carmens rosa skjerf hang slapt rundt halsen hennes. Hun gikk med bøyd hode og forsøkte å unngå å tråkke på tyggegummien som var klint inn i fortauet.

– Hva har skjedd med deg?

Jamilet snudde seg og så inn i Eddies smilende, brune øyne. Dette var kanskje det eneste øyeblikket siden hun kom da hun ville gitt hva som helst for ikke å treffe på ham. Hun svelget.

– Jeg har lett etter jobb, svarte hun tynt.

– Fant ingenting, hva?

Jamilet ristet på hodet og svelget igjen, en diger klump, stor som en knyttneve. Hun lengtet etter freden på badet hvor hun kunne slikke sine sår alene og finne styrke i de hemmelige drømmene.

Eddie smalnet blikket med et vel innøvd humoristisk glimt i øyet. – Har du papirer?

Jamilet nikket, enda mer skamfull. Hvis hun ikke hadde hatt papirer, kunne hun ha brukt dette som unnskyldning for nederlaget.

– Hvor har du lett?

Jamilet fortalte ham det. Han himlet med øynene og plystret.

– Er du sprø? De ansetter ikke meksikanere på det stedet. Du burde prøve i tekstildistriktet. Det er lettere der.

– Men de betaler ikke så bra.

Han ristet fortsatt på hodet, både sjokkert og lattermild over hennes manglende dømmekraft.

– Gi meg papirene dine, sa han og gned fingrene utålmodig mot hverandre.

Jamilet nølte og skottet mot huset. – Kom igjen, jeg er ekspert, sa han og ignorerte usikkerheten hennes.

Jamilet slapp skoene og stakk hånden inn i skjorten etter pungen. Hun fikk tak i kortet og rakte det til ham mens hun ba til Gud om at tanten ikke måtte få øye på henne.

Eddie studerte kortet på begge sider. – Dette er bra. Det må ha kostet en slant.

Han ga henne tilbake kortet, og blikket hans rettet seg mot baldakinen av kabler over dem. – Jeg tror jeg vet om en jobb til deg. Den passer ikke for alle, men lønnen er ok.

Øynene hans falt på Jamilets ansikt. – Har du hørt om Braewood?

– Hva er …?

Hun forsøkte å uttale det på samme måte som ham. – Braewood?

– Det er et galehus. Du vet, et sånt sted hvor de putter gale mennesker som snakker med seg selv og sånt tull. Det ligger ikke så langt unna.

Jamilet lyttet mens han fortalte om stedet. Hun la merke til at den avslappede holdningen hans forsvant. Hun kunne ha sagt at hun ikke var lettskremt, men foretrakk å la ham fortelle om kusinen som akkurat hadde sluttet der, og om hvordan hun kom hjem hver dag med historier som gjorde det vanskelig for småsøsknene hennes å få sove om natten. Med hendene stukket dypt ned i lommene, som om han plutselig frøs, fortalte han at kusinen trodde stedet var hjemsøkt, men hun var også typen som fikk hetta hvis katten kom hjem med en død rotte. Han stanset brått, som om han plutselig ble klar over at han hadde snakket i flere minutter i strekk, noe som var sjelden når han var sammen med en jente. – Så, er du interessert?

Jamilet nikket. – Hvordan kommer jeg dit?

Han forsøkte å forklare veien, men Jamilet kjente ikke området godt nok. – Ok, hør her, sa han lavt. – Hvis du treffer meg nede i gaten ved det treet der borte, la oss si klokken ni i kveld, skal jeg følge deg bort.

Han pekte på en stor platanlønn noen få meter unna Carmens hus. – Det er på hjemveien min, men dette er bare mellom deg og meg, ikke sant? Jeg vil ikke at Pearly skal finne ut om det.

– Ok, sa Jamilet og følte noe som var både uvant og fantastisk. – Jeg venter ved treet.

Jamilet følte seg som et nattdyr der hun sto under greinene som strøk henne over hodet. En usikkerhet som kom av lengsel og forventning, fylte henne. Hun hadde tenkt på Eddie siden de avtalte å møtes. Det dukket opp mange historier i hodet hennes, noe som gjorde henne andpusten, selv om hun lå helt rolig på sengen. De var litt usannsynlige, som de jo hadde en tendens til å være, og i én versjon måtte hun innrømme at hun hadde gått for langt. Pearly hadde funnet dem, lemmene deres var tvinnet i hverandre som de tørste røttene under føttene hennes. Hun utfordret Jamilet til å slåss for mannen sin, men Eddie gikk imellom, bekymret for Jamilet. Dramaet ble verre og verre, hver nye hendelse bekreftet bare Eddies store kjærlighet til Jamilet, og hans økende avsky for Pearly.

Hun forsøkte å skyve historiene bort og være fornøyd med at om noen få øyeblikk ville hun være sammen med ham, men de presset seg frem som et kor av sjalu spøkelser som sloss om å få hjemsøke henne. Uansett hvor mye hun forsøkte å motstå dem, ga hun etter av frykt for at de ikke skulle komme når hun trengte dem.

Jamilet dukket frem fra skjulestedet da Eddie nærmet seg. Han sa ingenting, bare kastet på hodet for at hun skulle følge etter. Han gikk fort, og de utvekslet ikke et ord på flere kvartaler. Etter at de hadde krysset det andre lyskrysset, slappet han litt av, og senket farten så Jamilet kunne holde følge uten å måtte løpe av og til, men det var tydelig at han ikke var interessert i å prate. Han gryntet da Jamilet takket ham for at han viste henne veien, og da hun spurte ham hvor lenge kusinen hadde jobbet på Braewood, svarte han: – Jeg vet ikke.

De gikk videre i stillhet mens fantasiene ulte inne i henne.

Eddie ser på henne fra øyekroken. – Jeg er glad du ikke er redd for å komme hit ut om kvelden, sier han.

– Hva er det å være redd for? svarer hun med et skuldertrekk.

Han sperrer opp øynene og later som om han er sjokkert.

– Er du ikke redd for gærninger?

– Jeg er vant til å ta vare på meg selv, sier hun.

De kommer frem til en port som virker lenket og låst, men han klarer å åpne den nok til at de kan smette inn. På hver side av en smal sti som fører opp til sykehuset, står en treklynge. Det er så mørkt at de nesten er usynlige for hverandre, men Jamilet tar ledelsen selv om hun begynner å bli redd.

Hun hører Eddie snuble bak henne. – Hørte du det? hvisker han høyt.

Jamilet stanser for å lytte. Det svake lyset fra sykehuset faller inn gjennom trærne og lyser opp ansiktet hennes. Hun ser akkurat ut som de vakre jentene på Carmens bøker, med sine skinnende lepper rede til å bli kysset mens håret danser i vinden.

– Hva feiler det deg? Kan du ikke høre meg? spurte Eddie, tydelig irritert.

Jamilet snudde seg. Han sto minst ti meter bak henne på stien, og hun ristet forvirret på hodet. – Er ... er det noe galt?

– Jeg liker ikke den lyden.

Han presset seg gjennom trærne og ut på hovedstien med Jamilet i hælene. – Der er den igjen, hvisket han.

Det begynte som en jevn summing, som hørtes ut som om den kom fra under bakken og forsvant ut i den kjølige natteluften. Lyden var lav og nifs, og lød som stønn fra et spøkelse mellom trærne. Den økte jevnt og trutt rundt dem, danset og snodde seg mellom og gjennom dem, og fikk pulsen til å galoppere. De hørte lyden av en plaget sjel som ropte om å bli løslatt fra sin miserable eksistens. Lyden ble til en betagende sang om et villfarent hjerte, kjølig og varm igjen, før den ble svakere ved minnet om liv og kjærlighet, og nølende foran et annet minne. Det var utvilsomt en menneskelig stemme som sang og jamret seg, for den som var modig nok til å lytte.

Jamilet sto stille med lukkede øyne, og svaiet til lyden av sangen da den ble høyere. Brått grep Eddie tak i håndleddet hennes uten advarsel, og trakk henne snublende etter seg mens han løp for livet tilbake til porten de akkurat hadde kommet inn gjennom. Han slapp henne da de kom frem til porten, og presset seg gjennom den smale åpningen først. Jamilet kjente ingen grunn til å være redd. Hun gikk rolig gjennom porten, og da hun endelig nådde ham igjen på hjørnet, sto han tvekroket og peste fortsatt mens han støttet seg mot en lyktestolpe. Da han skottet opp på Jamilet, var det fortsatt et glimt i øynene hans av den nakne frykten som hadde besatt ham. Jamilet klemte en hånd mot munnen for å skjule latteren.

– Så fint at du synes jeg er morsom, sa Eddie og rettet seg opp.

– Jeg beklager, det er bare det at en gang så jeg en mann løpe fra en okse som hadde de største hornene du noen gang har sett, sa hun angrende. – Selv han løp ikke så fort som deg.

– Ok, jeg skjønner poenget.

Han tørket de svette hendene på buksebeina og pekte med tommelen bak seg. – Det er veien hjem, sa han og pekte tilbake mot veien de var kommet. – Og nå vet du hvor Braewood er.

Han snudde seg for å gå.

– Er du sint? spurte Jamilet.

Han svarte uten å snu seg, ved å løfte en hånd og la den falle oppgitt ned. – Niks.

– Jo, det er du. Jeg ser det.

Eddie snudde seg. Lyset fra gatelykten over ham fikk ham til å se ut som en ensom skuespiller på en scene.

– Jeg bare friket ut, antar jeg.

– Friket ut?

Jamilet var ikke kjent med uttrykket.

– Du går rett gjennom porten som om du eier stedet, og når jeg ber deg roe ned farten, svarer du meg ikke engang, du bare fortsetter som en slags zombie.

Han ristet på hodet, fortsatt forvirret. – Det var ganske merkelig.

Jamilet var rede til å be om unnskyldning, men han stanset henne med en bestemt håndbevegelse denne gangen.

– Spar deg. Jeg … jeg håper du får jobben.

Jamilet så på mens Eddie gikk ut av spotlighten og inn i mørket nede i gaten.

– Synes du ikke sangen var vakker, Eddie?

Han tar ansiktet hennes mellom hendene sine, og lar fingrene stryke henne mykt over ansiktet. – Ja, det var den, men ikke så vakker som deg.

– Du er gal, Eddie.

– Det vet jeg, sier han rett før han kysser henne for første gang. – Jeg er gal etter deg.

7

Ordene kom ut som de selv ville. «Jeg søker jobben som hushjelp». Jamilet var sikker på at aksenten hennes var verre enn noen gang, men den bleke kvinnen bak disken forsto henne perfekt og svarte uten å se opp fra det hun holdt på med.

– Du må snakke med søster B.

Kvinnen skottet opp på Jamilets forskrekkede ansikt.

– Hvem skal jeg si søker jobben?

Jamilet trakk pusten dypt inn, og lungene skalv da hun pustet ut igjen, noe som fikk henne til å høres ut som en ustemt fiolin.

– Mitt navn er Monica Juarez.

Kvinnen tok søknadsskjemaet som Jamilet hadde fylt ut kvelden i forveien, og kom tilbake mindre enn et minutt senere. Hun ba Jamilet følge etter henne gjennom en smal gang bak forkontoret. De fortsatte nedover en labyrint av grønnmalte korridorer før de stanset. Kvinnen åpnet en av flere kontordører og gjorde tegn til at Jamilet skulle gå inn alene.

Søster B. satt bak skrivebordet sitt. Hun var en eldre kvinne med et kjøttfullt ansikt, grånende, gult hår og øyne som satt så dypt at det var vanskelig å skjelne fargen på dem. Hun lignet en overstoppet pute i den hvite uniformen. Med en håndbevegelse ba hun Jamilet sette seg i stolen foran henne. Jamilet sank øyeblikkelig ned i den, takknemlig for at de skjelvende knærne ikke ville være så avslørende når hun satt. Hun foldet hendene i fanget og ventet på at søknaden skulle granskes. Jamilet hadde nøye fylt den ut med blyant først, og så gått over den med penn etter at Carmen hadde rettet den.

Søster B. studerte Jamilet da hun var ferdig. Av og til rykket det i øyebrynene hennes. Med ett hentet hun frem et papirark og skjøv det over skrivebordet mot henne. – Skriv ned navnet ditt, adressen og grunnen til at du vil jobbe på Braewood Asyl, sa hun.

Jamilet tok sakte pennen og begynte å føre den etter mønster av det falske navnet akkurat som hun hadde øvd på med Carmen, mens ansiktet brant av skam. Et øyeblikk lurte hun på om hun skulle tilstå analfabetismen sin, men hadde mistanke om at søster B. ikke var den typen kvinne som ville mykne når hun hørte såre historier, uansett hvor hjerterå de var. De grublende linjene i ansiktet avslørte det.

Jamilet dro blyanten over arket. Med nesen noen tommer fra papiret ønsket hun at hun kunne pakke seg inn i det og forsvinne. Fra øyekroken så hun søster B.'s fingre dunke på skrivebordet, nesten danse av glede, som en gruppe lystige menn som gledet seg til den forestående ydmykelsen.

En bestemt og rasende banking på døren avbrøt dem. En ung kvinne, rød i ansiktet, stormet inn i rommet, fulgt av den samme bleke resepsjonisten som hadde vist Jamilet veien. Resepsjonisten mumlet sine innvendinger med samme effekt som en som forsøkte å snakke under vann.

Den unge kvinnen la ikke merke til Jamilet, og da hun snakket, var stemmen skingrende og høyere enn nødvendig.

– Det har gått over en måned, og du sa det bare ville vare i to uker.

Søster B. bet tennene sammen. – Som du ser, sitter jeg midt i et intervju.

Men kvinnen virket ute av stand til å forstå, og durte i vei om tiden som var gått, avtalen de hadde og andre klager hun ikke lenger klarte å holde tilbake. Jamilet lurte på om hun kunne være en rømt pasient, men hun så ikke slik ut. Raseriet hennes var ekstremt, men det virket ikke som villfarelsene til en gærning, mer som frustrasjonene hos en overarbeidet ansatt.

– Jeg går ikke opp dit igjen, og hvis du prøver å tvinge meg, ringer jeg fagforeningen.

Hun tok et skritt tilbake fra skrivebordet, med oppsperrede øyne, som om hun lette etter noe hun kunne kaste. – Jeg tror jeg ringer dem uansett. Det må være en lov mot å stenge noen inne der oppe i timevis på den måten.

Søster B. trakk pusten dypt, øyelokkene sitret litt. Mens hun lyttet til kvinnen, hadde en mørkerød rødme samlet seg rundt ørene hennes. – Du kan ringe fagforeningen, presidenten eller paven om du vil, men hvis du vil diskutere dette med meg, må du vente til jeg er ferdig. Som du ser, er jeg midt inne i et intervju, gjentok hun og pekte mot Jamilet som satt sammensunket i stolen, fortsatt med blyanten i hånden.

Da kvinnen oppdaget Jamilet, slappet hun merkbart av. – Å, sa hun og rygget. – Jeg så ikke ...

Søster B. henvendte seg til resepsjonisten som fortsatt sto i døren og vred hendene sine.

– Miss Clarke, vær vennlig å ta Veronica med deg til venterommet. Jeg skal si fra når jeg er klar til å ta imot henne.

De to kvinnene forsvant like brått som de kom. Stillheten ble bare brutt av den store kvinnens pust, dyp og lav i brystkassen hennes.

Jamilet så på mens søster B.'s øyne gransket taket, og leppene rykket til i et smil. – Hvorfor fortsette denne dumme farsen, Monica?

Hun lente seg over skrivebordet så den frodige barmen bredte seg utover. – Hvorfor innrømmer du ikke sannheten?

Blyanten glapp ut av Jamilets fingre mens hun lurte på hvilken av de skammelige sannhetene hun skulle innrømme først. Det faktum at hun var en illegal innvandrer som la frem falske dokumenter for å få jobb, eller at hun ikke kunne lese eller skrive annet enn det ekte og det falske navnet sitt, om det så gjaldt livet. Frem til det øyeblikket hadde hun ikke forstått hvor vanskelig det ville bli å lyve. Hun trodde det ville bli akkurat som når fantasien tok over og viste henne veien, som den gjorde når hun laget historier. Men å lyve var ikke slik i det hele tatt. Det fikk henne ikke til å føle seg fri sånn som i historiene, men beklemt og låst i hals og hjerte så hun hadde vanskelig for å snakke og puste.

Søster B. tygget sakte på tungen sin mens hun gransket søknaden igjen. – Jeg tror du aldri har hatt en jobb i ditt liv, erklærte hun tonløst.

– Jeg er en flink rengjører og jobber hardt, sa Jamilet.

– Selv når jeg ikke får betalt for det.

Søster B.'s store hode nikket, fingrene dunket mot bordflaten. Jamilet kjente et stikk av oppmuntring, og pep til igjen. – Og jeg er ikke redd for spøkelser, sa hun selvsikkert. – Jeg er ikke redd for noe.

Da hun hørte det, gikk rynkene som strålte fra søster B.'s øyne og munn over i et smil. – Det er veldig bra, men jeg er redd hushjelpstillingen ble besatt i går. Nå har jeg tilfeldigvis en annen jobb ledig. Den er din hvis du vil ha den.

Neste morgen kom Jamilet tjue minutter for tidlig. Hun ventet i lobbyen mens hun lyttet til lydene fra asylet som begynte å våkne. Selv om mange av korridorene skilte henne fra pasientområdet på sykehuset, skapte de flislagte gulvene og metalldørene en akustikk som gjorde det mulig å høre hvert eneste høye smell og ekko. Stemmer ropte ut sine bryske kommandoer, like skingrende som trompetstøt. De ble møtt av langtrukne stønn, som snodde seg som røyk og rullet gjennom veggene og dørene som holdt dem inne. Latter fulgte raskt etter, urovekkende latter, blottet for glede. Det gikk kaldt nedover Jamilets rygg, og hun skottet opp på klokken på den grønne veggen. Ti minutter igjen.

Støyen fra den andre siden av døren vokste til en kakofoni av lyder, klokker som ringte, hyl og klagerop fra pasienter, bjeffende ordrer fra sykepleiere, og på toppen av alt lyden av dusjer og vannkraner som flommet fra hundre forskjellige steder på en gang. Søster B. dukket opp. Hun hadde det travelt. De tykke skosålene presset mot flisegulvet og laget et dempet klask og pip for hvert skritt. Sammen med lyden av gnissingen fra de strømpekledde lårene ble de andpustne ordene hennes uforståelige. Det hjalp ikke akkurat at Jamilets egne harde skosåler laget et forferdelig bråk, så mye at søster B. plutselig stanset for å inspisere skoene hennes. Sykepleieren rynket pannen, men sa ingenting.

Søster B. fortsatte gjennom uendelige tunneler av grønt til de kom til en metalldør som var større enn de andre. Ved siden av den var det plassert et stemplingsur i brysthøyde, og en hylle med utallige kort stukket inn i separate lommer. Søster B. viste hvor Jamilets timekort lå, og hvordan hun skulle stikke det inn i åpningen på toppen av stemplingsuret når hun kom og gikk hver dag. – Jeg har for lite folk til å gi deg en hel dags opplæring, sa hun da hun grep nøklene som hang på en krok like ved. – Jeg setter deg i arbeid med en gang.

Hun fant den riktige nøkkelen, stakk den i låsen og satte foten mot døren som om hun forventet stormkast fra den andre siden. – Følg meg, og hold deg i nærheten, beordret hun.

Jamilet hadde overhodet ingen intensjoner om å gjøre noe annet. Hun nikket og knyttet de skjelvende hendene for å roe dem. Det hadde ingen hensikt å avsløre hvor redd hun var, spesielt siden hun hadde skrytt av sitt eget mot dagen før.

Da de kom inn, ble Jamilet overfalt av den stramme lukten av vaskemidler som lå over den umiskjennelige stanken av menneskelig urin. Grønne, skinnende korridorer strålte ut i alle retninger, men det var ingen pasienter å se. Hun fulgte etter søster B. til den nærmeste avdelingsposten, og sto like ved mens den andre kvinnen gransket flere av journalene der. En liten gruppe mannlige pasienter, fortsatt kledd i pyjamas og sykehusslåbroker, kikket ut fra et av de andre rommene. De ventet til søster B. var oppslukt av lesingen før de nærmet seg Jamilet, som hadde sett på dem også. Hun forsøkte å gjette hvor gamle de var, men det var vanskelig, for selv om noen av dem var rynkete og grå, virket de styrt av en barnslig entusiasme man sjelden fant hos voksne.

De sto storøyde foran henne mens talsmannen for gruppen, en liten mann med et hode så glatt og skinnende som en lyspære, stilte det spørsmålet Jamilet skulle komme til å høre minst hundre ganger den første dagen, og hver dag siden.

– Har du røyk? spurte han.

Han holdt frem de tobakkflekkede fingrene, som om han var sikker på at ønsket øyeblikkelig ville gå i oppfyllelse, men det var søster B. som svarte.

– Du kjenner reglene, Charles, sa hun og ristet på en fyldig hånd. – Du får sigarettene dine i kantinen, etter at du har dusjet og skiftet, og sånn som du ser ut, virker det som om det er lenge siden du har sett såpe og vann.

Da han hørte dette, hang han med hodet, og gruppen løste seg opp, samholdet ødelagt av et så brått og fullstendig bomskudd.

– De tror ethvert nytt ansikt tilhører en tåpe. Ofte har de rett.

De begynte sin lange marsj gjennom avdelingene. Jamilet ble mer og mer oppmerksom på de hule blikkene og skyggeaktige figurene som lurte bak sengeforhengene, satt sammensunkne i stoler eller kikket ut fra halvlukkede dusjrom. De som ikke stirret, virket fortapte, som om de akkurat hadde våknet fra en drøm, for forvirret til å kunne rette energien mot noen eller noe utenfor dem selv. Jamilet klarte ikke å la være å stirre tilbake, og ble plutselig redd for at hun også kunne bli fortapt hvis hun holdt på for lenge. Noen av pasientene så ut som om de kunne besette henne, med øyne så dype og mørke som skogstjern. Det fantes en uforklarlig makt i ansiktene deres, som om det eneste som holdt dem på beina eller sittende i en stol, var styrken fra for mye lidelse, og en lengsel som var der i mangel av håp.

Da søster B. nærmet seg, dukket noen av pasientene ned bak gardiner og dører i et forsøk på å ikke bli lagt merke til, men det var liten fare for at de skulle bli det. Hun marsjerte bare rett frem, uten å se verken til høyre eller venstre, mens haken rykket til i samme rytme som skrittene.

Da heisen satte dem av i fjerde etasje, følte Jamilet at nervøsiteten forsvant litt. Den raske turen hadde frembrakt en lindrende varme som strålte ut i armene og hendene. Dette til tross for at hun la merke til at for hver etasje de kom opp, virket det som om pasientene ble mer og mer forstyrret. De fortapte og rastløse blikkene ble mer intense, den usammenhengende talen med usynlige følgesvenner livligere.

Søster B. hadde knapt sagt et ord. Et øyeblikk lurte Jamilet på om hun hadde glemt at det var en nyansatt der

101

som fulgte etter henne som en lojal valp, som gikk når hun gikk, stanset når hun stanset. Da de gikk ut av heisen, snudde søster B. seg for å se henne rett i ansiktet. – Jeg tror jeg bør fortelle deg at du kommer til å ta deg av bare én pasient, sa hun mens de stikkende øynene dirret i øyehulene. – Han er ikke som de andre du har sett.

Jamilet kjente at knuten som hadde løsnet i magen, begynte å stramme til igjen, men sa ingenting da hun fulgte søster B. gjennom en annen dør og de klatret opp en smal trapp i stedet for å ta heisen videre. Søster B. peste da hun klønete satte føttene på de smale trinnene. Jamilet fulgte ikke så tett etter denne gangen, av frykt for at arbeidsgiveren kunne knuse henne på veien ned hvis hun snublet. Men de kom seg til femte etasje uten uhell, selv om søster B. var rødmusset og gispet etter luft.

Hvis avdelingene lenger nede var nakne, var femte etasje fullstendig gold. Resten av sykehuset var nymalt i limegrønt. Det fantes ikke tegn til ny maling her. Nakne lyspærer kastet et underlig skinn over stedet, og fremhevet bare skyggene av forfall.

Så snart søster B. fikk igjen pusten, førte hun Jamilet nedover korridoren til kontoret i den andre enden. Dette rommet var litt muntrere, takket være det store vinduet med utsikt til hagen. De eneste møblene var en diger stol, og et skrivebord der det ikke var plassert annet enn en svart telefon. Søster B. satte seg øyeblikkelig, og stolen stønnet mens den tilpasset seg vekten hennes. – Her kommer du til å tilbringe mesteparten av tiden din, sa hun og lente seg bakover. – Oversøster i fjerde etasje har fått beskjed om å komme opp og se hvordan det går med deg, og du kan ringe henne hvis du har spørsmål eller hvis det oppstår et problem.

Søster B. lente seg frem og klemte fingrene mot hverandre så huden lyste rosa. – La oss snakke om pasienten din.

Han er forstyrret, men ganske skarp. Jeg anbefaler at du unngår all unødvendig prat med ham. Erfaring har vist oss at tilstanden hans da forverres, og han kan bli ganske ubehagelig hvis han får muligheten til det. Det er da du kommer til å ønske å slutte, akkurat som alle de andre.

Søster B. reiste seg, glattet på uniformen og trakk i beltet. – Han nekter å komme ut av rommet sitt. Ikke fordi han ikke får lov, men fordi hans emosjonelle tilstand forverres hver gang han forsøker. Uheldigvis har han også avvist enhver innblanding fra en psykiater, enhver behandling faktisk, men han kan ikke nekte til evig tid, sa hun med et glimt i øyet.

– Poenget er at du kommer til å tilbringe størsteparten av tiden din her. Nå vel, jeg tror du vil oppdage at dette kan være den letteste jobben du har hatt.

Hun tenkte over det et øyeblikk, og henvendte seg til Jamilet med nok energi til å få henne til å virke nesten blid. – Hvis du holder ut en måned, får du lønnspålegg. Hva synes du om det?

– Tusen takk, svarte Jamilet. – Jeg har bare ett spørsmål, søster.

Søster B. hevet spørrende øyebrynene.

– Hva er arbeidsoppgavene mine?

Søster B. ble litt overrasket. – Ganske enkelt å gjøre som han sier, sa hun og viftet med hendene, tydelig irritert over å måtte forklare det samme for enda en ny person. – Hente måltidene hans, rydde rommet og sørge for at han har alt han trenger.

– Som en hushjelp, mener du?

Søster B. rettet på skuldrene. – Ja, det er ikke feil å tenke på det på den måten. Følg meg, sa hun og forlot kontoret.

Hun stilte seg foran den eneste andre døren i gangen. Et lite, tykt vindu var satt inn øverst i døren, altfor høyt til at en person av normal høyde kunne kikke inn. Under hang

103

et lite skilt med små bokstaver. Søster B. snakket lavt, som om hun var redd for å vekke de døde.

– Dette er rommet til pasienten din, sa hun mens øynene hennes utvidet seg. – Det er best du går inn alene.

– Alene?

Jamilet kunne knapt tro at sjefen hennes ikke ville marsjere inn på denne pasientens rom, slik hun hadde gjort i resten av sykehuset, bare for å bevise at hun kunne. Men i løpet av noen få sekunder hadde søster B. forandret seg. Auraen av autoritet, som hadde gitt henne farge i kinnene bare noen øyeblikk tidligere, forsvant, og hun var blek og svett. Leppene, som før hadde vært sammenpresset og på nippet til å bjeffe nye ordrer, hang. Hun presset ryggen mot døren hun ikke ville gå inn gjennom, som om hun samlet styrke til å vende tilbake til tryggheten på asylet.

– Jeg har erfart at det er best når bare en person går inn av gangen, sa hun og tok seg litt sammen. – Han blir opprørt av for mange mennesker.

Jamilet tenkte på korridorene hun akkurat hadde gått gjennom, de utrøstelige øynene som kikket frem bak gardiner, og latteren preget av smerte hinsides enhver indre uro noen kunne forestille seg. Hun kjente en dirrende frykt i magen, og for første gang lurte hun på om hun hadde gjort en feil. Ikke bare ved å ta imot jobben, men ved å forlate Mexico og alt hun hadde kjært.

Søster B. ba henne vente til klokken var passert en halv time over hel, først da skulle hun bringe pasienten maten hans og forlate rommet øyeblikkelig. Dette skulle hun gjøre tre ganger om dagen, hver dag fra nå av, og hele tiden unngå så mye unødvendig småprat som mulig, siden dette hadde vist seg å ta knekken på alle hennes forgjengere.

Søster B. var ivrig etter å gå så snart hun hadde fyrt av seg den siste av sine knappe instrukser. Jamilet kunne gå gjennom dem selv, siden de sto på døren i tilfelle hun glemte dem. Da hun ble alene, stirret Jamilet tomt på skiltet på døren. Plutselig husket hun at hun ikke visste hva pasienten het.

Frokostbrettet var elegant dekket med et stort fat med lokk, og en kanne med dampende kaffe. Kokken hadde også lagt ved dagens avis, noe Jamilet syntes var rart. Hun la merke til at de andre pasientene fikk sine måltider på en tallerken i kantinen, sammen med kartonger med melk eller juice. Kaffe var en luksus som måtte kjøpes, akkurat som sigaretter.

Det var lett å få øye på Charlies skallede hode i den andre enden av rommet. Han spiste alene, men i løpet av et blunk hadde de andre pasientene tatt limegeleen, formkaken og appelsinjuicen hans. Det virket som om han var vant til det, og han begynte å spise eggene som lå igjen uten å klage. Jamilet tok et ekstra stykke formkake fra disken og satte den foran ham. – Spis fort. Jeg venter her til du er ferdig.

Charlie virket mer forvirret enn takknemlig, men kastet ikke bort tiden, og gomlet i seg kaken. Han visste at han var trygg så lenge noen fra staben sto der.

Hun forlot kafeteriaen så snart han var ferdig, tok heisen, og klatret til slutt opp den smale trappen med brettet i hendene. Hun gransket skiltet på døren, det skinte litt. Brettet begynte å kjennes tyngre, og hun forsto ikke ordene nå heller. Hun kunne bare håpe at søster B. hadde sagt alt hun trengte å vite.

Med hamrende hjerte gikk hun inn i det dunkle rommet. Striper av sol falt inn gjennom halvåpne vinduer. Hun plasserte brettet på den første overflaten hun oppdaget, et skrivebord ved vinduet som var overstrødd med papirer. Hun hadde ikke sett på pasienten ennå, men følte at han gransket henne fra den andre siden av rommet.

Så snart hun hadde satt fra seg brettet, skrek hver eneste muskel i kroppen hennes at hun burde styrte ut av rommet så fort som mulig, men det ville virke svakt og feigt. I stedet tvang hun seg til å gå bort til vinduet og åpne det litt mer, idet hun håpet at den friske luften ville nøytralisere frykten. De rustne hengslene stønnet og klaget over å bli skjøvet på, og et blaff av søt luft strømmet inn.

Hun snudde seg. Hjertet hamret i rasende fart i brystkassen. Hun kom ikke til å klare å opprettholde den rolige fasaden særlig lenge. Hun rettet på skuldrene og hevet hodet, som hun hadde lært å gjøre hjemme når barn og voksne plaget henne med tilropene sine.

Hun var nesten ved døren da en silkemyk stemme henvendte seg til henne. Ordene hans var preget av en spansk aksent som fikk ham til å høres ut som om han kom fra overklassen. – Unge dame, leste du ikke skiltet på døren, som ber deg banke på før du kommer inn?

Jamilet snudde seg mot stemmen, og oppdaget en imponerende, eldre mann som støttet seg på albuen i sengen. Han hadde fyldig, snøhvitt hår som krøllet seg som røyk rundt hodet. De svarte øynene var blottet for følelser, og stirret intenst på henne.

– Nei, sir, mumlet hun.

Han så på henne en stund til før han satte seg opp. – Hvilke instruksjoner fikk du? spurte han.

Jamilet var ikke sikker på om hun skulle svare. Kunne dette bli ansett som unødvendig småprat? Hun bestemte at han kunne bli opprørt hvis hun ikke svarte, og det skulle også unngås.

– Jeg … jeg fikk de samme instruksjonene som de andre, sa hun.

– Ja, selvfølgelig. Du skal hente mat til meg tre ganger om dagen og ikke engasjere meg i unødvendig småprat. Og hvis du klarer å holde på jobben en måned, får du lønnspålegg.

Øyebrynene hans, like svarte som øynene, hevet seg til pannen.

– Stemmer det?

Jamilet nikket og kjente en iskald finger nedover ryggraden. Hun klarte ikke å se bort.

– Hva heter du? spurte han.

– Monica, svarte hun, overrasket over at hun var snarrådig nok til å bruke det falske navnet.

– Ja vel, da, Monica, la meg få fullføre dine instruksjoner.

For første gang siden hun kom inn, flyttet han blikket fra ansiktet hennes, og hun kunne puste lettere. – Du skal banke på først, før du kommer inn, du skal ikke komme inn uten min tillatelse. Du skal la vinduene, møblene og alt annet du ser på rommet mitt, være i fred, og du skal aldri sette noe på mitt skrivebord. Er det klart? sa han mens stemmen ble både mørkere og høyere.

– Ja, sir.

– Jeg forventer at rommet mitt blir grundig vasket hver dag, inkludert badet og under sengen.

Jamilet så seg rundt i rommet mens han snakket. Det var elegant møblert med en himmelseng, kostbare tepper og puter som lignet sånne som hun hadde sett i Millerhuset. Det fantes også et vakkert utskåret skrivebord hvor frokostbrettet sto. Badet var i den andre enden av rommet, og Jamilet kunne se hjørnet av badekaret.

Pasienten fortsatte å ramse opp sine forventninger, pinlig detaljert. Frokosteggene skulle kokes til plommen var bløt og eggehviten fast. Kaffen skulle være varm nok til å svi fjærene av en kylling, og hvis han fant så mye som et hår på badet sitt, ville hun få sparken på stedet og miste en daglønn.

Mens listen med plikter økte, myknet pasientens stemme, og han slappet av mot puten, ganske fornøyd med sin egen evne til å kommandere. Han avsluttet strømmen av fornærmelser med: – ... og ikke fortell meg at du ikke ble ansatt for å være hushjelp, ellers kan jeg garantere deg at du ikke kommer til å vare en uke.

Jamilet kastet et blikk rundt i rommet. – Hvor vil du ha brettet, sir?

Han klappet seg på fanget med begge hender. – Jeg foretrekker frokost på sengen.

Uten å nøle tok Jamilet brettet med bort til pasienten. Da hun var på en armlengdes avstand, senket hun blikket mens hun forsiktig satte brettet på fanget hans. Hun snudde seg med et høflig nikk for å gå, men han snakket igjen.

– Og jeg forventer at du bruker navnet mitt.

– Ja, sa hun.

Han skakket på det massive hodet og øynene glitret. – Ja, hva ...?

– Jeg er redd jeg ikke kjenner navnet ditt, sir.

– Hvordan er det mulig? Fortalte ikke arbeidsgiveren din deg det?

– Nei, sir. Hun gjorde ikke det.

– Vel, det står skrevet på døren for himmelens skyld. Leste du ikke ...

Han stanset og mumlet for seg selv mens han smurte på det ristede brødet. – Denne gangen har hun klart å ansette ikke bare en tåpe, men en analfabetisk tåpe.

Jamilet var overveldet av skam, og klarte verken å nekte eller forsvare seg, da han feide lokket av fatet og kastet det på gulvet så det landet noen tommer fra føttene hennes.

– Mitt navn er señor Peregrino, sa han mens han stakk gaffelen i eggene. – Gjenta det, så jeg er sikker på at du klarer å uttale det ordentlig.

– Señor Peregrino, sa Jamilet stille.

– Igjen, gjentok han og holdt gaffelen som en dirigent.

– Señor Peregrino, sa hun litt høyere.

Han myste mot eggene, tydelig misfornøyd. – Uttalen din er bra, men dialekten ganske vulgær. Hvor kommer du fra?

– Mexico.

Han skulte mot henne, som om han var sjokkert over hvor dum hun var. – Selvfølgelig, men hvor i Mexico?

– Guadalajara, svarte Jamilet og foretrakk å unngå å nevne landsbyen sin.

Øynene hans holdt hennes fast som før. – Du lyver. Du er fra et sted med grusveier, hvor folk vasker seg i bekken og ordner sine kroppslige funksjoner på samme måte som hunder.

Han smurte blåbærsyltetøy på brødet før han fortsatte.

– Moren din fødte deg sikkert på et jorde, og det er like sannsynlig at du lærte ditt første ord av grisene som av henne. Hun bor fortsatt der, og forventer at du skal sende henne penger fordi grisene er solgt og det har vært tørke …

– Min mor er død.

Han gjorde klar kaffen sin, helte i en teskje sukker og litt fløte. – Bra for henne. Det er nok det smarteste hun noen gang har gjort.

Han fortsatte strømmen av fornærmelser. Jo mer hatefulle ordene hans ble, jo roligere ble oppførselen. Han kunne ha snakket om hvor søt og saftig frukten på tallerkenen var, eller faren for regn om kvelden. Det var også innlysende at han kom til å fortsette så lenge hun sto der og tok imot. Hun måtte finne en måte å komme seg ut på, selv om det betydde å avbryte ham og sikkert gjøre ham opprørt.

– Unnskyld, señor Peregrino, kan jeg få gå, vær så snill? spurte Jamilet. – Jeg må på toalettet.

– Jeg er ikke ferdig, sa han. – Likevel, du ba om tillatelse uten at jeg måtte fortelle deg det, og uten at du har fordelen av en grunnleggende utdannelse.

Han viftet med gaffelen mot døren. – Du kan gå.

Jamilet forlot rolig rommet, og ventet til pasientens dør lukket seg helt før hun løp nedover gangen til kontoret. Så snart hun var inne, slengte hun opp et vindu og lente seg ut så langt hun kunne, pustet dypt og lot den friske luften fylle lungene og dempe kvalmen som gjæret i magen. Da hun følte seg litt bedre, skottet hun på klokken på veggen. Hun hadde vært inne på pasientens rom mindre enn et kvarter, og kunne ikke fatte hvordan hun skulle overleve resten av dagen. En måned var det ikke snakk om.

8

– Bare slutt, sa Carmen. – Du burde ikke jobbe på et sånt forferdelig sted uansett.

– Men lønnen er god, og de hadde ikke problemer med papirene.

– Ingen kommer til å ha problemer med de papirene, sa Carmen og stappet et kjøttbollesmørbrød i munnen. – Du kan vise dem frem hvor som helst. Bare vent og se.

Hun tok med seg resten av smørbrødet til sofaen og la beina på bordet. Hun spiste fort, ga blaffen i servietter og brukte brødet til å tørke bort sausen som rant ut av munnvikene. Louis kunne komme når som helst, og hun likte ikke å stappe i seg på denne måten mens han så på. Hun ville nyte et måltid sammen med ham senere, og da kunne hun spise litt mer dannet. – Jeg skal vedde på at gamlingen er barnemisbruker. Det er derfor han er innesperret, sa hun og svelget den siste biten.

Jamilet trakk på skuldrene. – Alt jeg vet, er at han har så mye hat i øynene sine. Bare det å se på ham skremmer meg.

Da Carmen hørte det, kastet hun matpapiret på bordet. – Er det omtrent som dette? spurte hun og lente seg fremover mens hun sendte Jamilet et skremmende, iskaldt blikk som virket som om det fikk kroppen hennes til å stivne fra topp til tå. Det var den typen blikk som fikk løshunder til å holde seg unna hagen hennes, og som sørget for at Jehovas vitner ikke kom på nytt besøk.

Jamilet kunne ikke la være å føle effekten, og grøsset litt.

– Det er ganske bra, tía, men jeg tror señor Peregrinos blikk til og med er verre enn det.

Carmen slappet av. – Hva i helvete for slags navn er Peregrino?

– Jeg vet ikke.

– Sa du at han var spansk?

Jamilet nikket. – Han oppfører seg som om han er kongen av Spania eller noe sånt.

– Jeg skal si deg hva han er kongen av, erklærte Carmen.

– Han er kongen av kryp. Hent en øl til meg. Jeg har dårlig ånde.

Jamilet hentet ølet til Carmen og en serviett. – Hva betyr peregrino, tía?

Tanten åpnet lokket og tok en slurk mens hun tenkte over det. – Jeg tror det betyr pilegrim.

Hun tok en ny slurk.

– Ja, jeg er ganske sikker på at det stemmer. Navnet hans er mr. Pilegrim, tro det eller ei.

Mot slutten av den andre uken hadde Jamilet fått en rutine som innebar mindre arbeid enn hun noen gang hadde hatt i sitt liv. Hun kom på jobb klokken halv åtte om morgenen, og ventet til señor Peregrino hadde dusjet og kledd seg. Klokken åtte gikk hun ned trappene igjen for å hente frokosten hans, hentet skittentøyet fra badet og redde opp sengen mens han spiste eller satt ved skrivebordet, fullstendig oppslukt av papirene han hadde der. Noen ganger skrev han intenst med bøyd hode og bøyd rygg i timevis. Andre ganger stirret han bare på papirene foran seg, som om de snakket til ham om livets store mysterier, om liv og død. På gode morgener sa han ikke et ord og lot henne fortsette uforstyrret med arbeidet.

De morgenene Jamilet gruet seg mest til, var de morgenene han ikke leste, men stirret ut i luften som om han var fortapt i en forferdelig drøm. Når det skjedde, lette han etter enhver anledning til å bli distrahert fra det indre ubehaget han følte. Han fulgte Jamilet med blikket mens han tygget på pennen, og var ganske flink til å identifisere svakhetene hennes for sin egen fornøyelses skyld. – Jeg ser at du heiser opp skuldrene dine omtrent som et troll. Hva er det du skammer deg over, Monica?

– Jeg skammer meg ikke over noe, señor, sa Jamilet.

– Å, men du skammer deg helt sikkert over noe.

Jamilet fortsatte å glatte sengetøyet hans akkurat slik han hadde bedt henne om å gjøre, uten å stappe lakenet under madrassen, siden det gjorde det vanskelig for ham å komme seg ned i sengen igjen. Hun våget ikke å se på ham når han stirret på henne på den måten, av frykt for å fortape seg i den mørke glemselen i øynene hans. Det var best å flytte blikket. Når hun ikke hadde annet valg enn å se på ham, gjorde hun det med stille aktsomhet.

– Jeg tror ikke det er det at du ikke kan lese og skrive, spekulerte han. – Det er noe annet, noe mye styggere. Det kan ha noe med familien din å gjøre. Jeg skal ikke sverte din mors minne, men du har ikke sagt noe om din far. Jeg kan forestille meg at han er en fyllik, en vanskapt sjel, som har glemt at han er en mann og har en datter.

Jamilet banket puten og slapp den på plass. Hun begynte å bli flinkere til å unnvike ham, og kunne lett ha funnet en måte å ikke svare på, men noe fikk henne til å gjøre det motsatte. – Jeg har aldri kjent min far, señor. Men jeg har hørt mange dumme historier om hvordan han døde, og jeg vet at folk finner på ting når de ikke vil innrømme sannheten. Så han var sikkert enda verre enn du sier.

Denne avsløringen, ærlig og direkte som den var, fikk señor Peregrino til å tie. Men hun følte at han fortsatt så på henne da hun plukket opp skittentøyet fra gulvet og forlot rommet. En stund senere vendte hun tilbake med de rene skjortene hans, og la dem i skapet på den måten han hadde viste henne den første uken. Like farger sammen, korte og lange ermer hver for seg. Øynene hans fulgte henne da hun gikk inn på badet med rene håndklær. Hun tok seg god tid til å henge dem på plass, ett ved vasken og to ved badekaret.

Da hun kom ut, hadde han ikke rørt seg. – Du synes du er ganske smart, gjør du ikke?

– Hvordan kan noen som ikke kan lese eller skrive, være smart?

Señor Peregrinos lepper formet et smil til tross for at han ønsket å være alvorlig. – Jeg er nysgjerrig, sa han. – Lurer du ikke på hvorfor jeg sitter her oppe, hvorfor jeg ikke har en journal som alle de andre pasientene på dette sykehuset? Ikke at du kunne lese den hvis jeg hadde det, men jeg ville trodd at du i hvert fall hadde noen spørsmål?

– Jeg vet ikke hvorfor du er her, señor.

Jamilet flyttet vekten til den andre foten. Det var ingenting hun hadde mindre lyst til enn å havne i en gjettelek med ham, der han kunne vri halsen rundt på henne til han kvalte henne med den sjofle humoren sin. Men hun visste at hun måtte gi seg, ellers ville hun lide under det dårlige humøret hans senere.

– Folk er her fordi de er sinnssyke. Så jeg antar at du også må være sinnssyk.

Señor Peregrino slo de store hendene sammen og bukket med overdreven ydmykhet. – Du har virkelig anstrengt hjernen din for å komme til den konklusjonen. Bravo!

For en gangs skyld tillot Jamilet seg å se ham rett i øynene. – Men du virker ikke som de andre.

Hun ristet ham ut av blikket sitt. – Jeg vet ikke, mumlet hun.

Señor Peregrinos øyne ble større, og i øyekrokene dukket det opp en kortvarig mykhet, et slør av tårer som ble holdt tilbake.

– De stakkars sjelene du ser der nede, som vrir seg rundt i sine egne ekskrementer, er de heldige, sa han. – Nå vel. Jeg kan gjøre det verdt for deg å finne ut noe om meg – hvorfor jeg er her.

– Jeg forstår ikke, señor.

Ansiktet hans hardnet. – Lukk opp munnen for en gangs skyld, og still spørsmål.

Jamilet løftet haken, og strammet taket rundt det rene tøyet.

– Det er ikke jobben min, señor. Hvorfor skulle jeg gjøre det?

– Fordi hvis du klarer å finne ut noe sant om meg før slutten av denne uken, lover jeg at jeg ikke skal si et ord til deg før du er ferdig med prøvetiden. Da vil du helt sikkert ha gjort deg fortjent til lønnspålegget. Uansett hvor usselt det må være, tviler jeg ikke på at du vil glede deg over de ekstra skillingene i lommeboken.

– Slutten av uken er i morgen, señor …

– Da har du ikke mye tid, har du vel?

– Og jeg jobber her oppe. Jeg har ikke lov til å gå min vei.

– Det gjør bare ting vanskeligere, men en smart jente som deg er nok oppfinnsom.

Jamilet hatet å bli manipulert på denne måten, men muligheten til å komme seg gjennom dette frem til slutten av måneden uten å måtte finne seg i den konstante flommen av fornærmelser, var for fristende til å ignorere. Kanskje når måneden var over og hun hadde fått bonuslønnen og bevist at hun var dyktig, kunne hun be om å bli overflyttet til en annen avdeling? Og selv om hun måtte fortsette hos señor Peregrino, ville hun i det minste kunne spare opp pengene hun trengte mye fortere.

Jamilet bestemte seg for å begynne med den kjøkkenhjelpen som laget señor Peregrinos måltider. Han var en ung, blond mann med et rødmusset ansikt som fikk øynene hans til å ligne klare, blå perler.

– De forteller oss ingenting her nede, sa han og tørket de sprukne hendene på forkleet. – Alt jeg vet, er at han får det han vil ha. Noe sånt har bare skjedd en gang før, da en rik dame kom hit. Men hun døde etter et par uker. Gamlingen der oppe ...

Han kikket opp i taket som om han regnet etter i hodet.

– Omtrent tre år har det vart.

Etterpå henvendte hun seg til oversøsteren i fjerde etasje, en nervøs kvinne med tjukke glass i brillene som alltid gled ned på nesen hennes når hun skriblet i en haug med journaler på skrivebordet. Hun myste mot Jamilet som om hun så henne for første gang. Jamilet hadde snakket med henne to ganger før, og hver gang virket hun like forvirret som nå. – Du vil vite om señor hvem? spurte hun og skjøv brillene på plass.

Jamilet bet seg i leppen. – Señor Peregrino ...

– Hvem er señor Pere ... hva det nå var du sa? spurte hun.

– Pasienten i femte etasje.

– Det er da ikke navnet hans, for himmelens skyld, sa oversøsteren.

Hun strakte seg etter en skriveplate under skrivebordet, og begynte å dra fingeren nedover en navneliste. Hun dunket fingeren mot navnet hans og viste det til Jamilet for sikkerhets skyld.

– Ser du? Han heter Antonio Calderon.

Jamilet studerte skriveplaten der hun pekte, og anla et

tankefullt uttrykk som passet for lesing. – Ja, selvfølgelig, men han *tror* at han heter señor Peregrino.

Oversøsteren grep med glede anledningen til å komme med instruksjoner og kritikk. – Du bør aldri oppmuntre pasientens vrangforestillinger.

Hun pekte mot en tynn mann som tuslet rundt i slåbrok og tøfler mens han mumlet ubegripelig for seg selv. – Noen dager tror den pasienten at han er Gandhi. Tror du jeg går rundt og sier «Ta medisinen din, Gandhi,» eller «Har du dusjet i dag, Gandhi?»

Hun stirret på Jamilet med fiskeøyne som ikke blunket.

– Selvfølgelig gjør jeg ikke det. Det ville bare forvirre ham enda mer.

Hun slengte journalen ned på de andre journalene på bordet, noe som førte til et lite skred.

Jamilet var på vei opp til etasjen sin da en dempet stemme fikk henne til å snu seg og myse inn i et mørkt hjørne bak seg.

– Vil du vite noe om den gamle mannen i femte etasje? spurte stemmen.

Jamilet stirret rett inn i det grå ansiktet til vaktmesteren, som var like tynn og sjuskete som moppen han alltid bar på. Hun hadde tidligere sett ham luske rundt i korridorene og etterlate et vått spor overalt hvor han gikk, men han gikk aldri opp i femte etasje. Meningen var at hun skulle ta seg av all vask og alle tjenester som angikk pasienten hennes.

– Kjenner du pasienten min? spurte Jamilet.

Han løftet en blek hånd og viftet vagt med den før den falt ned igjen. – Jeg kjenner alle.

Han kikket nedover gangen og senket stemmen. Jamilet måtte lene seg mot ham for å høre. – Jeg kjenner dem bedre enn sykepleierne og legene, sa han og smilte hemmelighets-fullt. – Du vet Charlie, han du alltid sniker mat til?

Jamilet var sjokkert over at han hadde sett henne gjøre det.

– Bare av og til, mumlet hun.

– Niks, sa han. – Jeg har sett på deg, du gir ham noe hver eneste dag. I går var det sjokoladepudding, og i dag fikk han to ekstra rundstykker. Jeg så at du tok dem rett ut av lommen din. Nå vel, fortsatte han så snart han antok at Jamilet var tilbørlig imponert over observasjonsevnen hans. – Grunnen til at Charlie er så skallet, er at han hver morgen og kveld tilbringer timer foran speilet med å trekke ut sitt eget hår. Han klipper ikke neglene sine på høyre hånd, så han kan bruke dem som pinsett. Noen ganger tar han på seg et håndkle som bleie og suger på tommelen. Det er litt av et syn, sa han og klukket.

– Men hvorfor er *min* pasient her? spurte Jamilet. – Han i femte.

Vaktmesteren spisset leppene et øyeblikk, som om han sugde på et deilig drops. – Jeg hørte legene si at han drepte kona si. Bare gikk berserk og hakket henne i småbiter.

Han løftet begge hendene og mistet nesten moppen over Jamilets vantro reaksjon. – Jeg sverger. De fant ham krøllet sammen som en baby i mors mage etter at han hadde gjort det. Ville ikke gå ut av huset sitt, og snakket ikke på flere måneder. Du vet at han aldri har forlatt rommet sitt her?

Han gransket Jamilet litt engstelig. – Du burde være forsiktig med ham, ung og pen som du er. Han har sansen for lammekjøtt, har jeg hørt. Hvorfor tror du at ingen holder ut med ham?

Med lunsjbrettet profesjonelt balansert på underarmen banket Jamilet forsiktig på døren, og ventet til hun fikk tillatelse til å komme inn. Han satt ved skrivebordet sitt, noe han nesten alltid gjorde, og leste de samme papirene om og om igjen, som om han aldri hadde sett dem før. Han gjorde ikke tegn til at han hadde lagt merke til henne da hun satte fra seg brettet. Hun gikk forsiktig mot døren, i håp om at han hadde glemt utfordringen han hadde gitt henne tidligere.

– Har du noe du vil ha sagt? spurte han og gadd ikke se opp.

Jamilet rettet seg opp, ør i hodet.

– Burde jeg forstå tausheten din dit hen at du ikke har klart oppgaven din?

Jamilet plumpet ut med det første hun tenkte på. – Du heter ikke señor Peregrino.

Han snudde seg i stolen, tydelig interessert. – Virkelig?

Jamilet forsøkte å la være å se på ham mens hun snakket.

– Du heter Antonio Calderon.

Hun skottet så vidt på ham. – Señor Calderon, rettet hun.

Han la armene i kors. – Hva mer?

Jamilet senket blikket mot gulvet, og merket en skjelvende følelse rundt knærne, en fornemmelse som spredte seg veldig fort.

– Se på meg, kommanderte han, og hun løftet blikket fort.

– Hva mer har du funnet ut?

– Du har vært her i tre år, du har ikke vært utenfor rommet ditt, du er rik. Og ...

Tungen kjentes som gelé. – Du drepte konen din og kuttet henne opp i småbiter.

Han smalnet blikket. – Hvem fortalte deg det?

Jamilet nølte med svaret. – Vaktmesteren. Han sier at han vet alt som foregår her.

Han så bort et øyeblikk med et plaget uttrykk i ansiktet.

– Du er ganske ung, kanskje for ung til å forstå ...

Han klødde seg på haken, på jakt etter riktig ord.

– ... enkelte menn.

Jamilet ble stiv i ryggen da hun gikk mot døren. Hun hadde aldri kjent seg personlig truet av señor Peregrino. Han hadde ikke så mye som sett på henne på en upassende måte, men Richard hadde advart henne, og señor Peregrino hadde ikke benektet det vaktmesteren fortalte om ham. Kanskje det stemte, det som han hadde sagt om den gamle mannen i femte etasje og hans lidderlige oppførsel.

Jamilets nervøsitet skjerpet tungen hennes. – Jeg er kanskje ung, men jeg er ikke dum, señor.

Han ble ikke rørt. – Men selvfølgelig er du det, min kjære. Du er dum på samme måte som alle unge og pene jenter er dumme. Til og med mer, fordi du ikke har noen forfengelighet å beskytte deg bak.

– Jeg forstår ikke hva du mener, señor.

Han sukket og vendte tilbake til papirene sine. – Jeg skjønner ikke hvorfor jeg kaster bort tiden min på deg. Nå vel, du har gjort deg fortjent til premien din. Bortsett fra det absolutt nødvendige, skal jeg ikke si et ord til deg resten av måneden.

Sent på ettermiddagen forlot Jamilet kontoret for å hente lunsjbrettet. Señor Peregrino var enklest å ha med å gjøre på denne tiden av dagen, siden han alltid tok en ettermiddagslur. Nå klarte hun ikke å la være å lure på om han virkelig hadde sovet. Kanskje han bare lot som, for å overraske henne.

Hun sto utenfor døren til rommet hans da hun hørte noen komme opp trappen. Et øyeblikk senere dukket vaktmester Richard opp i korridoren med et skremmende smil og sin evinnelige mopp.

– Kommer for å skifte lyspærene, sa han og satte moppen mot veggen. – Kanskje det ikke blir så nifst her oppe med mer lys.

Jamilet ble lettet, og håpet at Richard ble værende til hun var trygt ute igjen med brettet. Han var en liten mann sammenlignet med señor Peregrino, men sammen ville de nok kunne overmanne ham hvis han forsøkte seg på noe.

Richard hadde ikke begynt å skifte lyspærene ennå. – Er du ok? spurte han.

– Jeg har det bra, sa Jamilet.

– Er du glad for å se meg, da?

De søvnige øynene ble med ett større, som om han fikk en veldig skarp pinne i ryggen.

Plutselig gled moppen ned fra veggen og falt foran Jamilets føtter. Da hun bøyde seg ned for å hente den til ham, kastet han seg over henne, presset henne ned mot gulvet med vekten sin, den ene hånden famlet mellom lårene hennes under skjørtet, mens den andre klemte rundt munnen og nesen så hun verken kunne skrike eller puste. Han peste tungt i øret hennes. – Du er virkelig en pen liten tingest. Hvorfor har de gjemt deg her oppe hvor ingen kan se deg?

Gispende etter luft trakk Jamilet inn lukten av rengjørings-midler fra hånden hans. Kneet hans var presset inn i ryggen hennes, og han hadde manøvrert det ned til rumpeballene. Det lå nesten mellom knærne hennes da hun bet ham i hånden av all kraft. Han hylte, og rev den til seg.

Jamilet rullet seg rundt og begynte å slåss. Hun sparket og slo rasende ut med knyttnevene, men hver gang hun traff ham, lo han vilt, som om han deltok i en voldsom lek. Hun ble overveldet av pusten hans, den stinket av sigaretter og råtne tenner som hun tydelig så i den gapende munnen når han lo. Men han var for rask, og da han hadde fått nok av leken, grep han henne i håndleddene og holdt dem på hver side av hodet hennes. Hun vred seg under ham, men den magre mannen klarte med utrolig kraft å presse opp beina hennes, samtidig som han holdt henne rundt hendene med en hånd og åpnet buksesmekken med den andre.

Jamilet jamret ved tanken på hva som holdt på å skje, og hun slapp løs et redselsfullt skrik som virket som om det strømmet ut fra dypt inni innvollene hennes. Alt hun kunne gjøre nå, var å lukke øynene og forsvinne et sted inn i det mørkeste og fjerneste hjørnet i hodet.

Plutselig hørte hun lyden av en dør som smalt opp. En forvirret Richard ble løftet opp fra henne som om han var en marionett, ikke en mann. Armene og beina hans dinglet. Han fløy gjennom luften, og hodet laget en kvalmende, flat lyd da det traff veggen på den andre siden. Da han løftet det, rant blod og sikkel fra leppene hans.

Jamilet flyttet seg ikke fra der hun lå. Hun stirret opp på señor Peregrino, som sto mellom henne og den blødende vaktmesteren med knyttede never. Richard begynte å le igjen. Han snufset inn den røde væsken som nå rant fra nesen hans og flommet over kinnet.

– Er du skadet? spurte señor Peregrino Jamilet uten å ta blikket vekk fra vaktmesteren.

– Jeg ... jeg tror ikke det.

– Reis deg og gå hjem, kommanderte han.

Jamilet kom seg på føttene og løp så fort hun kunne, snublet nedover gangen mens hun ordnet blusen og skjørtet. Richards forferdelige latter fulgte henne nedover trappen, ut av sykehuset og gjennom gatene mens hun løp hjemover. Den runget sånn i ørene hennes at hun ikke hørte trafikkstøyen eller hamringen av føttene mot fortauet, eller ulingen av sin egen pust som fylte og tømte lungene mens hun løp. Hun hørte ikke engang Eddie da hun raste forbi ham, selv om hun så at han satt på verandaen og ventet på Pearly. Det var som om alt kom fra et sted langt borte. Hun klarte ikke å finne på en hilsen som ville være begripelig i den tilstanden hun var i, og et kort

122

øyeblikk dukket den tanken opp at Eddie helt sikkert ville tro at hun var blitt fullstendig gal.

Hun kastet seg inn i huset, andpusten og takknemlig for at Carmen ikke var hjemme. Hun stivnet mens hjernen forsøkte å begripe hvilken dag det var i dag – onsdag – Carmen skulle treffe Louis i bowlinghallen etter jobb. Hun gikk rett inn på badet og tappet vann i badekaret, rev av seg klærne og satte seg nedi før det var fullt. Hun sank ned i vannet til skuldrene og konsentrerte seg om den flytende varmen som strakte seg over alle de stedene Richard hadde krenket. Hun kjente den tykke huden fra merket på rumpeballene, og skalv igjen ved den betryggende tanken på hemmeligheten. Kanskje ville det være bedre hvis folk visste at hun var annerledes. Da ville de forstå den evige plagen som satte henne utenfor og gjorde at hun hadde vært spart for vanlig lidelse. Hun var allerede merket – det burde være nok for hvem som helst.

9

Jamilet var ikke sikker på hvor lenge hun hadde sovet i badekaret, men vannet var kaldt da hun våknet. Det, sammen med mørket i rommet, fortalte henne at det allerede var natt. Hun følte seg mye roligere, og sikker på at hun kanskje til og med kunne glemme det brutale overfallet. Kanskje var det ikke noe mer enn en fæl drøm. Med den tanken gikk hun ut av badekaret og tørket seg med et håndkle. Hun skrudde på lyset. Som vanlig tok hun seg av undertøyet først, slik at hun forsiktig kunne løsne nålen som holdt fast dokumentene og legge dem klar til neste dag, men de var ikke på sin vante plass. Hun lette raskt gjennom resten av klærne en gang, så en gang til, i full panikk denne gangen. Hun kastet ting rundt i rommet på en sånn måte at behåen endte opp i badekaret, men ingen papirer dukket opp.

Pakket inn i håndkleet styrtet hun ut av badet og inn i stuen, livredd ved tanken på at hun kunne ha mistet papirene sine. Det lille kortet med ni tall og fødselsattesten kunne ligge på gaten eller på sykehuset. Hun visste ikke hva som var verst, og kom frem til at begge deler med letthet kunne ødelegge hele livet hennes og alt hun drømte om. Hun falt sammen på sofaen og forsøkte å tenke. Hun hadde løpt fra sykehuset så fort og vært så opprørt at hun ikke kunne huske om hun hadde sett noe på gulvet eller om hun hadde merket at papirene gled ut. Alt hun husket, var señor Peregrino som sto over Richard og kommanderte henne til å forsvinne. For alt hun visste, var Richard nå most mot veggen som en flue og papirene hennes dynket i blodet hans. Jo mer hun tenkte på det, jo sikrere ble hun på at de måtte være et sted i femte etasje. De måtte ha løsnet da Richard klådde på henne, og hun hadde vært for redd til å legge merke til det. Og señor Peregrino gadd ikke å hente sin egen serviett. Hvor sannsynlig var det at han skulle bry seg om papirer på gulvet? Papirene lå der. Det måtte de.

Hun var for engstelig til å spise, og forsøkte å roe seg ned med de vanlige ritualene før sengetid. Hun gikk til vinduet og sto der til hun følte seg like rolig og livløs som møblene i rommet. Veldig langsomt løftet hun hånden og trakk gardinen til side. De satt der som vanlig og kikket på trafikken. For hver bil som passerte, gled Eddies hånd høyere opp på Pearlys lår, men denne kvelden klarte ikke Jamilet se på dem, og gikk inn på rommet sitt. Ør og svimmel forsøkte hun å sove, men når hun lukket øynene, klarte hun ikke se noe annet enn sine dyrebare papirer liggende på gulvet utenfor señor Peregrinos rom, foldet ut som blomster, og hennes ekte identitet avslørt for alle som tilfeldigvis gikk forbi.

Etter en dårlig natt slo Jamilet opp øynene så snart det lysnet av dag. Hun lurte på hvor tidlig hun kunne komme på jobb uten å vekke mistanke. Hun kledde seg raskt, og hoppet over frokosten. Magen var en stor knute, og det eneste som lettet engstelsen litt, var tanken på å komme til sykehuset så fort som mulig.

Hun stemplet inn en halvtime før vanlig arbeidstid, men vekket ingen oppmerksomhet hos sykepleierne eller andre ansatte som pilte rundt midt i morgenstellet. Med hamrende hjerte klatret hun opp trappene til femte etasje, og kom inn i korridoren hvor hun håpet å finne papirene sine. Selv om de lå i en blodpøl eller istykkerrevne i et hjørne, ville hun blitt overlykkelig over å finne dem. Hun gikk langsomt gjennom korridoren to ganger, men innså snart at hun ikke hadde annet valg enn å gå inn i señor Peregrinos rom og forsøke å lete før han våknet og gikk i dusjen. Kanskje han hadde funnet dem og lagt dem på skrivebordet uten å forstå hva de var. Han måtte ha vært utslitt etter konfrontasjonen med Richard.

Hun sto utenfor døren hans og anstrengte seg for å puste rolig. Hun tok av seg skoene og åpnet døren, holdt i dørhåndtaket så det ikke skulle klikke, og smatt inn. Han sov fortsatt, akkurat som hun trodde. Hun listet seg lydløst over gulvet mot skrivebordet hans og kikket ned på papirene. Fingrene hang like over dem mens øynene tilpasset seg det dunkle lyset.

– Hva leter du etter? spurte señor Peregrino rolig, som om han hadde ventet på henne.

Hun snudde seg. Han satt oppreist i sengen. – Jeg tenkte bare at jeg skulle begynne tidlig i dag, señor.

Det virket som om han moret seg, men han sukket forpint. – Du er ikke en særlig god løgner, er du vel, Jamilet?

Hun gispet da hun hørte det ekte navnet sitt.

– Jeg må si at «Jamilet» er en forbedring. Selv om det falske navnet kler deg bedre.

Han studerte henne noen sekunder, de svarte øynene skinte som marmor. Han virket plaget, men ikke så plaget som Jamilet.

– Jeg trenger de papirene, sa hun. – De er en gave fra tanten min, og jeg kan ikke jobbe uten dem, señor. Jeg mener, kan jeg få dem tilbake, vær så snill?

Da han hørte dette, gjespet señor Peregrino og strakte på de lange armene. – Desperasjon kan gjøre folk høflige hvis de ikke passer seg, sa han.

– Jeg har alltid vært høflig mot deg.

Señor Peregrino nikket, og det rykket i øyebrynene hans, som om han var enig. – Er det høflighet du skylder meg? Eller kanskje noe mer …?

– Jeg forstår ikke hva du mener. Jeg forstår aldri hva du mener når du snakker slik. Beina skalv under henne. – Jeg vil ikke vanære meg selv for papirene mine, hvis det er det du mener.

Señor Peregrinos hånd, som hadde ligget rolig i fanget hans, strammet seg og slappet så av. – Jeg har ikke nok aktelse for deg til å bli fornærmet av en slik bemerkning. Hvis det er noe jeg har lært, er det at bortsett fra at de kan være litt underholdende, har jeg liten nytte av tåper, sa han alvorlig.

– Jeg tar uansett ikke pludringen deres alvorlig.

– Hva er det så jeg skylder deg, señor?

Han gransket henne som en skuffet lærer, og plutselig forsto hun nøyaktig hva han mente. – Jeg takket deg ikke for at du hjalp meg i går, stemmer det?

– Hjalp deg? Jeg tror det er riktigere å si at jeg reddet ditt stakkars skinn fra å bli enda mer stakkarslig.

Jamilet nikket. Hun følte seg ikke bare dum, men skyld-betynget. – Tilgi meg for at jeg ikke har takket deg før.

– Utmerket. Jeg aksepterer unnskyldningen din.

Han føyste henne mot døren med begge hender. – Nå kan du gå. Det er altfor tidlig på dagen for sånt drama som dette.

Man Jamilet flyttet seg ikke. – Og papirene mine?

Señor Peregrino ble plutselig veldig opptatt av teppene sine, og begynte å glatte dem ut ett etter ett. – Mener du de illegale papirene du brukte for å få jobb her?

– Ja, det gjør jeg, sa Jamilet stille.

Señor Peregrino var nesten jovial. – Vel, jeg har dem. Og jeg skal gi dem tilbake til deg hvis du er villig til å vurdere et bestemt forslag. Et hederlig forslag, selvfølgelig.

Han stanset for å tenke over hvordan han skulle ordlegge seg. – Jeg forstår at du har fått beskjed om å unngå all unødvendig småprat med meg, men jeg ber deg om å lytte når jeg fra tid til annen forteller deg min historie fra begynnelse til slutt. Når jeg er ferdig, skal jeg gi deg de illegale papirene og aldri nevne deres eksistens igjen.

Jamilet stirret vantro på ham. – Vil du at jeg skal høre på historien din?

– Ja, den vil fullt ut forklare hvorfor jeg er her, sa han.

Han lente seg tilbake på putene og lukket øynene.

– Hvor lang tid vil den ta, denne historien din?

Han svarte, fortsatt med lukkede øyne. – Den tar så lang tid som den tar.

Og uten å si noe mer gjespet han, rullet seg over på siden og falt i søvn.

10

Etter å ha satt til livs en solid lunsj og erklært at den grillede kyllingen var spesielt deilig, tok señor Peregrino sin vanlige lur. Hver ettermiddag på denne tiden tok Jamilet raskt ut lunsjbrettet fra rommet uten å forstyrre ham, men i dag sto hun lenge og så på at brystkassen hevet og senket seg mens han sov. Han virket så fredfull, så fullstendig uvitende om at hun sto der.

Veldig stille nærmet hun seg sengen hans og strakte ut hånden til den hang rett over ham. Den dirret litt da hun bøyde seg over ham. Noen tommer til, og fingrene hennes rørte så vidt ved kanten av skjortelommen hans. Han mumlet noe i søvne, og hun stivnet, men hun ble stående, nesten uten å puste og med lukkede øyne, så ikke varmen i blikket hennes skulle vekke ham. Sakte åpnet hun et øye og så at hans fortsatt var lukkede. Utrolig sakte stakk hun fingrene inn i lommen hans. Plutselig slo han øynene opp, og hun skvatt flere meter bakover.

Da señor Peregrino forsto hva Jamilet holdt på med, rynket han pannen kraftig.

– Du sa du ikke ville vanære deg selv for papirene dine, og jeg tror at du akkurat har gjort nettopp det.

Rødmende og sjokkert ble Jamilet nesten kvalt av svaret sitt. – Jeg trodde du sov, señor.

– Min bevissthetstilstand unnskylder ikke din oppførsel.

– Jeg forsøkte bare å ta tilbake det som er mitt. Det er ikke noen vanære i det, sa Jamilet.

Nå var hun opprørt over å ha forsøkt noe så dumt.

Señor Peregrino støttet seg på en albue med stor anstrengelse.

– Hva synes du er passende for meg å gjøre, omstendighetene tatt i betraktning?

– Gi meg tilbake papirene mine, selvfølgelig.

Han lot haken synke ned på brystkassen et øyeblikk, til bare den snøhvite issen var synlig. Han hevet hodet langsomt, og det var bitterhet i smilet hans.

– Og ikke rapportere den illegale ansettelsen din til myndighetene? Du bryter tross alt føderale lover. Sykehuset kan få en klekkelig bot, kanskje bli stengt hvis du blir oppdaget. Hva vil skje med pasientene hvis sykehuset blir tvunget til å stenge dørene?

Jamilet klarte ikke å si noe. I stedet snudde hun seg for å ta brettet hans, men kom på bedre tanker.

– Du sa at du ville gi meg papirene hvis jeg lyttet til historien din, señor.

Han mumlet noe for seg selv. Det virket som om han holdt på å sovne igjen. Jamilet ble overrasket over å høre ham snakke med en annen stemme, en som manglet hans sedvanlige bitterhet.

– Hvor skal jeg begynne? spurte han. – Det er alltid like vanskelig, det spørsmålet.

Jamilet forsøkte å finne et svar som kunne sette det hele i gang. Jo fortere han begynte, jo fortere ville han bli ferdig, og jo fortere ville hun få igjen papirene sine. Hun dumpet ned i nærmeste stol og lente seg frem. – Kanskje du kan begynne der hvor historien blir interessant, foreslo hun.

Señor Peregrino nikket klokt, som om han gjenkjente en stor og ubestridelig sannhet.

– Ja, det er det beste stedet å begynne. Det er også det beste stedet å få slutt på denne fæle greia.

Han trakk pusten dypt.

Jamilet nikket ivrig for å vise hvor samarbeidsvillig hun var, men innså raskt at han ikke var oppmerksom på henne i det hele tatt. Han lette utenfor øyeblikket etter noe annet, og det virket som om det krevde all hans konsentrasjon og all hans vilje å finne det. Sliten, og uten raseriet å skjule seg bak, virket han like forvirret som en gammel stork som har mistet retningssansen på en lang reise. Jamilet var taus, og snart hadde stemmen hans funnet styrke og fylte rommet.

Det finnes ånder som synger, Jamilet. De synger fra den andre siden av rommet, himmelhvelvingen skjuler dem når de fyller vårt univers og skaper et så vakkert ekko at bare noen få kan høre det. Jeg var ti år gammel da jeg hørte både dem og hviskingen fra helgener og engler overalt rundt meg. Jeg så også ånder som tittet frem fra bak trær mens de kikket på oss som levde våre liv. Da jeg fortalte dette til mine foreldre og de andre i landsbyen, brydde de seg ikke noe om det, og trodde at jeg var en svært fantasirik gutt. Men etter hvert som tiden gikk, ble de nervøse av å høre historiene mine om ånder, og mysteriene om liv og død som jeg fortalte dem om. De muntre smilene jeg fikk til å begynne med, ble til nedlatende glis, fulgt av steinansikter og av og til skuling.

Min far var en tålmodig mann, og det tok lang tid før han ble sint, men en dag, uten å vite hva han skulle gjøre etter at jeg hadde fortalt ham en av historiene mine, slo han meg med en kjepp mens min mor så på. Jeg visste det var frykt og ikke sinne som fikk dem til å gjøre dette, for den gangen var frykt en skygge man aldri kunne unnslippe. Stort sett ble den møtt med en større frykt, ikke forståelse, og i dette tilfellet med kjeppen.

Alt jeg visste om verden, var hva livet i en landsby i Spania kunne lære en ung gutt. Men når jeg fikk mine visjoner, følte jeg det som om jeg ble båret på en stor elv, mer fantastisk og mektig enn noe annet jeg hadde opplevd. Noen ganger om ettermiddagen, når jeg var ferdig med å passe saueflokken, så jeg solen synke ned bak toppen av fjellet; som flytende gull strømmet den nedover oss og fylte dalen. Jeg ble fylt av trang til å synge, og kastet meg ut i religiøse sanger, siden det var alt jeg kjente til. Det var mange som hørte meg, og på grunn av sangen min, min spesielle følsomhet, ble mitt kall for et hellig liv bestemt. Med andre ord ble det avgjort av alle som kjente meg, og spesielt mine foreldre, at jeg skulle bli prest.

I motsetning til hva man kunne forvente seg av en ung gutt, ble jeg ikke skremt av utsikten til et slikt liv. Familien min var ikke velstående, og prestene i min landsby ble høyt ansett og nøt samme respekt som de rikeste menn. De bodde i bedre hus enn folk flest, med polerte tregulv, nær den stille kirkegården. Under messen bar de dekorative drakter over sine skreddersydde klær, og skoene deres viste sjelden spor av søle eller slitasje.

Min gode venn Tomas var også utvalgt til et hellig liv, men av andre årsaker enn meg. Han var født inn i den rikeste familien i distriktet, men hadde svak helse. Det ene beinet var litt kortere enn det andre. Han haltet ikke akkurat, men svaiet litt, som om han ikke kunne bestemme seg for om han skulle gå til høyre eller venstre. Det ble forventet at alle familier av posisjon skulle gi en sønn eller datter til kirken, og det virket logisk for Tomas' familie at han ble den utvalgte.

Etter at avgjørelsen var tatt, ble alt bra igjen, og jeg følte meg ganske heldig. Min eldre bror klaget ofte over at mens min fremtid var sikret, måtte han alltid bevise sin verdi med hardt arbeid og det antall sunne avkom han kunne produsere for å hjelpe ham med arbeidet, bekymringer jeg aldri ville få.

Mine bekymringer kom til å være et liv med strenge studier, for det var mye å lære når jeg skulle forberede meg til seminaret. Jeg slapp unna det utmattende, fysiske arbeidet til en fattig sauegjeter. Tomas og jeg var ganske fornøyde med bøkene våre. Det lille vi hadde av fritid, brukte vi til å drømme om den strålende fremtiden som ventet oss. Mens andre gutter på vår alder ville bli soldater, ba Tomas og jeg ved foten av fjellene og snakket om en dag å reise til Roma og utforske marmorprakten i Vatikanet. Vi ble allerede sett på med en viss ærbødighet av landsbyboerne, til og med av våre egne familier. Jeg var det første barnet som ble servert ved måltidene, til og med før min eldre bror. Og de samme landsbyboerne som hadde skult mot meg før, ba meg nå om råd om viktige ting, som deres barns ekteskap, eller avgjørelser som gjaldt salg av land eller bygging av et nytt hus.

Alt gikk utmerket på denne måten til jeg var seksten og visjonene plutselig opphørte. Den økende styrken i kroppen min så ut til å ta over styrken i sjelen. Et merkelig og syndig ubehag begynte å plage meg, som en varm strøm gjennom blodårene mine. Jeg ble først klar over det en spesielt varm sommernatt da jeg deltok på en dans på landsbytorget, akkurat som jeg hadde gjort hvert år siden jeg ble født. Hvorfor noe så besynderlig skulle skje meg på et så ubesynderlig sted, gjorde det hele mer forbløffende, men følelsen var ikke til å benekte. Jeg kan bare beskrive det på denne måten: Mens jeg sto der og så på danserne på torget, barn, foreldre, menn og kvinner i alle aldre, ble blikket mitt trukket mot en ung kvinne jeg hadde kjent hele mitt liv. Hun het Matilda, og da vi var yngre, satt hun ved siden av meg i klasserommet. Når hun lo, lyste fregnene opp som små lanterner over hele ansiktet hennes, og jeg husket at jeg syntes det var så morsomt at jeg pleide å finne på dumme ting bare for å få henne til å le, så jeg kunne se fregnene skinne på ansiktet og over nesen hennes. Men denne kvelden var jeg ikke det minste interessert i fregnene hennes. I stedet var jeg trollbundet av den myke rytmen i hoftene når hun danset. Tvers gjennom de mange lagene av skjørt hun hadde på seg, ble jeg klar over de kvinnelige formene. Mens jeg så på henne, vokste den varme strømmen, og ble varmere og varmere til den ble en kraftig virvel av nytelse og skam som ble drevet uten at jeg ville det. Jeg klarte ikke å snu meg vekk. Blikket mitt var som klistret til kroppen hennes. Tanker begynte å dukke opp i hodet mitt, stygge tanker jeg aldri hadde hatt før, om hva som egentlig befant seg under klærne, og det vakre jeg kunne finne der.

Det var Tomas som brøt gjennom mine plagede fantasier.

– Du ser ut som om du har sett et spøkelse, min venn, sa han og lo.

– Kanskje det er like greit at jeg tar en titt på min egen død.

Tomas fulgte blikket mitt. Selv mens han snakket til meg, fortsatte jeg å se på henne.

– Hun er blitt vakker, sa han. – Jeg hadde ikke trodd det var mulig. Hun var stygg som barn.

– Hun er ikke noe barn lenger, sa jeg og følte litt lettelse over å kunne si min mening.

Tomas holdt seg i nærheten til dansen var over og Matilda forsvant inn i folkemengden for å slutte seg til familien sin. Heten som hadde overfalt meg tidligere, begynte å forsvinne, til jeg bare følte en skyldbetynget utmattelse. Et velkjent tungsinn falt over oss begge, og vi trengte ikke si et ord for å forstå hva den andre følte. Da vi var barn, virket ikke et liv uten kvinner som et offer, men som en velsignelse ment å spare oss for problemene med å takle noe som var så kaotisk. Men da manndommen begynte å modne i oss, vokste det til et offer av helt andre proporsjoner. Nå forsto jeg bønnene presten ba for oss som barn, når våre foreldre hadde lagt frem sine avgjørelser angående våre liv. Bønner hvor de tryglet Gud om å spare oss for ubehaget i vår verdslige lidenskap, slik at alt i oss kunne bli viet til et åndelig liv. På denne måten ville ikke byrden av avholdenheten bli et så tungt kors å bære, men bli mer som en åndelig flis, som kanskje kunne stikke litt fra tid til annen for å minne oss om vår svakhet, slik at vi beholdt vår omsorg for den vanlige mann.

Men etter hvert som jeg ble eldre, virket det som om jeg bar hele vekten av mannens vellystige natur på mine egne skuldre, helt alene. Det faktum at kvinner var forbudt for meg, gjorde dem enda mer fristende. Det hjalp heller ikke det minste at jeg virket tiltrekkende på dem. Min holdning ble lagt merke til, det samme ble min elegante profil. Mange anså meg for å være sønn av en adelsmann, ikke av en enkel gjeter. Med min fremtid i kirken godt etablert, var jeg også en yndet dansepartner, trygg, men kjekk og flink likevel. Jeg tør nok si at de unge damene trykket seg tettere mot meg i dansen på grunn av min ufarlige status.

Jeg lurte alle samvittighetsløst, bare Tomas kjente sannheten. Han bønnfalt meg om å holde på min overbevisning, for det virket ikke som om jeg klarte å tenke på noe annet enn det som ble nektet meg. Og når jeg led som verst, syntes jeg at alle var vakre. Selv de alminnelige og skjeløyde jentene ville jeg tatt imot som en gave fra himmelen.

Tomas syntes synd på meg, akkurat som en lojal venn ville gjøre, men jeg kunne se at han ikke var så plaget som jeg var. Han så frem til sine prestelige plikter uten tanke på det han ofret. Jeg misunte ham sinnsroen, alvoret han tok imot nattverdsbrødet med, når hostien i min munn kjentes som om den sved på tungen.

Det finnes ikke noe verre enn å leve med en løgn. Magen min slo seg vrang da vi var atten, like før vi skulle begynne på seminaret. Det er ingenting som gjør mødre mer bekymret enn en sønns plutselige, manglende appetitt, og min mor var intet unntak. Hun insisterte på at jeg måtte gå til en lege. Etter en grundig undersøkelse kom de frem til at jeg av en eller annen mystisk årsak ikke fikk nok oksygen i lungene, og at dette hadde ført til ubalanse i hele systemet. Den snille legen anbefalte at jeg tok daglige spaserturer, og beordret meg til å drikke et glass sterkt brennevin til måltidene. Likevel fortsatte vekten å rase ned, til jeg så ut omtrent som jeg gjør nå – et skjelett på en meter og nitti, med øyne så store som tinntallerkener.

Jeg mistet til og med besettelsen min i denne tilstanden, og fantaserte ikke lenger om å holde en ung kvinne i armene. Jeg hadde bare krefter til å holde meg i live, studere, spise det lille jeg klarte å holde på, og finne veien til sengen min på slutten av dagen. Mang en natt falt jeg i søvn og håpet at jeg slapp å våkne opp.

Før alt dette skjedde, hadde jeg sjelden snakket med min far, og bare når han snakket til meg først. De få spørsmålene han rettet mot meg, hadde ikke til hensikt å forhøre, men å styrke min ansvarsfølelse og retning i livet. Heldigvis lyttet han til svarene mine.

– Fant du søyen vi mistet i forrige uke, Antonio?

– Ja, far. Jeg fant henne i gjelet hvor hun alltid liker å gjemme seg.

– Hvor mange bøker leste du i forrige uke, Antonio?

– Tre, far, inkludert den jeg fikk av enken Robledo.

– Vil du bli prest, Antonio?

– Jeg vet ikke, far. Jeg tviler på at jeg kommer til å leve lenge nok til å finne det ut.

Pilegrimsferden til Santiago de Compostella er en eldgammel reise både for mennesker med og uten tro. Den snirkler seg frem gjennom Nord–Spania, melkeveiens spor av stjerner følger veien, og den ender i den høyaktede San Juan-katedralen, stedet hvor helgenen er begravd. Denne veien sies å klarne tankene og rense sjelen. Slik har det vært i nesten tusen år, helt siden helgenens lik på mystisk vis dukket opp på Galicias kyst.

Prestene og de eldre i landsbyen bestemte at jeg skulle ta denne pilegrimsferden så snart den verste vinteren var over. Tomas skulle følge meg, og han skulle være årvåken og ta seg av meg i min sårbare tilstand. Man håpet at alt ville ha ordnet seg når jeg vendte tilbake.

Jeg følte det som om jeg hadde fått et nytt liv. Appetitten min vendte tilbake sterkere enn før, og jeg ble frisk igjen. Nå som jeg hadde sjansen til et annet liv, gikk besettelsen over til en balansert interesse som ikke lenger gnagde nådeløst på følelsene mine. Jeg følte meg som meg selv igjen, og ventet på våren som jeg aldri før hadde gjort.

En strålende morgen i begynnelsen av mai gikk Tomas og jeg ut av vår landsby i retning Puente La Reina, 600 kilometer fra målet i Santiago. Vi skulle gå hele veien. Vi hadde nok ost, brød og vin for to dager. Vi visste at vi ville få mat og drikke på herbergene underveis, men jeg kan si deg at håpet jeg hadde i mitt hjerte, var sterkt nok til å vare i tusen år.

11

Måltidet ble forberedt med omhu. Kyllingen godgjorde seg til kjøttet falt av beina. Bare hjemmelagde tortillaer var bra nok, og sausen ble enda fyldigere av dobbel dose tomater og chili. Jamilet gjemte to av de ferdiglagede enchiladaene i kjøleskapet, bak melken og eggene. Carmen hatet å la mat ligge igjen, og kyllingenchiladaer var yndlingsmaten hennes.

Señor Peregrino hadde nektet å fortsette historien i nesten en uke, han påsto at han ikke var i humør, og at når han var det, ville han si fra. Hun forsøkte å skjule utålmodigheten, og visste at det lureste var å virke uinteressert. Kanskje ville han da ikke ha så mye glede av å ikke fortsette. Siden kyllingenchiladaene hennes kunne gjøre Carmen i godt humør på slutten av en dårlig dag, tvilte ikke Jamilet på at de ville gjøre det samme for señor Peregrino.

Neste morgen satte hun brettet på fanget hans som alltid, og renset stemmen før hun erklærte at hun hadde laget noe godt til frokost. – Det må bli kjedelig for deg å spise det samme hver eneste dag. Og jeg er en god kokk, sa hun.

Han fjernet lokket på tallerkenen, og stirret på enchiladaene i flere sekunder. Et øyeblikk glimtet et takknemlig uttrykk i ansiktet hans, før han falt tilbake til skuling.

– Hvordan vet jeg at dette ikke er forgiftet?

Han sendte Jamilet et så olmt blikk at det nesten var komisk.

Hun rødmet over en så uventet anklage. – Jeg ville aldri forgifte deg, señor.

– Å, det tror jeg nok du ville gjøre, sa han og skjøv bort tallerkenen med fingertuppene.

Deretter la han armene i kors og stirret olmt på den nye maten, som om han forventet at den skulle snakke og avsløre kokken.

Jamilet sto passivt ved siden av ham, til hun ikke klarte å holde seg lenger. – Señor, hvis jeg forgiftet deg, ville jeg aldri få tilbake papirene mine, og jeg aner ikke hvor du har gjemt dem.

– Du må være ganske sikker på at de er et sted i dette rommet. Så snart jeg har bukket under for giften, kan du lete hvor som helst.

Nå var det Jamilets tur til å legge armene i kors og riste på hodet. – Du trenger ikke spise det. Jeg kan ta det med hjem til tanten min. Hun elsker mine kyllingenchiladaer.

Det virket ikke som om señor Peregrino hadde hørt et ord. Plutselig løftet han gaffelen sin og rakte den til henne.

– De ser virkelig deilige ut. Hvorfor tar ikke du en smakebit? sa han og tvang frem et vennlig smil.

– Nei takk, jeg har spist en stor frokost.

Øyebrynene hans rykket til. – Så beleilig.

Jamilet sukket, og tok en altfor stor bit på gaffelen. Det var vanskelig å holde alt i munnen mens hun tygget. Det rant litt salsa fra munnvikene hennes.

– Herregud, eier du ikke manerer?

Señor Peregrino grep servietten og viftet den mot henne mens han snudde ansiktet bort.

– Jeg forsøker bare …

– Det holder! Jeg kommer til å miste appetitten for godt hvis jeg må se på den slafsingen du insisterer på å vise frem.

Jamilet svelget hardt og tørket seg om munnen med servietten.

– Jeg beklager, señor. Jeg ville bare bevise for deg at den ikke er forgiftet.

Hun hadde mest lyst til å trampe med foten med en gang hun hadde sagt det. Hvorfor skulle hun be ham om unnskyldning? Enda en gang følte hun seg som den tåpen han beskyldte henne for å være.

Señor Peregrino tok en mer sivilisert bit av kyllingenchiladaen på gaffelen. Han tygget langsomt, og øynene myknet som de hadde gjort den dagen han begynte å fortelle historien sin. – Du er virkelig en god kokk ...

Han stanset og samlet nok usagte følelser i et tungt sukk før han tok en ny bit. – Forsøker du å bestikke meg for å få papirene dine, eller hva?

– Kanskje jeg bare hadde lyst til å gjøre noe hyggelig for deg, señor, fordi jeg liker historien din.

– Aha, men hvis jeg ga deg tilbake papirene i dag, tror jeg du ville lett etter en ny jobb i morgen. Historien min har ikke fengslet deg så mye at den sannheten har forandret seg. Og bare de beste historiene kan forandre sannheten.

Han spiste den siste biten av enchiladaen og lot resten av frokosten være urørt. Deretter helte han i en kopp kaffe og fortsatte.

Den første delen av reisen fra vårt lille hjørne av Spania til Puente La Reina tok oss flere dager, selv om det kjentes som om vi fløy i stedet for å gå. Vi kunne knapt tro at vi hadde gitt oss i kast med et slikt eventyr, og så jeg som i hele mitt liv aldri hadde reist mer enn femten kilometer fra mitt fødested. Noen ganger, uten noen som helst grunn, brast jeg i latter og skremte stakkars Tomas. For ikke å eksplodere forsøkte jeg på denne måten å kvitte meg med den engstelige gleden jeg følte samle seg i brystkassen min. Selv om Tomas forsøkte å opprettholde en stoisk ro, ble han smittet av energien min og lo med, sånn at vi i stedet for å fremstå som alvorlige pilegrimer, må ha sett mer ut som to glade gærninger som ruslet langs veien.

På denne måten gikk vi forbi utallige landsbyer. De lignet sjarmerende klaser av sopp som hadde sprunget opp mellom fjellene. Disse fjellene ble mer og mer imponerende for hver dag, og den smale stien vår førte oss gjennom en rekke tette skoger hvor vinden ulte gjennom de svarte, dype skyggene og gjorde oss iskalde til margen. Til slutt begynte trettheten å overmanne det gode humøret vårt, siden vi bare fikk noen timers søvn hver natt, i låver nær veien når vi kunne, og under stjernene når vi ikke kunne.

Det var nesten mørkt da vi så lysene fra Puente la Reina foran oss. Tomas hadde ønsket å stanse for å hvile tidligere den ettermiddagen, men jeg overtalte ham til å fortsette til vi kom frem til målet vårt. Og han var glad for at jeg hadde gjort det, for etter at vi krysset broen over elven Arga, befant vi oss i en imponerende by med flotte steinbygninger i flere etasjer, og mange fontener. Hovedtorget myldret av pilegrimer fra hele Spania og Europa. Det fantes til og med noen fra så langt unna som Hellas. Det var oppmuntrende å høre så mange språk blandet sammen som en herlig stuing, og aromaen frydet våre sanser hele tiden.

Jeg følte meg virkelig fri for første gang i mitt liv, og lengtet etter å synge av hele mitt hjerte midt på torget, som en skuespiller i et musikkspill. Men jeg unnlot å blamere meg selv, og ventet til vi lå trygt og godt i vårt herberge ved siden av et lite kapell. Tidligere på dagen hadde vi fulgt etter lyden av kirkeklokkene da vi fikk vite at de ringte for å annonsere sitt nærvær for pilegrimer i nød. Som så mange overnattingssteder vi fant langs veien, var dette et enkelt og rent hus nær pilegrimenes hovedrute, som tilbød enkel overnatting mot en liten donasjon eller bønn. Få ting ble ansett som mer hellig enn en pilegrims bønn, så Tomas og jeg, sammen med omtrent tjue andre, fikk et måltid brød og ost. Etterpå fikk vi lov til å legge teppene våre på tregulvene i kapellet for natten. Alle ga etter for utmattelsen fra dagen, og jeg begynte å synge mykt for meg selv, noe som var min vane. Jeg antar jeg må ha sunget høyere enn jeg trodde, for da jeg stanset, stirret nesten alle i rommet på meg med store øyne som reflekterte månelyset som skinte gjennom et lite blyglassvindu over hodene våre.

En stor mann med et forvokst skjegg og en tjukk baskerdialekt snakket. – Hvorfor stanser du? Når jeg hører deg synge på den måten, husker jeg hvorfor jeg utsetter meg for torturen på denne reisen. Vær så snill, ikke stans.

Det var flere som mumlet sitt bifall, og jeg var takknemlig for at halvmørket skjulte hvor flau jeg var, selv om jeg likte å bli beundret av fremmede fra så mange forskjellige land og tradisjoner. Jeg tror at en gammel mann som meg har gjort meg fortjent til å glede meg over mine fordums prestasjoner, uten å bli beskyldt for å hengi meg til overdreven forfengelighet. La meg bare si at jeg sang ganske vakkert den kvelden, og fortsatte å synge til alle sjeler som kunne høre meg falt i dyp og rolig søvn.

Fra den dagen av ble jeg betraktet som den syngende pilegrimen, med en stemme som kunne lette den harde reisen. Tomas og jeg manglet aldri selskap, på grunn av dette. Det var ære nok, siden vi allerede hadde bestemt oss for å skjule det faktum at vi var seminarister. Hensikten med reisen min var å oppdage det livet jeg virkelig var ment å leve, og jeg ville ikke at noen skulle dømme meg etter noe som kanskje ikke ville skje.

Vi var en fargerik og bråkete gruppe. Vår tropp av reisekamerater inkluderte blant andre tre kjøpmannsbrødre fra Nord–Frankrike, to middelaldrende, italienske nonner og tre dømte tyver fra Baskerland, som ville få omgjort straffen sin hvis de kunne bevise for domstolen at de hadde gjennomført pilegrimsreisen. Dagen for oss begynte før soloppgang; etter en kattevask i brønnen gikk vi av gårde uten annet enn et stykke ost og brød til frokost. Når været var fint og veien ikke for bratt, klarte vi å gå mer enn femten kilometer før middag. Da belønnet vi oss selv med en velfortjent hvil og et større måltid. Dette var yndlingstidspunktet for de fleste pilegrimene, men jeg likte best morgenene. Den spanske soloppgangen bar i sitt lys den eldgamle kulturen til det landet den steg opp fra, og det var som om tiden begynte mens vi så på. Denne rare lille gruppen av pilegrimer, fortsatt med søvn i øynene, var vitne til det første miraklet som velsignet verden med liv og kjærlighet. Disse øyeblikkene fikk meg til å føle fornyet tro og overbevisning om at jeg skulle tjene kirken. Gud viste seg for meg i det sitrende, gylne morgengryet. Jeg hørte Hans stemme i den tidlige morgenstillheten, og så Hans kjærlighet i disen som omfavnet jorden og trærne.

Da vi hadde vært en uke på veien, våknet Tomas midt på natten. Han lente seg på armen min. – Følt noe inspirasjon så langt? hvisket han stille.

– Jeg har svevd på skyer siden vi begynte, svarte jeg og håpet at han ville la det bli med det.

– Jeg antar at siden du ikke har svevd sammen med en ung kvinne, er du tilbake på riktig sti.

Tomas hadde utvilsomt sett blikket mitt vandre mot de vakre kvinnene vi så i landsbyene vi passerte, samt oppmerksomheten jeg fikk. Noen kvelder tidligere hadde vertshusholderens datter gjort et nummer av å sette maten og vinen nærmest meg. Hun smilte så søtt at noen i gruppen spurte om jeg kjente henne. Men jeg klarte å avvise oppmerksomheten hennes høflig, uten å føle de velkjente stikkene i siden.

Jeg nølte likevel med å svare Tomas for fort. Vi hadde uker, kanskje måneder av pilegrimsreisen foran oss hvis været ble ille. Selv om han viste den vennligste tålmodighet mot andre, kunne han være ganske utålmodig med sin beste venn.

Jeg snudde meg bort så han ikke skulle se det svake smilet mitt da jeg svarte. – Uansett hva min vei viser seg å være, rømmer jeg ikke fra den, men går sakte så jeg ikke går glipp av noe underveis.

– Men du må da ha en viss peiling på hvor du skal, Antonio. Jeg tror det er lurt hvis du forteller meg det, så jeg kan råde deg.

Da jeg hørte dette, gikk smilet mitt over i latter. – Du kan råde meg best med dine gode gjerninger. Vennligheten og omtenksomheten du viste Renato, er den beste inspirasjon jeg eller noen andre kan håpe på.

Jeg snakket om den unge mannen Tomas hadde blitt venner med noen dager tidligere. Renato hadde en gusten hudfarge, og øyne i samme farge som svak te. Han gikk ikke, men flakset og buktet og dro seg selv over det spanske landskapet som et ødelagt insekt. Vi fikk vite at han snakket lite, og hadde kommet fra den franske grensen til Pamplona uten å si et ord. Alle trodde at han ikke hadde lenge igjen i denne verden, men jeg hadde mistanke om at Tomas, velsignet som han var med en helgens tålmodighet, ville lokke ham ut av skallet. Det stemte da også. En flott ettermiddag mens vi satt i skyggen av et digert oliventre, så vi det første hintet av et smil på Renatos bleke ansikt, fulgt av en forsiktig, men klar og tydelig bønn om vann. Alle var enige om at det var Tomas' vennlige oppmerksomhet som var årsaken. Jeg visste at minnet om dette ville holde Tomas rolig resten av natten. Jeg fikk rett.

Jeg våknet neste morgen, ivrig etter å fortsette reisen vår. Denne dagen skulle vi komme frem til byen Logrono hvor kirken Santiago el Real befant seg, en av de vakreste

144

helligdommene på veien, og en favoritt hos mange pilegrimer. Jeg visste at hvis vi begynte å gå før soloppgang og gikk fort nok, ville vi rekke frem ved middagstider. Heldigvis følte de andre det på samme måte. Etter en rask frokost tok vi våre knipper og var ute på veien samtidig som den første antydningen av morgengry rørte ved himmelen.

Da vi forlot Navarra og kom ned i Riojaregionen, forandret landskapet seg betraktelig. Det grønne, fjellendte terrenget vi hadde gått gjennom, gled over i de frodige, bølgende åsene som passet bedre for jordbruk. Dette var et velkomment pust i bakken. Den mørke, fete jorden under føttene våre ble rød og sandete mens vi gikk. På hver side av stien kunne vi se store områder med gyllen hvete som virket som de fortsatte i det uendelige, så langt øyet kunne se. Da vi nærmet oss Ergaelven, kunne vi glede oss over det rene og søte vannet som rant der. I andre elver underveis var vannet bittert, og det gikk rykter om at vannet var giftig både for folk og hester. Vi fylte feltflaskene våre og drakk oss utørste fra elven uten bekymringer, til vi var ganske mette. Over jordene kunne vi se de vakre spirene til utallige kirker og klostre. Så mange var det at vi snart mistet tellingen. Jeg ville gjerne ha sett dem alle og sagt en bønn til Santiago mens jeg knelte ved hvert eneste alter. Vi stanset ikke fordi vi ble inspirert av kirkenes og klostrenes praktfulle fasader eller de sjarmerende landsbyene vi gikk inn i, men når vi ble tvunget til det av verkende føtter, selv om de fortsatt kjentes friske ut og nødet oss til å fortsette.

Da vi flere timer senere kom frem til Logrono, var vi utmattede, men henrykte over å være der bare en time eller så etter planen. Noen medlemmer av gruppen vår gikk for å forhøre seg om losji, for det virket som om det fæle været kunne komme til å hindre oss i å reise videre den dagen. Tomas og jeg gikk direkte til Santiago el Real. Da vi kom inn, ble vi øyeblikkelig omfavnet av stillheten fra bønner, og den søte lukten av røkelse. Vi gikk ned midtgangen til vi sto foran alteret, fylt av ærefrykt. Alteret så ut som et enormt og forseggjort nettverk av tynne grener, som vred og slynget seg over hverandre, strakte seg oppover og oppover til det endte i en enkel, skinnende stjerne, som lyste over hele kirken og alle som ba der. Vi følte det som om vi sto foran inngangen til selve himmelen, som om vi var erkeengler som gjorde seg klare til å slutte seg til Guds hær, heller enn enkle pilegrimer dekket av veistøv. Etter å ha bedt korset vi oss med hellig vann før vi gikk ut på et solfylt torg som flommet over av pilegrimer. De fleste hadde vi aldri sett før. De måtte ha kommet like etter oss, ivrige etter å finne ly før stormen brøt løs. Tykke, hvite skyer blåste allerede over himmelen og etterlot oss i skygge det ene øyeblikket og strålende solskinn det neste.

– Syng for oss, ba Federico, min baskiske reisekamerat. Vinflasken hans var ganske tom. – Syng så vi kan forstå Guds herlighet mens vi hviler i Hans skygge.

Jeg snudde meg, og lot blikket vandre oppover mot skulpturene og de intrikate utskjæringene som strakte seg mot himmelen. At menneskesinn kunne tenke ut slik skjønnhet og menneskehender skape noe sånt, var ufattelig for en enkel gjetergutt som meg, men der sto jeg og gjorde meg klar til å synge til Guds ære mens jeg kjente ydmykhet over kunsten som var inspirert av den. Halsen min snørte seg plutselig sammen ved tanken, og jeg lengtet etter å flykte inn i den rolige helligdommen jeg akkurat hadde besøkt. Men hvordan kunne jeg skuffe mine reisekamerater og Gud, som så på høyt over denne storslagenheten av stein og glass?

Tomas ga meg en oppmuntrende dytt og begynte å synge stille, så bare jeg kunne oppfatte det. Det var en enkel salme han hadde hørt meg synge mange ganger før.

Stemmen min blandet seg med hans til jeg ble ført bort fra min stakkarslige selvbevissthet, og jeg sang av hele mitt hjerte. Jeg følte en uforklarlig kjærlighet strømme gjennom meg. Sjelen min svevde da den rene melodien i sangen flommet ut av lungene og halsen min som en mektig flod.

Da sangen min var over, kjente jeg en forunderlig, men likevel velkjent følelse i hele kroppen, på samme måte som man kjenner seg etter et langt, varmt bad og rene klær. Jeg kikket ned på hendene mine og ble overrasket over å se at de var rene, og at den tynne, svarte stripen av skitt under neglene var fullstendig borte. Klærne mine var også like skinnende rene som da jeg tok dem på ved begynnelsen av reisen vår. Forvirret kikket jeg på den tause folkemengden som gjenspeilte følelsene mine. Og så kom en tordnende applaus og en eksplosjon av jubelrop fra alle kanter av torget. Jeg fikk til et raskt bukk, og folk flyttet seg for å la meg passere, siden jeg var ivrig etter å finne mine reisefeller.

Jeg lette overalt etter dem. Mange mennesker gratulerte meg og roste meg for sangen, men Tomas og de andre virket som om de var blitt slukt av mengden. Jeg gikk mot kafeene, sikker på at jeg ville finne dem der. Hele tiden kom folk for å ta meg i hånden mens jeg gikk. Plutselig stanset jeg. I trengselen av veitrette pilegrimer overalt rundt meg ble det stille. Det var som om de alle hadde forsvunnet i et blaff av røyk.

Jeg sto alene midt på torget sammen med en kvinne jeg først trodde var en statue av en engel. Hun hadde et rødt sjal over hodet, som gled ned til skuldrene hennes og avslørte en mørkhåret skjønnhet med øyne i samme farge som havet. Jeg vet ikke hva som fengslet meg mest; det perfekte ansiktet eller den mystiske auraen, som omringet henne som om hun skjulte seg i en himmelsk sky.

Det øyeblikket det tok meg å blunke, bli sikker på at

hun faktisk var ekte og ikke en åpenbaring, var nok til at jeg var fortapt.

Jamilet hadde lyttet med lukkede øyne. Hun syntes det var lettere å forestille seg hver eneste detalj i historien på den måten, men da hun åpnet øynene, oppdaget hun at señor Peregrino hadde sovnet. Hun kikket nærmere etter, og la merke til at det for første gang var farge i det vanligvis så askegrå ansiktet, og hun merket en varm følelse i sitt eget ansikt. Hun reiste seg, og begynte å forberede seg på å fjerne frokostbrettet, før hun igjen stanset for å se på señor Peregrino mens han sov. Han hadde utvilsomt vært en flott mann en gang, akkurat som han hevdet. Kanskje til og med en slående vakker mann, med de mørke og intense øynene. Selv nå, i señor Peregrinos fremskredne alder, virket det som om de utstrålte styrke og mot.

Hun rev oppmerksomheten løs fra bildene som holdt henne fast. Det var på tide å vende tilbake til arbeidet.

12

Jamilet var ikke i tvil om at det beste tidspunktet for å be tanten om noe, var om kvelden etter at Carmen hadde drukket sin andre øl. Før det var hun altfor irritabel og fylt av klager til å høre på noen. Hun klaget over de idiotiske stedene der de plasserte gassmåleren i enkelte hus, noe som gjorde dem umulige å finne og få lest av, og hun klaget over sjefen som forventet at alle hans ansatte skulle ta telefonen med et smil, og over kollegaene som fikk alle de beste oppdragene. Og så var det klagene over den konstant verkende ryggen, ulidelig såre føtter og evig halsbrann. Hvis arbeidsdagen ikke hadde vært så ille, fant hun noe annet å klage på – gresset var grønt, himmelen blå og jorden rund i stedet for firkantet. Men hvis Jamilet ventet for lenge, til Carmen hadde helt i seg tre øl eller flere, sa hun ja til nesten hva det skulle være, men da var problemet at når tanten våknet neste morgen, husket hun ikke hva det var hun hadde sagt ja til.

Den ettermiddagen Jamilet bestemte seg for å be henne om en tjeneste, passet hun på at den andre ølboksen var tom før hun la frem ønsket sitt. Hun følte seg litt rar da hun gjorde det, for når hun ellers stilte tanten et spørsmål, var det vanligvis for å gjøre noe for henne, og ikke omvendt.

– Tía, vil du ha ekstra ost på tacoene dine?

– Tía, vil du at jeg skal skifte på sengen?

– Tía, må jeg vaske jeansen din i morgen, eller kan du vente til helgen?

Men nå var det: – Tía, kan du ta meg med til biblioteket?

Carmen bladde i TV-bladet uten å se opp. – Ja da. Hvor ligger det, forresten?

– Det er bare noen kvartaler unna. Vi kan til og med gå.

Carmen kastet den tomme boksen til Jamilet. – Hvorfor vil du gå dit?

– Jeg vil bare lære litt om Spania.

Carmen så opp fra TV–bladet og rynket på nesen som om hun kjente en vond lukt. – Spania?

Hun smalnet blikket mistenksomt mot niesen. – Har dette noe å gjøre med den gamle grisen du passer på?

Jamilet svarte kanskje litt for fort. – Nei, tía. Det er bare noe jeg har hørt folk på jobben snakke om, at det kanskje finnes en ny hudbehandling i Spania som kan hjelpe meg.

Hun kjente at hun ble glorød på halsen, og snudde seg mot kjøkkenet under påskudd av å sjekke middagen, livredd for at Carmen skulle merke noe. Hun hadde ikke glemt hva tanten hadde fortalt henne den første dagen, og holdt pusten.

– Vi kan gå i morgen etter at jeg har kommet fra jobben, sa Carmen før hun begynte på sin tredje øl.

Jamilet sukket av lettelse.

Neste dag ventet hun engstelig på at tanten skulle komme hjem. Da hun hørte bilen i innkjørselen, så hun gjennom vinduet at tanten beveget seg mot døren. Hun gikk tungt, trampet fra side til side. Nøklene gled ut av fingrene hennes og traff bakken, og hun sparket dem hele veien opp trappen, for å slippe å bøye seg før hun absolutt måtte. Det hadde vært enda en dårlig dag på jobben. Jamilet kunne bare forestille seg den lange listen av klager hun ville få høre den kvelden. Hun svelget skuffelsen og åpnet døren for tanten før hun rakk frem til trappen, så Carmen slapp å bøye seg etter nøklene selv. På dårlige dager som dette var tantens ryggsmerter uutholdelige.

– Du er en livredder, Jami, sukket Carmen.

Jamilet gadd ikke å minne tanten på planene om å gå på biblioteket. Senere den kvelden, etter oppvasken, og mens Carmen og Louis var oppslukt av en Starsky og Hutch-episode, smatt Jamilet ut gjennom bakdøren og gikk ned til treet hvor hun hadde truffet Eddie. Hun ventet til han kom forbi; hun visste han kom mellom ni og halv ti, etter å ha kysset Pearly to ganger og gitt henne en fast klask på stumpen.

Han dukket opp til riktig tid, med hendene stukket i lommene og skuldrene trukket opp mot den friske natteluften. Hun ventet til han bare var noen få meter unna gjemmestedet, før hun dukket frem.

– Eddie, sa hun mykt.

Han snurret rundt på hælen og myste engstelig inn i mørket. Da han kjente igjen Jamilet, slappet han litt av.

– Hva gjør du der? Du skremte vettet av meg.

– Beklager. Jeg mente ikke å skremme deg en gang til, men jeg trenger hjelp.

Eddie stivnet. Det virket ikke som om han trengte en påminnelse om hvor voldsomt skremt han hadde blitt forrige gang. Han sa ingenting.

– Det er ikke mye, sa Jamilet og tok et varsomt skritt mot ham.

– Hva er det?

– Jeg vil gjerne at du blir med meg til biblioteket. Jeg har allerede spurt tía Carmen, men hun er for sliten etter jobben.

Eddie stirret på Jamilet som om hun snakket kinesisk eller russisk. Da han var helt overbevist om at han hadde forstått henne rett, nikket han med hodet mot venstre uten å flytte blikket fra henne. – Biblioteket ligger like rundt hjørnet. Du trenger ikke min hjelp for å finne det.

– Jeg trenger deg …

– Hør her, sa Eddie med økende irritasjon. – Jeg har en kjæreste, i tilfelle du ikke har lagt merke til det.

Han senket stemmen og kastet stjålne blikk mot verandaen hennes.

– Jeg vil ikke lage problemer for deg, Eddie. Jeg trenger deg …

– Hvorfor kan du ikke gå alene?

Jamilet kjente at hun ble varm i ansiktet mens hun tenkte på hvordan hun skulle svare ham. Øynene hennes ble fulle av tårer, og hun var takknemlig for mørket. – Jeg kan ikke lese, mumlet hun.

– Hva?

– Jeg kan ikke lese, gjentok hun, og hevet stemmen som om det var nok til å fjerne skammen. – Jeg vet ikke hvordan. Verken på engelsk eller spansk, jeg kan ikke …

Eddie løftet begge hender for å få henne til å tie. – Jeg hørte deg. Pokker heller, de hørte deg i Canada.

Jamilet kjente hjertet hamre, og ventet til det roet seg før hun sa noe mer. – Nå som du vet det, vil du følge meg?

Eddie stakk hendene i lommen, men sa ingenting.

Jamilet gikk nærmere. – Vil du følge meg, Eddie? spurte hun igjen.

Han ristet langsomt på hodet. – Jeg beklager virkelig, men jeg kan ikke ta sjansen på at Pearly finner det ut. Du vet ikke hvor sjalu hun er.

– Du må elske henne veldig høyt, hvisket Jamilet, men hjertet hamret enda mer enn før, på grunn av det hun skulle si. Først nå innså hun hvor desperat hun var. Følelsen var på samme tid helt fremmed og likevel merkelig kjent. Ordene som ramlet ut av munnen hennes, virket som om de var lånt fra et annet liv, og da hun sa dem, kjente hun spenningen og makten i å puste ild.

– Hvis du ikke følger meg, kommer jeg til å fortelle

Pearly at du fulgte meg til sykehuset den kvelden, sa hun.

Hvis han halvveis hadde forventet noe slikt fra Jamilet, ville Eddie kanskje ha smilt kjølig og satt henne på plass uten å tenke seg om to ganger. Men sjokket slo ham ut av balanse, som om Mikke Mus skulle ha gitt ham en på tygga. Han ristet vantro på hodet.

– Jeg tok feil av deg, var alt han sa.

Neste ettermiddag møttes de bak den første bokhyllen nærmest inngangen. Eddies ansikt var som stein, og han reagerte ikke da Jamilet hilste. Hun forventet seg ikke noe annet, og visste at hun antageligvis fortjente det, men det var for sent å trekke noe av det tilbake nå.

– La oss få dette overstått, sa han og så knapt på henne.

Jamilet strevde for å holde følge mens han gikk raskt gjennom lokalet på leting etter noen som kunne hjelpe dem litt. Men den berømmelige bibliotekaren som satt ved sin pult og ivrig ventet på at kunnskapstørste, unge mennesker skulle finne henne, var som sunket i jorden.

– Kan vi ikke finne det vi trenger selv? spurte Jamilet ham etter at de hadde gått forbi den samme korridoren for tredje gang. Hun pekte på hyllen nærmest dem. – Kanskje vi kan begynne å lete der?

Eddie himlet med øynene. – Du finner ingenting på den måten, sa han.

Jamilet trakk på skuldrene, fascinert av måten temperamentet hans blusset opp på. Han var fortsatt usikker på det selv, som om han hadde på seg litt for store sko. Men til tross for det sure humøret hans, likte hun at de snakket sammen. Det at han viste henne oppmerksomhet, uansett hvor påtvunget den var, fikk henne til å føle seg levende og fantastisk.

– Kanskje hvis vi bare forsøker? sa Jamilet.

Irritert glemte Eddie hvor han var, og svarte litt for fort.

– Det er sikkert mer enn en million bøker her. Hvem vet? Kanskje hundre millioner, og du sier at vi bare skal begynne å lete her …

Han rullet med øynene, trakk ut nærmeste bok og åpnet den som en sint professor som var syk i sjelen av sine dumme studenter.

– Postdepresjonsøkonomi og alt som har med den å gjøre. Det har ingenting med Spania å gjøre, sa han og uttalte «ania» i Spania på en lang og overdreven måte som skulle understreke forakten han følte for alt sammen.

Jamilet var imponert over Eddies herredømme over det skrevne ord, og bruken av sofistikerte fraser. – Hva er postdepresjonsøkonomi? spurte hun.

Eddie rullet med øynene, irritert over å måtte forklare noe innlysende. – Det handler om hvordan folk mistet pengene sine når de var triste, som når noen i familien deres døde eller noe sånt.

Jamilet syntes det var veldig interessant at det fantes en hel bok om det emnet, siden hun kjente mange som hadde lidd på akkurat den måten. De var for det meste enker, som bestemoren hennes, som hadde jobbet for et magert liv så godt hun kunne, og tok imot almisser fra godhjertede naboer og pengene som datteren og nå også datterdatteren regelmessig sendte henne. – Jeg tror jeg har kjent mange mennesker med postdepresjonsøkonomi, sa Jamilet mens hun nikket alvorlig og nøt ordene på tungen. De hadde ikke vært på biblioteket i mer enn fem minutter, og allerede hadde hun lært noe veldig interessant.

Eddie smalnet blikket og smelte igjen boken så Jamilet skvatt.

– Du kaster bort tiden min. Jeg må være hos Pearly om en time. Hvis jeg ikke er der, kommer hun til å lure på hvorfor.

– Bare fortell henne at du ble forsinket. Alle har vel rett til å komme for sent av og til, har de ikke?

Eddie gransket Jamilets ansikt, og sperret langsomt opp øynene. – Nå vet jeg det. Jeg har akkurat forstått hva dette her er.

Han pekte med en finger mot henne og ristet den. – Du vil ødelegge livet mitt. Du våknet en dag, hvor det nå er du kommer fra, og bestemte deg for å krysse grensen, så du kunne ødelegge noens liv, livet til den første idioten du fikk tak i. Og jeg er den heldige. Det er den egentlige grunnen til at du kom nordover, er det ikke?

Jamilet smilte, til tross for den lille smerten mistanken hans forårsaket. – Det er ikke grunnen til at jeg reiste fra Mexico, sa hun mykt.

Bibliotekaren dukket opp, og ga dem øyeblikkelig beskjed om å roe seg ned eller snakke utenfor. Eddie benyttet anledningen til å be om hjelp. Han forsøkte å forklare, men Jamilet overtok raskt. I løpet av noen sekunder førte kvinnen dem til den andre enden av lokalet. Da hun hadde funnet den riktige hyllen, trakk hun ut tre tunge bind og la dem på nærmeste bord. Før hun gikk, minnet hun dem igjen på at de måtte snakke lavt.

Jamilet satte seg, og ventet med haken i hånden på at Eddie skulle gjøre det samme. Motvillig satte han seg overfor henne og begynte å bla gjennom den første boken. Flere ganger snudde han seg for å se på klokken i den andre enden av salen, og noen ganger bladde han gjennom mange sider mens han så bort. Han behandlet sidene med så mye kraft at han nesten rev dem ut av boken. – Dette er bare dritt, mumlet han.

Flere ganger ba han Jamilet gjenta hva hun lette etter, og så på leppene hennes mens hun formet ordene.

– Pilegrimsvandringen til Santiago. I Spania.

Han fortsatte å bla frem og tilbake, og Jamilet lurte på

hvordan noen kunne lese så fort. Hun kikket på en eldre dame som satt i nærheten av dem. Blikket hennes gled alvorlig over siden. Det tok lang tid før hun bladde om (Eddie hadde bladd forbi ti eller flere sider på samme tid som hun bladde om én), og da hun endelig gjorde det, traff blikket hennes siden som et fallende løvblad, takknemlig over å ha funnet et sted å lande.

Eddie pløyde seg allerede gjennom den siste av de tre bøkene. Han ristet bestemt på hodet, øynene hans var tomme mens sidene blafret foran dem. Hun ante hva han ville si, sikker på at han kom til å stikke hendene i lommen når han sa det. Han skjøv stolen bakover og oppfylte forventningene. – Det står ikke noe om det stedet her, erklærte han.

Han forsøkte til og med å anlegge et ansiktsuttrykk som skulle ligne skuffelse. – Det er sikkert ikke et virkelig sted.

Jamilet la de tre bøkene oppå hverandre, og plasserte dem foran Eddie i den rekkefølgen de hadde ligget da han begynte.

– Du leste ingenting.

– Jeg gjorde det.

Hun tvang ham i kne med alt hun maktet å mane frem av viljestyrke. Akkurat som tía Carmen gjorde når hun var sint, og señor Peregrino gjorde når hun rotet til papirene hans. Effekten av denne viljestyrken på Eddie var akkurat den samme som den pleide å ha på Jamilet. Ansiktet hans flammet opp. Det begynte med ørene, og et slør av skyldfølelse la seg over øynene hans. Han trakk hendene opp av lommene og satte seg ned med et hørbart dunk.

– Pokker, sa han. – Pokker, pokker, gjentok han mens han så grundigere gjennom innholdsfortegnelsen denne gangen. Etter hvert ble irritasjonen erstattet av konsentrasjon mens fingeren hans gled nedover oversikten og endelig stanset på side to. Han åpnet boken og begynte å lese, uten å røre seg eller gidde å se på klokken et helt minutt.

– Du fant det, ikke sant? spurte Jamilet etter at det hadde gått nesten fem minutter.

Han nikket og bladde om akkurat som den eldre damen hadde gjort, som om tid og sted sto stille sånn at hodet glemte seg selv og tumlet lykkelig rundt i en helt ny dimensjon.

Jamilet var taus, selv om hun følte spenningen i det han hadde oppdaget, og lengtet etter det selv. Eddie kunne lese om stedet i señor Peregrinos historie. Han kunne lære om dette fjerne landet fordi han visste hvordan han skulle gjøre om de merkelige, vakre krusedullsymbolene til noe meningsfylt. Det var fantastisk, og han ble enda vakrere i hennes øyne på grunn av det. Hun stirret åpenlyst på ham, fråtset i øyeblikket fordi hun visste at det ville være over så fort. Hun la merke til at det rykket lett i leppene hans mens han leste, og det var en mykhet i blikket hans som kom etter hvert som han trakk til seg den mystiske kunnskapen. Hun ønsket hun kunne røre pannen hans med fingrene og stryke bort en lokk av det tykke, brune håret som virket som det hemmet sikten for ham, men hun holdt hendene foldet i fanget og ventet.

– Kan du lese det for meg? sa hun til slutt, da hun ikke orket å vente lenger.

Eddie løftet hodet og ristet litt på hodet. – Næ, jeg leser ikke så bra på den måten.

Men uroen hans fra tidligere var borte. Jamilet ventet litt til, og så uttrykket i øynene hans skifte fra forundring til bekymring, og tilbake til forundring igjen.

– Det er et virkelig sted, ja, sa han og lette etter hvor han skulle begynne. – Det er gammelt, 900 år eller noe sånt.

Han strakte seg etter boken igjen, som om han ville sjekke tallene, men ombestemte seg. – Folk begynte å valfarte til denne store kirken ... en katedral, fordi de trodde at San Juan var begravd der. Du vet, han var en av disse hellige fyrene som var sammen med Jesus, i kirken og bibelen og sånn, sa han og lette etter bekreftelse i Jamilets blikk.

Han ble lyserød. – Jeg fatter ikke at jeg snakker om disse greiene.

– Hvor begynte folk å gå fra? spurte Jamilet og ignorerte ubehaget hans.

Han sukket resignert. – Stort sett fra hele Europa. Noen gikk mer enn tusen kilometer for å komme dit. Og dette var så lenge siden at de ikke hadde gode sko eller solbriller, eller noe sånt. Og det var banditter også.

Eddies øyne begynte å glitre. Det virket som om denne delen hadde fengslet ham spesielt. – De gjemte seg bak trær, akkurat som du gjorde her om dagen, og ventet på at pilegrimer skulle komme forbi så de kunne ... Han stirret kaldt på henne. – Ødelegge livene deres. De som ble skutt i hodet, var de heldige.

Jamilet ignorerte dette også. – Hvorfor gikk de, hvis det var så farlig?

– Helvete heller, jeg vet vel ikke det, sa han. – På den tiden trodde folk på mirakler og sånt. De trodde på alle mulige sprø ting som folk ikke tror på lenger.

– Som hva da?

Eddie begynte å bli irritert. – Hvordan skal jeg vite det? Sprø greier. Som å tro at du kunne kvitte deg med vorter ved å sprute hellig vann på dem. Eller at du kunne gå hvis du hadde vært krøpling hele livet, eller at moren din ikke kom til å dø hvis du sa noen fillebønner, selv når legene sa at hun ville dø.

Eddie stirret lenge på ingenting før han la bøkene i en haug, som om han gjorde seg klar til å gå. Jamilet ville sagt eller gjort hva som helst for å stanse ham, men hun var lamslått av det siste han sa. Hun forsøkte desperat å huske om hun noen gang hadde sagt noe til ham om morens død. Hun var nesten sikker på at det hadde hun ikke.

– Rett skal være rett, sa Eddie og reiste seg. – Jeg gjorde som du ville, og nå må du love å holde kjeft.

Jamilet så på ham, og anla det samme alvorlige uttrykket som hun brukte når hun prutet om prisen på kyllinger på markedet i landsbyen. – Du fortalte meg ikke noe særlig, og jeg har flere spørsmål, men ... Hun smilte lurt. – Du har vel holdt din del av avtalen.

– Jeg tror ikke du kan kalle det en avtale. Og ikke prøv deg på dette igjen, ellers kommer jeg til å fortelle det til Pearly. Hun ville ikke ha noe imot å utfordre deg.

– Utfordre meg?

– Jepp. Hun hopper på deg hvis hun tror at du forsøker å rote med typen hennes, sa Eddie med et glimt i øyet.

Jamilet var altfor fascinert av tanken på at en jente kunne slåss med en annen jente om en gutt, til å reagere på trusselen på riktig måte, og Eddie var ivrig etter å gå. Han mumlet noe for å vise at han gikk, ikke sikker på om øyeblikket krevde noe mer, og stakk av mens Jamilet satt tankefull tilbake. Eddie var nesten ved døren da hun skjøv ut stolen og løp etter ham. Hun nådde ham igjen ved hovedutgangen, og trakk ham i skjorteermet som om hun var et barn.

Han virvlet rundt for å se på henne. – Hva er det nå?

Jamilet var andpusten. – Jeg kan ikke forklare det, men jeg vet noe om deg. Jeg bare vet det.

Hun forsøkte å ta seg sammen. – Moren din er syk, og du er redd for at hun skal dø og la deg være igjen alene.

Eddies ansikt falt sammen. Holdningen hans sank, som om han mistet pusten og glemte hvem han var og hvor han skulle.

– Du må la meg være i fred, Jamilet, sa han til slutt.

Hun kjente varmen strømme frem fra hjertet sitt. Hun ville ikke noe mer enn å nå ham, og lindre smerten hans.

– Min mor døde for nesten et år siden. Alle trodde at jeg ikke elsket henne, fordi jeg ikke gråt i begravelsen, men det er ikke min måte. Jeg gråter ikke sånn som andre jenter, fordi jeg er redd for at hvis jeg gjør det, klarer jeg aldri slutte.

Hun blunket hardt, redd for at hun skulle vise seg som en løgner der og da, så overveldet ble hun av følelser.

Eddie rygget flere skritt unna. – Som jeg sa, du må la meg være i fred. Hvis du vet hva som er best for deg, sa han før han snudde seg og gikk.

Jamilet så etter ham en stund. Solen var begynt å gå ned, og det virket som om han vibrerte i et hav av oransje lys da han kom til hjørnet og dreide av mot Pearlys hus.

– Du er best for meg, Eddie, hvisket hun.

Etter et tilfredsstillende måltid med chiligrateng slappet Carmen av på sofaen og koste seg med sin tredje øl. Hun så på «Gjett rett pris», et program som fungerte som tidtrøyte til yndlingsprogrammet hennes, «Lykkehjulet», startet. Jamilet tenkte at tidspunktet var bra, faktisk perfekt.

Hun lirket seg ned i sofaen ved siden av tanten. – Tía Carmen?

– Ja, mi hija?

– Elsker du Louis?

Det tok noen minutter for tanten å fordøye spørsmålet.

– Den gamle drittsekken? sa hun og krøllet leppene i et smil.

Louis hadde ikke kommet denne kvelden fordi han ville se datterens softballkamp i Lucas Park. De hadde kranglet om det tidligere. Carmen hadde slengt på røret, som hun alltid gjorde når de kranglet. Men Jamilet tvilte ikke på at han kom etter kampen, og at hun ville våkne i natt av deres lidenskapelige forsoning.

– Jeg elsker ham vel, sa Carmen.

– Hvordan vet du at det er kjærlighet?

– Herregud, det vet jeg ikke. Hvordan vet noen det?

Carmen slurpet i seg en munnfull øl som om hun gurglet halsen før hun svelget. – Det er vel fordi at når jeg er sammen med ham, har jeg det så godt at jeg vil dø. Og andre ganger har jeg det så vondt at jeg vil dø. Hun dyttet Jamilet i skulderen. – Eller drepe ham. Det som kommer først. Hun snudde seg halvveis rundt. – Hvorfor spør du? Har du noe på gang med noen?

– Nei, tía.

– Det siste jeg trenger, er at du kommer gravid hjem. Hvis du skal ha unger, får du finne et annet sted å bo. Du kan komme tilbake når ungen er i trettenårsalderen.

– Jeg skal ikke ha barn, tía.

Carmen gransket henne mistenksomt. – Det er den gutten på den andre siden av gaten, han som du ser på gjennom vinduet, ikke sant?

Jamilet var sjokkert over at tanten hadde lagt merke til det. Og hun som trodde hun hadde vært så forsiktig.

– Jeg ser ikke ut av vinduet.

Men stemmen var svak og lite overbevisende.

– Ja visst. Og jeg er en liten 36-størrelse.

Hun kaklet og så hardt på Jamilet. – Du kunne finne noen verre, forresten. Han ser ganske bra ut, etter min mening. Jeg tror kjæresten hans synes han ser ganske bra ut, også, sa hun med et allvitende nikk.

Carmen snudde seg mot TV–apparatet da hun hørte musikken til programmet sitt. Jamilet nølte med å ta ut to ølbokser som skulle kastes. De introduserte allerede deltakerne; i løpet av noen minutter ville programmet begynne og øyeblikket være tapt.

– Synes du hun er pen? spurte Jamilet brått.

Carmen ristet på hodet så hakene dinglet mot skjortekragen.

– Jeg skjønner ikke hvorfor de lager sånt vesen av denne Vanna. Hun er en bleket blondine med stor nese.

– Jeg mener ikke jenta på TV. Jeg mener Eddies kjæreste. Hun på den andre siden av gaten.

Det virket som om Carmen tenkte alvorlig over spørsmålet. Hun klarte å tøyle interessen for programmet sitt mens hun vurderte det. Hun la hodet på skakke og lukket øynene litt. Hun snudde seg helt rundt for å se på niesen. Det så ut som om hun skulle til å røpe en hemmelighet så forlokkende at hun måtte be Jamilet sette seg på sofaen før hun fikk vite den. Hun tok de tomme ølboksene fra Jamilet, slengte dem bort på bordet, og tok hendene hennes i sine enorme labber.

– Hør godt etter nå, for jeg skal fortelle deg noe som noen jenter lærer tidlig, og andre aldri lærer i det hele tatt.

Jamilet var målløs. Tanten hadde aldri snakket til henne med en sånn lidenskap før. Hun nikket, og stirret på tantens uttrykksfulle ansikt.

– Først må jeg spørre deg om noe.

Jamilet nikket.

– Synes du jeg er pen? Vær ærlig, du vet jeg blir forbannet hvis du lyver.

Jamilet forsto at dette ikke var en av tantens vitser, men et spørsmål som krevde svar, og det snørte seg til i brystet hennes.

– Jeg synes ... Hun nølte, og kjente tanten stramme grepet.

– Jeg synes at når du pynter deg, ser du virkelig bra ut.

Carmens blikk smalnet da hun gjentok: – Men synes du jeg er pen?

Jamilets fingre kjentes svette i Carmens grep. – Jeg ... jeg gjør vel ikke det, ikke slik som folk vanligvis tenker på skjønnhet.

Carmen løsnet grepet, og øynene hennes avslørte beklagelse, som om hun igjen ble minnet om at ikke bare hadde

162

hun tapt lotteriet, men kupongen hennes hadde ingen av vinnertallene. Men hun var ikke ferdig. – Tror du Louis synes jeg er pen?

Jamilet tenkte på hvordan Louis svermet rundt Carmen hver gang han traff henne. Øynene hans åt opp hver eneste tomme av henne når hun hadde på seg en av de avslørende dansekjolene. Jamilet tenkte ofte at han ville dø som en lykkelig mann hvis han kunne stupe inn og drukne i kløften mellom brystene hennes.

– Han synes du er vakker. Det vet jeg at han gjør. Han ser på deg på samme måte som Eddie ser på Pearly, som om han ikke kan huske hvilken dag det er, eller sitt eget navn engang.

Tía Carmen slapp Jamilets hender og nikket allvitende, som om hun ikke hadde forventet noe annet. Hun pekte på sitt eget hode mens hun nikket. – Alt ligger i hodet, Jamilet. Spiller ingen rolle hvordan du ser ut.

– Jeg forstår ikke, tía.

Carmen snudde seg mot programmet sitt igjen. – Hør her. Du spurte meg om jeg synes Eddies kjæreste er pen. Sannheten er at hun *tror* hun er den vakreste i verden, og det får kjæresten hennes til å tro det også. Hun viftet med en lubben finger mot Jamilet. – Og det er det eneste som spiller noen rolle.

Jamilet smurte et tykt lag av tantens skjønnhetskrem over hele ansiktet den kvelden før hun la seg, og trykket på litt bakerst i nakken hvor merket var synlig, som spissen av Afrika som fløt varm og rød under skjorten hennes. Hun måtte sove på ryggen for at puten ikke skulle bli klissete av kremen, men den luktet så godt. Hun lukket øynene og snuste inn den søte duften som hang som håp på en tynn streng i mørket.

13

Resepsjonisten, miss Clarke, ropte ut da Jamilet feide gjennom resepsjonen på vei til femte etasje. Miss Clarke måtte rope flere ganger. Jamilet var uvant med å bli kalt «Monica» etter at señor Peregrino fant ut hva hun egentlig het.

– Søster B. vil gjerne snakke med deg, sa miss Clarke.

Leppene hennes snurpet seg som om hun smakte noe surt. – Gå rett inn.

Jamilet hadde ikke snakket med arbeidsgiveren sin siden første arbeidsdag. De få gangene hun hadde truffet henne, fikk hun bare et av de stive nikkene søster B. delte ut til alle ansatte hun tilfeldigvis traff i løpet av inspeksjonene i de nedre etasjene. Hun hadde ikke vært i femte etasje siden Jamilet begynte.

Søster B. satt ved skrivebordet sitt, med hendene hvilende på bordflaten og stive fingre. Hun gjorde tegn til at Jamilet skulle sette seg i den samme stolen som hun satt i under det første intervjuet. – I dag er det nøyaktig en måned siden du begynte i jobben, sa søster B.

Hun så ikke glad ut, men virket som om hun var på grensen til irritasjon. – Som jeg lovet, er jeg villig til å gi deg lønnspålegg.

Hun bladde gjennom papirene på skrivebordet, men så knapt på dem. Da hun fant skjemaet hun lette etter, kastet hun det over skrivebordet mot Jamilet. – Jeg vil gjerne at du signerer her hvis du vil, og …

Hun kikket opp med et skarpt uttrykk i ansiktet. – Er du klar over at Richard Mentz har sluttet?

– Richard Mentz?

– Vaktmesteren. Han har vært her i over ti år, og opp-sigelsen hans var veldig uventet.

Hendene hennes fortsatte å bla målløst gjennom papi-rene på skrivebordet mens hun gransket Jamilets reaksjon på nyheten.

– Han sier at han ble angrepet av pasienten i femte etasje mens han skiftet en lyspære. Vi er ikke i stand til å takle aggressive pasienter på dette sykehuset, og det kan hende at jeg må overføre pasienten din til et annet sted. Med mindre du har noe å tilføye.

– Nei, det var ikke hans feil, brast det ut av Jamilet.

– Vaktmesteren angrep meg først.

Søster B.'s hender ble rolige. – Nøyaktig hvor skjedde dette?

– I femte etasje. Señor Peregrino kom ut fra rommet sitt da han hørte meg skrike. Jeg trodde ikke en gammel mann som ham kunne være så sterk, men han løftet Richard rett av meg og slengte ham i veggen. Han reddet meg, sa Jamilet.

Hun senket blikket til det usignerte dokumentet foran seg.

Fargen forsvant fra søster B.'s ansikt, og hun virket målløs.

– Forteller du meg at pasienten din forlot rommet sitt uten å skjelve av frykt?

Jamilet nikket. – Jeg tror han var for sint til å bli redd.

– Hvor langt kom han?

– Jeg er ikke sikker. Bare noen få skritt utenfor døren, tror jeg.

– Vel, det teller nesten ikke, mumlet søster B. for seg selv før hun snudde seg igjen. – Hvorfor har du ikke fortalt meg om denne hendelsen? Du fikk beskjed om å rapportere alle problemer til meg øyeblikkelig.

– Jeg vet ikke. Señor Peregrino ba meg løpe hjem, og jeg var redd.

Søster B. tok papiret fra henne og tenkte litt. – Du skal bruke pasientens ekte navn. Hvis du fortsetter å gi etter for fantasiene hans, vil du bare gjøre ham enda mer forvirret og opprørt. Hadde det ikke vært for at det virker som om han tåler deg, ville jeg sagt deg opp øyeblikkelig på grunn av din dårlige dømmekraft angående begge disse sakene. Er det forstått?

Jamilet senket hodet. – Ja, søster B. Det er bare det at han ikke reagerer på noe annet navn.

– Det er ikke poenget, sa hun og rullet oppgitt med øynene. – Husker du noen av instruksene dine?

– Jeg skal ta meg av alle behovene hans, og ikke snakke med ham.

Søster B. skjøv dokumentet mot Jamilet igjen, og lente seg over skrivebordet. – Jo færre ord som utveksles mellom dere to, jo bedre er det, men han vil forsøke å engasjere deg i samtale, tro du meg. Kanskje han allerede har gjort det?

Jamilet strakte seg etter en penn. Hun oppfanget søster B.'s økende irritasjon, og denne gangen rullet de falske ordene lett over tungen hennes. – Ikke ennå, men hvis han gjør det, skal jeg si fra.

Søster B. slappet tydelig av, og lente seg bakover i stolen. Blikket hennes flakket hit og dit mens hun tenkte på andre ting.

– Og hvis noe annet uvanlig skjer, skal du fortelle meg det øyeblikkelig, er det klart?

Jamilet skottet på klokken. Hun var flere minutter forsinket med señor Peregrinos frokost. Hun kunne se ham for seg, sittende ved skrivebordet med et skulende blikk som kunne skremt en vampyr. Han hadde gjort det klinkende klart at han ikke tålte sommel.

– Unnskyld, men jeg er sent ute, dristet Jamilet seg til å si. – Frokosten hans blir kald.

Søster B. forsto Jamilets bekymring og viftet henne ut av rommet. – Ikke glem instruksene dine, Monica. Jeg kan garantere deg at jeg ikke vil være like forståelsesfull hvis dette skjer på nytt.

Señor Peregrino satt ved skrivebordet sitt, og kikket ikke opp fra papirene sine da Jamilet kom inn i rommet. Hun satte frokostbrettet på nattbordet, og ventet litt for å se om han ville ta det med seg bort til sengen, men han lot som om hun ikke var der.

Jamilet kremtet. – Jeg beklager at jeg er sen, señor. Søster B. ønsket å snakke med meg. Jeg forsøkte å gå så fort jeg kunne.

Han snurret brått rundt med flammende øyne. – Hva ville hun?

Hun åpnet munnen for å svare, men señor Peregrino avbrøt henne med en irritert vifting med hånden. – Spar deg, jeg vet det allerede. Hun ville fortelle deg om Richards brå avgang, og minne deg om reglene angående min pleie. Dessuten vurderer hun å få meg overført til et annet sykehus. Har jeg rett?

Jamilet nikket, imponert og nysgjerrig over hans treffsikkerhet.

Señor Peregrinos virket stadig mer ergerlig mens han fortsatte å gjenfortelle resten av detaljene som om han hadde vært til stede selv.

– Hun ville også at du ikke skal oppmuntre meg i tullpratet mitt.

Han la armene i kors og gransket henne. – Og du, sa han med et kast på hodet. – Hvordan reagerte du?

167

– Vet du ikke det? spurte Jamilet, ikke sarkastisk, men oppriktig overrasket.

– Selv om jeg tror at jeg har gjennomskuet deg, finnes det rom for tvil. Jeg er ikke i humør til å leke gjetteleken, så kan du være så snill å fortelle meg det?

Jamilet fortalte ham alt hun hadde sagt. At hun hadde nektet for å ha deltatt i unødvendig konversasjon, og at hun hadde lovet å si fra til søster B. hvis det skjedde noe mer.

– Utmerket, sa han, tydelig fornøyd. – Burde jeg tolke det dit hen at du har lært å lyve?

Jamilets øyne kjentes irriterte og tørre, som om hun ikke hadde blunket på flere sekunder. – Jeg vet ikke, señor. Men jeg tror hun trodde på meg.

– Bra.

Señor Peregrino satte seg i sengen og lente seg mot putene, som han alltid gjorde når han var klar for frokostbrettet. Jamilet hentet det, og satte det på de utstrakte beina hans.

– Jeg skal ikke forsvare uærlighet, og jeg vet at du har høye tanker om ære …

Han løftet lokket av frokosten og rynket pannen. Eggene var kalde og brente, men denne morgenen klaget han ikke. – Det finnes derimot anledninger da det ikke bare er tilrådelig å lyve, men absolutt nødvendig.

Han stakk gaffelen i en pølse, stappet den i munnen og tygget tankefullt. – Jeg har lært det i årenes løp, og det er en smertefull lærepenge.

Jamilet solte seg i deres nye medsammensvorenhet, og våget et spørsmål hun lenge hadde ønsket å stille. – Hvorfor vil du at jeg skal kalle deg señor Peregrino hvis det ikke er det egentlige navnet ditt, señor?

Han tørket seg om munnen med servietten og skjøv bort brettet.

– Du brukte et annet navn for å lure noen, mens jeg har valgt mitt navn for å avsløre sannheten om hvem jeg er, og hva mitt formål her er.

Han strøk seg over haken mens øynene vendte seg mot taket.

– Jeg er ikke helt sikker på hvor jeg avsluttet historien min. Det er flere dager siden sist …

– Du sang på kirketrappen, og du så kvinnen med det røde sjalet, sa Jamilet. – Og så ble du fortapt.

Señor Peregrino løftet en hånd for å få henne til å tie stille. Øynene hans videt seg ut da minnene fengslet ham igjen.

– Å ja, hvisket han. – Hvordan kunne jeg glemme det? Selv om jeg altfor ofte ønsker at jeg kunne glemme det øyeblikket.

Hvem kan benekte skjønnheten i de første vårdagene, når små planteskudd begynner å avsløre hemmelighetene sine, og solen brer sin jublende glede over landet med sitt fantastiske lys? Jeg tror nok det finnes noen som ikke påvirkes når de ser slik skjønnhet. Det er de samme som fortsetter sin daglige dont uten så mye som et blikk når de ser den mest spektakulære soloppgang. Jeg er av den typen som stanser for å se hver eneste fase, hver villfarne solstråle som danser over himmelen. Jeg er trollbundet til det er over, og det samme var jeg av Rosa.

Jeg snakket ikke til henne den første dagen jeg så henne. Jeg klarte bare å nikke og smile nervøst før jeg snudde meg bort. Likevel husket jeg nøyaktig hvordan håret hennes glitret i solen som en mørk, skinnende elv, og jeg fulgte det myke lyset til hun forsvant i folkemengden. Da hadde Tomas funnet meg, og stemmen hans lokket meg, omtrent som en mors stemme når hun vekker barnet sitt fra en drøm.

– Det kommer en storm, sa han. – Og hvis vi ikke spiser lunsj fort og finner husly, vil den nå oss igjen. Vi kommer ikke til å ha noe annet valg enn å sove ute i regnet som hunder.

Han fikk ikke noe svar. Tomas gikk opp på trinnet over meg så vi var i øyehøyde. – Hører du meg, Antonio? Eller snakker jeg til en døvstum, som også er en tåpe?

– Ikke vær sint på meg, Tomas. Jeg foretrekker de milde forsøkene på å overbevise meg fremfor formaningene dine.

Han senket blikket litt, før han så på meg igjen, like varm og forståelsesfull som alltid. – Se deg om, Antonio. Se på dette arbeidet som menn har skapt, inspirert av Gud. Vil du ikke bli en del av dette underverket?

Enda en gang kikket jeg opp på steinene i kirken som strakte seg like til himmelen. De buktet seg som om de led under den menneskelige smerten som skaper lengselen etter guddommelig forståelse. Brått merket jeg en mild bris som fant veien ned til oss. Den snodde seg rundt kafeen og de åpne vinduene over markedsplassen i utkanten av torget. Den bar med seg duften av stekt kjøtt og løk.

Magen min rumlet da jeg grep tak i Tomas' skulder, takknemlig for vennskapet og utholdenheten hans. – Takk, bror. Jeg skal ikke feile, det lover jeg deg. Jeg skal disiplinere mitt sinn og min kropp til å motstå livets fristelser. Selv de største helgener ble fristet, stemmer ikke det? Selv Santiago, skulle jeg tro.

– Det ble de alle, sa Tomas og pustet ut av lettelse. – Og deres fristelser gjorde dem bare ydmyke.

– Da er vi i godt selskap.

Jeg bestemte meg for ikke å ha noe å gjøre med den vakre jenta på torget, og håpet at hun kanskje var en engel som hadde steget ned fra en sky, bare for å vende tilbake til det paradiset hun kom fra. Jeg håpet at med trengselen av pilegrimer overalt, og det store antallet grupper som allerede hadde slått seg sammen, ville jeg slippe å se henne igjen. Kanskje var hun ikke engang pilegrim, men en lokal landsbyjente som tok en pause fra sine daglige plikter for å kunne glede seg over en sang.

Men skjebnen ville det annerledes. Jeg oppdaget snart at hun var pilegrim, og det skulle ikke mye detektivarbeid til for å finne ut at hun het Rosa. Hun hadde reist sammen med sin mor fra Syd–Spania for å be om et mirakel i Santiago, som alle andre. Snudde jeg meg fra én gruppe som snakket om denne skjønnheten som reiste sammen med moren, traff jeg på en annen som var opptatt av akkurat det samme temaet.

Det gikk rykter om at de var sigøynere, og at jentas grønne øyne var en gave fra en nordisk soldat som hadde besøkt moren hennes mange år tidligere. Andre sa at hun var en ånd og ikke menneske i det hele tatt, for de hadde aldri sett et menneske med så perfekt porselenshud. Flere av mennene forestilte seg at om hun var sigøyner, lot det seg kanskje gjøre å betale henne for å danse for dem, og hadde det ikke vært for at vandringen deres hadde et hellig formål, så kunne de kanskje vurdert å betale henne for noe annet.

Til min store skuffelse ble Rosas mor venner med Rodolfo etter at hun hadde stukket hull på en blemme for ham. Hun og datteren ble invitert av den evig takknemlige baskiske kjempen til å slutte seg til vår lille gruppe. Tomas begynte å holde øye med meg i det skjulte, selv da vi fulgte Najerillaelven, som fløt gjennom vakkert jordbruksland, og som minnet om hans families jord. Gjennom de lange strekningene av vinranker på begge sider av veien så han på meg med dyp bekymring, og ignorerte alt han normalt ville ha kommentert livlig. Vinrankene gikk over i jorder hvor utallige rader av gylne høystakker tørket i solen. Noen steder så vi små topper på størrelse med jordhauger ved siden av veien. Da vi kom nærmere, oppdaget vi at disse forhøyningene egentlig var hauger av stein som pilegrimer i årenes løp hadde lagt ned til minne om turen sin.

På denne måten gikk dagene. Jeg snakket nesten ikke, og spiste enda mindre. Av og til regnet det, og bakken under føttene våre ble til en klisset sump. Likevel gikk jeg videre mer energisk enn noen andre, og ledet ofte vår lille gruppe av pilegrimer langs ruten. Det var ikke det at jeg var så glad i å føre an, men når jeg holdt meg først i gruppen, ble jeg ikke plaget av synet av Rosa. Selv bare det å se på nakken hennes under kappen, var vanskelig for meg. Mens resten av oss gikk, virket det som om hun fløt. Når hun gestikulerte med en vakker arm mot jordene til høyre eller venstre, eller viste moren noe hun så, ble det til den mest sensuelle dans. Hun hånte meg med sin ynde. Derfor var det bedre for meg å gå foran, og la Tomas og Rosa og de andre gå i støvet som føttene mine kastet opp bak meg.

Vi var nesten kommet frem til Santo Domingo de la Calzada, hvor det skulle være musikk og festligheter til minne om mirakelet med den uskyldige som ble hengt. Den eldgamle legenden fortalte om en ung mann som urettferdig ble beskyldt for å stjele av en ung dame han hadde avvist. Han ble øyeblikkelig hengt, men ble levende igjen da Santiago grep inn. Dette fascinerte meg fordi jeg følte et visst slektskap med den hengte mannen i hans ulykke. Vi begynte å gå ved daggry for å komme frem til middag. Tomas skjente på meg da han la sammen teppene sine ved siden av meg: – Du kommer til å gjøre deg selv syk hvis du fortsetter på denne måten, Antonio.

– Jeg er sterk som en hest, og jeg kan gå fortere enn noen andre.

– Selv en hest trenger mat og hvile, og et rolig tempo. Ikke tro at jeg ikke forstår hva som har besatt deg, for det gjør jeg.

Jeg smilte. Tomas moret meg alltid når han oppførte seg som om han var synsk. Det fikk ham alltid til å virke mer bekymret enn klok. Jeg sa ingenting, men stålsatte meg mot ordene som jeg visste hadde sydet i ham nesten en uke.

– Det er jenta med de grønne øynene og det sjenerte smilet. Jeg tror djevelen har sendt henne til oss for å vende menns tanker bort fra sine hellige forpliktelser, og mot den usunne lysten som plager de tåpelige.

Jeg snakket mildt. – Hun har ikke bedt om å bli velsignet med en sånn skjønnhet. Det er ingen grunn til å gjøre henne til djevelen.

– Og hva annet er fysisk skjønnhet enn en maske som tiden bryter ned for å vise vår menneskelighet? Noen av oss viser tegn på menneskelighet tidligere enn andre, det er alt. Har du noen anelse om hva hun tenker, eller om hennes temperament er like yndig som hennes utseende? Selv om ansiktet hennes ligner en engels, kan hjertet hennes være like svart som en demons.

Jeg var taus mens jeg tenkte på Tomas' argument, og måtte innrømme at jeg ikke engang kjente lyden av stemmen hennes. Hun var tross alt like menneskelig som resten av oss var, med våre feil og mangler. Hun trengte også hvile og mat, og muligheten til å utføre sine primitive kroppsfunksjoner for å kunne leve. Min besettelse hadde mant frem et vesen som ikke var laget av de organiske substansene jeg kjente til, men av de mystiske elementene som ga lys til stjerner. Kanskje var hun virkelig en ondskapsfull sjel, som Tomas sa. Det ville være logisk om hun var det, for det fantes en rettferdig balanse i dette livet, som tilsa at noen som var så vakker på utsiden, ville være tilsvarende stygg på innsiden.

Plutselig ble jeg skrubbsulten, og kastet meg over et stort stykke ost med smør og brød, som jeg skylte ned med masser av vin. Den natten sov jeg. Jeg sov som et barn i sin mors armer.

14

For Jamilet var det som om fantasien smeltet som en saftis på et fortau en varm sommerdag. Historiene hennes ble bare noe klissete søl som ga henne lite næring eller atspredelse. Hun savnet dem mest på turene hjem fra jobben, når hun drømte om å få se Eddie på Pearlys veranda. Siden historiene fortsatt levde i henne, begynte de å dukke opp selv før hun fikk øye på ham, og gjorde scenen klar for alt, om noe i det hele tatt, som skjedde mellom dem. Et kast på hodet var en hemmelig kode for deres usagte kjærlighet, små gester var tegn på deres stjålne overgivelse i lidenskapens vold. Men etter noen få dager, og så uker uten historiene, måtte Jamilet akseptere at de hadde forlatt henne for alltid. En eller to ganger forsøkte hun å tvinge stemmene tilbake, men resultatet var anstrengt og svakt, blottet for ekte følelser og fullstendig utilfredsstillende.

Hun skyldte på señor Peregrino. Hans historie holdt seg levende i hodet hennes over tid, mens hennes egne historier alltid forsvant noen sekunder etter at de var ferdige, bare for å bli erstattet av nye, like flyktige fortellinger. Nå tenkte hun på Antonio og Tomas, og på hvordan det måtte være å gå 30 kilometer på en dag, og hvordan det måtte føles å være like vakker som Rosa. Tanken slo henne at Rosa kanskje ikke var så vakker likevel, men bare trodde hun var det, akkurat som tía Carmen og Pearly, og at hun derfor fikk Antonio til å tro det også.

Fordi hun grublet så hardt på dette, hørte hun ikke hamringen av Pearlys hæler da hun krysset gaten. Heller ikke la hun merke til at Eddie sto på fortauet og ventet på en lomme i trafikken, så han kunne følge etter henne. Noen øyeblikk senere dundret Pearlys knyttneve inn i Jamilets skulder. Hun vippet på en fot, før hun snublet inn på naboeiendommen. Hun klarte å finne igjen balansen mens hun stirret inn i Pearlys øyne; små, brune, rasende kuler som skulte mot henne under lag av maskara. Ansiktet hennes var forvrengt i mange retninger på en gang mens ord sprutet ut mellom skinnende, lilla lepper. Skjellsordene ble bare avbrutt av at hun måtte blåse bort hår som klistret seg til leppene.

Jamilet begynte langsomt å forstå ordene som svermet rundt henne som sinte bier. Det hadde noe med Eddie å gjøre. Pearly kom nærmere, og dyttet Jamilet i skulderen igjen. Jamilet la armene i kors over brystet, som en botferdig synder like før dåpen. Men hun klarte til slutt å få med seg en hel setning: «Hold deg for helvete unna ham!» Deretter kom slaget mot haken. Jamilets hode vred seg rundt med en ekkel fart, og resten av kroppen fulgte etter. Hun vaklet noen sekunder, med armene rett ut som om hun våknet fra en fylledrøm, før knærne klappet sammen i støvet. Det gnistret hett til i øynene, noe som blindet henne en stund. Hun ville ha mistet bevisstheten, hadde det ikke vært for smerten i haken og det hvite lyset som summet og virvlet rundt og fylte alt rom i hodet hennes. Da blikket klarnet, så hun Pearlys tykke sko marsjere opp og ned fortauet, og tærne hennes, pent malte og sammenkrøllede som ti små knyttnever.

Jamilet trakk pusten dypt, og følte seg merkelig rolig. Siste gang hun hadde befunnet seg så nær bakken, var da hun luket chiliplantene bak huset sitt, og skapte historier for å more seg selv. Når som helst nå ville moren be henne hente en bøtte vann fra elven før det ble mørkt. Hun husket alt dette mens hun tenkte at Pearly ikke var ferdig med henne ennå. Skoene hennes så ut som om de var hugget til med en grov øks, og hun innså nøyaktig hvordan angrepet ville ende. Instinktivt snudde hun seg bort for å beskytte ansiktet, men sparket kom aldri.

Et par andre sko dukket opp. Carmens svarte Doc Martin, og de trampet på Pearlys tær. Carmen var mer enn dobbelt så stor som Pearly, og med det svarte, krusete håret så hun ut som en binne som forsvarte ungen sin. Hun grep tak i Pearlys skulder før hun lot armen svinge bakover. Den var tykk som en trestamme og traff Pearlys ansikt med avsindig styrke. Pearlys ankler vred seg over skoene og hun skrek, men slaget dempet lyden og fikk henne til å høres ut som om hun hadde svelget tungen sin.

Eddie dukket opp. Han slo armene rundt Pearly så hun ikke kunne slå tilbake. Hun sloss imot mens lilla leppestift blandet med sikkel rant ut av munnvikene hennes.

Carmen pustet tungt. – Hold den megga borte fra min familie! sa hun til Eddie.

– Hold den megga borte fra mannen min! skrek Pearly.

Hun begynte å hulke, og Eddie strammet grepet da det virket som om hun kanskje kunne vri seg løs. Mens de krysset gaten, trakk Carmen Jamilet opp etter én arm og snakket lavt til henne, uten å legge skjul på hvor skamfull hun var. – Vet du ikke hvordan du skal dra til noen, jente?

Jamilets hake verket, og fikk ordene hennes til å slure som om hun var full. – Jeg har aldri dratt til noen før.

Carmen sukket, men sa ikke noe mer før de var inne i huset. Da snudde hun seg mot Jamilet og så ut som om hun hadde lyst til å fullføre det Pearly hadde begynt. – Hva er det du gjør med den gutten?

– Ingenting, tía.

– Du tilbringer halvparten av tiden din med å se etter ham gjennom vinduet, kjæresten hans ønsker å drepe deg, og du sier at du ikke gjør noe med ham.

Carmen svettet kraftig, og fuktigheten i hårfestet laget en rekke med små, tette krøller som gikk fra øre til øre.

– La meg si deg noe. Det finnes folk du ikke legger deg ut med, og hun er en av dem. Jeg kan ikke alltid redde ræva di som jeg gjorde i dag, skjønner du?

Jamilet senket hodet. – Jeg beklager, tía, mumlet hun.

Carmen gikk bort til kjøleskapet, og kom straks tilbake med en øl i den ene hånden og et tørkehåndkle fylt av isbiter i den andre. Hun undersøkte Jamilets hake og erklærte at ingenting var brukket. Jamilet fikk beskjed om å holde ispakningen mot haken noen timer.

Takket være kveldens uvanlige hendelser ble det avgjort at Jamilet skulle slippe å lage mat. Carmen gikk alene til Tina's Tacobod nede i gaten, og kom tilbake med kveldsmat. Tacoene var deilige som alltid, men Jamilet klarte ikke å svelge mer enn noen få biter. Hun fikk tårer i øynene hver gang hun tygget.

Señor Peregrino satt ved skrivebordet sitt da Jamilet kom inn i rommet. Hun var glad for det kjølige mørket, og satte frokostbrettet der hun alltid plasserte det. Hun passet på å ikke bråke; hun kunne se at han var ganske oppslukt av papirene sine.

– Jeg vil gjerne at du skal gi beskjed til vaskeriet om at skjortene mine ikke var ordentlig stivet, sa han uten å se på henne.

Jamilet nikket, og snudde seg fort for å gå. Hun ville ikke snakke mer enn nødvendig. Kjeven verket fortsatt intenst, og påvirket måten hun snakket på.

– Vet du forskjellen på lett og godt stivet? spurte señor Peregrino.

Denne gangen snudde han seg helt rundt i stolen for å se på henne.

– Det finner jeg nok ut, señor, sa Jamilet.

– Ja, gjør det.

Han lente seg bakover i stolen. – Vent, sa han og reiste seg for å åpne vinduet helt.

Dagslyset flommet grelt inn og fikk rommet til å gløde. Med lyset bak seg og det hvite håret strittende til alle kanter så señor Peregrino ut som om han var en engel. Jamilets øyne videt seg ut ved synet av ham. Hun hadde aldri sett ham så tydelig. Den lange, finmeislede nesen og de ravnsvarte øynene.

– Noen har slått deg hardt, sa han.

Jamilet kjente på haken. Hevelsen hadde ikke gått ned så mye som hun hadde håpet, men hun kunne i det minste tygge. – Ja, sa hun.

– Har du havnet i problemer? spurte han.

Han glødet fortsatt som en åpenbaring.

– Nei, jeg tror ikke det …

Jamilet nølte. Det var liten tvil om at señor Peregrino ville kreve en forklaring, og tanken på å sette ord på den siste ydmykelsen fikk henne til å skjelve i knærne. Hun hadde håpet at hvis hun ikke snakket om hendelsen, ville minnet forsvinne sammen med hevelsen.

– Jenta fra den andre siden av gaten tror at jeg forsøker å stjele kjæresten hennes, sa Jamilet. – For et par dager siden dro hun til meg da jeg var uoppmerksom.

– Hun må være en kraftig jente … sterk, sa han interessert.

– Hun er større enn meg, men ikke større enn tanten min. Tía Carmen satte henne på plass.

Jamilet kjente et blaff av glede over å kunne fortelle den delen av historien. – Hun så på for å se hvordan det utviklet seg, og da hun skjønte hva som holdt på å skje, så … vel, hun satte henne på plass.

Jamilet rørte ved kinnet igjen, og skammen over neder-laget gjorde henne taus. Det var ikke riktig å stjele noe av tantens ære. Hun så på señor Peregrino, og forventet den samme skamfullheten som hos Carmen og Eddie. I stedet lekte et merkelig smil i ansiktet hans, like strålende som lyset rundt dem.

Så gjorde han noe veldig rart. Han lo. Hun hadde aldri hørt ham le før. Det hørtes ut som en rusten motor som startet opp for første gang på lenge, og som hostet ut år med støv før den klarte å få til en gnist. Men til slutt ble den tynne hvesingen i brystkassen til en høy og buldrende latter som fikk lyset rundt dem til å skimre.

– Du gjør det, ikke sant? sa han og satte seg for å få igjen pusten. Øynene hans danset, og huden hans ble varm av denne livspusten, noe som førte til at nesetippen og pan-nen skinte ferskenrosa.

– Jeg gjør hva? spurte Jamilet.

Hun hadde også lyst til å le, men nølte fordi hun visste at smertene i kjeven ville bli uutholdelige.

– Du forsøker å stjele jentas kjæreste. Du vil ha ham for deg selv.

Señor Peregrino trakk frem et lommetørkle fra lommen og tørket øynene, som var fuktige av munterhet. – Jeg foreslår at du innrømmer det for noen. Hvis du holder det for deg selv, vil det bare gjøre deg sprø. Blåmerker på huden er å foretrekke fremfor smerten i hjertet, det kan jeg forsikre deg.

Jamilet lot døren stå åpen og kom inn i midten av rom-met. Hun ble stående i sirkelen av lys, som om hun var på scenen og prøvespilte for denne merkelige mannen som kjente henne uten å kjenne henne. Avsløringen føltes som om et dypt sår åpnet seg i halsen hennes, og ble fylt med skuffelsen og håpet hun hadde forsøkt så hardt å ignorere. Hun svelget en gang, men klarte ikke å holde seg taus.

– Jeg drømmer om å være sammen med ham.

– Ja, sa han.

– Jeg trenger ikke å se ham for å vite at han er på den andre siden av gaten. Jeg føler det på huden, og jeg fryser, som om jeg er redd, men jeg er ikke redd.

– Selvfølgelig er du ikke det.

– Tía Carmen sier at jeg ikke får lov til å se etter ham gjennom vinduet mer. Jeg har ikke gått nær vinduet på to dager.

– Men han kaller på deg, gjør han ikke?

– Det er verre enn før.

– Fornektelse gjør det bare verre, mitt barn. Det gjør det alltid.

Tårene rant nedover kinnene hennes. – Jeg vet ikke hva jeg skal gjøre, señor.

– Det er ikke noe du kan gjøre.

Jamilet blunket igjen. Øynene hennes klarnet motvillig da hun innså realitetene. – Tía sier jeg aldri kan snakke med ham igjen, ikke vinke til ham engang. Hun er redd for at Pearly vil komme etter oss begge, eller sende vennene sine.

Señor Peregrino la armene i kors. Han gynget litt i stolen så den knirket og stønnet mens han åpenbart tenkte på hvordan han skulle svare. – Hva føler den unge mannen for deg?

Jamilet valgte ordene sine med omhu. – Jeg tror han synes synd på meg.

Señor Peregrino lo igjen, men denne gangen kom latteren lettere og durte gjennom overkroppen hans, full av energi. Jamilet smilte spakt, takknemlig for den virkningen ordene hennes hadde på ham.

Fortsatt trollbundet av sin egen munterhet gjorde han tegn til at hun skulle sette seg i stolen ved siden av ham. – Jeg føler meg plutselig inspirert til å fortsette med historien min, erklærte han. – Frokosten kan vente.

180

Jamilet satte seg med en gang, og minnet ham på hvor han hadde sluttet. – Du fikk endelig sove da Tomas fortalte deg at Rosa var akkurat som alle andre selv om hun var så vakker. Du sa at du sov den natten som et barn i din mors armer.

– Jeg hadde fred, sa han og lente seg tilbake i stolen.

– Selv om det varte kort, hadde jeg fred.

Forestill deg en dag da universets prakt forener seg med den kjødelige skjønnheten til vår grønne jord, og du kan bedre forstå hva slags dag vi våknet til denne karnevalsdagen. Etter en god natts hvile ble sinnet mitt forskrekket av alt sammen. Det var som om jeg stirret gjennom et enormt forstørrelsesglass og fikk et glimt av Guds egne øyne. Det finnes et spesielt lys jeg bare har sett i mitt eget land, forstår du. Det snor seg som et levende vesen gjennom alt du ser, gjennom trærne og gresset, gjennom fjellene og bygningene – selv menneskene fylles av denne skimrende prakten.

Gjennom dette lyset fikk jeg øye på henne. Hun gikk foran meg denne morgenen. Skjørtet hennes bølget rundt anklene som et vuggende hav. Jeg forsøkte å overbevise meg selv om at jeg ikke var så fengslet som før, at hun ikke kunne sammenlignes med de skjøre blomstene ute på engene, at håret hennes var matt sammenlignet med ravnens vinger når de fanget solen. Vi gikk fort. Tomas pekte ut alt det vakre langs veien, flekkene av gull og grønt som strakte seg langt bortenfor horisonten, middelalderkirkene og steinlandsbyene som trykket seg sammen i Riojadalene, og så ut som om tiden ikke var en hyppig gjest. Men hver gang øynene mine vendte tilbake til henne, fikk jeg ny næring til sjelen min.

Flere av oss ankom San Miguel de la Calzada før middag. Vi vasket hender og føtter i brønnen utenfor landsbyen; vi ga avkall på en mer grundig vask siden vi var ivrige etter å komme nærmere musikken på torget. Lyden av fløyter lokket oss og satte oss alle i festhumør. Selv om jeg hadde deltatt på mange slike fiestaer før, var magen min stram av forventning. Jeg kunne ha lurt meg selv til å tro at det var min kjærlighet til dans og musikk som førte til denne tilstanden, men jeg fikk det ikke til. Alt hadde med henne å gjøre. Jeg ville få mange muligheter til å se på henne under slike omstendigheter, og trengte ikke å bekymre meg for hva Tomas eller noen andre syntes om meg. Jeg hadde dessuten kommet frem til at min tidligere strategi var helt feil. Ved å nekte meg selv gleden av å se på henne, nøret jeg bare opp under følelsene mine og økte begjæret. Kanskje det lureste var å komme på nært hold og granske lytene hennes, skitten under neglene og stanken fra kroppen hennes etter en lang marsj. Da måtte jeg vel bli kurert for min besettelse.

Med en gang vi kom til torget, spiste og drakk vi til vi ikke lenger merket våre såre føtter. Tomas vek ikke fra min side, men han hadde ikke trengt å bekymre seg. Jeg var oppslukt av danserne som virvlet rundt midt på torget, føttene deres trampet til den smittende rytmen av la jota. Jeg hadde ikke danset på mange uker, og føttene mine begynte å trampe takten. Før jeg visste ordet av det, var jeg trukket inn i sirkelen av dansere, hvor jeg snurret og hoppet til lyden av fløyter og trommer til jeg lukket øynene og fortapte meg i musikken. Men la jota er ikke en dans man danser alene, og etter en liten stund kjente jeg en smal, myk hånd smette inn i min. Jeg visste det måtte være Rosas siden den var så myk og fin, og våget ikke åpne øynene. Vi danset praktfullt sammen, kroppene våre føyde seg etter hverandre som om vi var født av den samme musikalske ånden. Da musikken stanset, sto vi stille rett overfor hverandre og hev etter pusten, og da åpnet jeg øynene. Rosas ansikt, bare tommer fra mitt, smeltet bort til det ikke var hennes øyne jeg så inn i, men de glitrende øynene til en av de franske nonnene. Hun fniste, og hvisket at hun i sine yngre dager hadde vært en fantasisk danser. Jeg kunne bare si meg enig.

Jeg fikk ikke sove den natten. Selv månelyset som smatt gjennom vinduet, plaget meg. Det, og vissheten om at bare noen meter unna, kanskje på samme treplanke som meg, sov hun også, for dette herberget var stort nok til å ha atskilte sovesaler for menn og kvinner.

Tomas falt øyeblikkelig i søvn. Jeg forsøkte å følge rytmen i pusten hans for å finne hvile, men vred og kastet på meg i lang tid. At salen var full av snorking og plystring i alle toneleier, hjalp ikke akkurat. Det var en brummende utmattelsessymfoni for et frustrert publikum på én person. Jeg smatt ut av rommet med teppet rundt skuldrene, og fant veien til den ytre gårdsplassen, som var fullt opplyst av det blå månelyset. Jeg ble trukket mot den lille kirken på den andre siden av torget. Månelyset dannet skygger av de grovt uthuggede statuene av helgener, og pilegrimshelgenen selv virket som om han vinket meg til seg. Han stirret ned på meg fra sin hvelving med stokken høyt hevet, som om han skulle dunke meg i hodet med den. Jeg ville ønsket julingen velkommen hvis den kunne gitt meg et øyeblikks fred.

Natten var kald, men i stedet for å gå inn i kirken, gikk jeg rundt til baksiden mot kirkegården. Jeg satte meg på en stor, flat stein og ba til Gud om å få styrke til å rive øynene ut av mitt eget hode hvis det kunne hjelpe meg til å finne tilbake til meningen med livet mitt. Mens jeg ba, ble natten merkelig varm og trøstende, som om jeg ble holdt i en forunderlig omfavnelse. Jeg ristet av meg teppet, og skulle til å ta av meg skjorten da jeg oppdaget en ensom skikkelse i utkanten av kirkegården. Jeg gjenkjente henne. Da hun nærmet seg, virvlet skjørtekanten hennes opp de tørre bladene som feide hviskende over gravene. Øynene hennes glødet av en myk og dunkel farge. Jeg ble så bergtatt at da hun stanset foran meg, hadde jeg ikke vett nok til å reise meg, som jeg burde ha gjort.

– Du svetter, sa hun. – Føler du deg ikke bra, du heller?

Hele min sjel dirret. Hadde jeg vært ærlig, ville jeg fortalt henne at jeg var syk av kjærlighet til henne og mest sannsynlig på gravens rand. Men jeg klarte å komme med et sammenhengende, om enn banalt svar. – Natten er varm. Det er bare det.

Hun sa ikke noe mer, bare snudde seg for å vandre videre blant gravene. Hun gikk mot stien som førte til en åpen eng der det tidligere på dagen hadde myldret av markblomster og bier. Hun holdt ut armene for å holde balansen på steinene, men laget ikke en lyd. Det var som om hun ikke var en jente, men en ånd som steg opp fra jorden. Jeg følte meg tvunget til å følge etter henne, og stanset ved utkanten av engen for å se på mens hun plukket markblomster og la dem i sjalet sitt. Hun gjorde tegn til at jeg skulle komme nærmere, og jeg så at sjalet hennes begynte å bli fullt. Kanskje hun ville ha hjelp. Jeg klarte ikke å puste, så hardt banket hjertet mitt og fikk blodet til å strømme like fort gjennom årene som om det var skutt ut av en kanon. Jeg så ikke en uskyldig, ung jente som plukket blomster. Hun var en forførerske, naken og ventende under klærne, knelende på engen, en som lokket meg med sin fysiske fullkommenhet på samme måte som en ondskapsfull baker lokker de sultne med sine ferske brød. Skjelvende og motvillig svelget jeg begjæret som steg som galle i halsen min. Denne jenta med grønne øyne og rosa lepper hadde makt til å gjøre meg til et monster. Hun kunne flå livet av knoklene mine ved å smile, eller ved å la hendene gli nedover hoftene sine som om hun ikke lette etter noe annet enn en mynt mellom skjørtefoldene.

Plutselig drønnet Tomas' advarsler gjennom hodet mitt. Det krevde alt jeg eide av styrke å snu meg og gå tilbake til kirken. Natten ble kald igjen, og da jeg kom til herberget, skalv jeg mens svetten silte nedover ryggen min. Jeg tror aldri jeg har vært så redd i mitt liv.

15

Louis overnattet nesten hver natt, og Carmen var ør av glede. Hun var i så godt humør at det hendte at hun hjalp Jamilet med kveldsmaten. Mens de skrelte poteter ved vasken en kveld, fortalte hun om Louis' kone, som hadde reist tilbake til Mexico for å passe på sin syke mor, og som hadde tatt de tre døtrene med seg. Louis døste på sofaen. Carmen bøyde seg over vasken og senket stemmen så han ikke skulle høre henne. – Jeg håper den gamle damen smitter henne med hva slags sykdom det nå er hun har, sa hun.

Et langsomt glis bredte seg over ansiktet hennes mens hun frydet seg over tanken.

Jamilet tok poteten fra tantens knyttneve. Hun hadde fingret med den mens hun snakket, og ikke kommet noen vei. – Hva med Louis' døtre? Hvis moren deres dør, må Louis være både mor og far for dem.

Carmens smil ble en grimase og forsvant. Hun grep tak i nærmeste oppvaskhåndkle og begynte å tørke hendene. Hun trakk i hver eneste finger, som om hun forsøkte å fjerne ringer som var for små. – Herregud, jeg vet vel ikke.

Hun kastet håndkleet tilbake på kjøkkenbenken. – Du må alltid gjøre ting så helsikes alvorlige, Jamilet. Er det så galt å drømme litt?

Jamilet trakk på skuldrene. – Det er vel ikke det.

– Det er vel ikke det, hermet Carmen med pipestemme.

– Du har en egen evne til å være gledesdreper, vet du det, jente? sa hun og gadd ikke lenger dempe stemmen for Louis.

– Jeg beklager, tía. Jeg mente det ikke sånn.

Carmen skulte ikke lenger. – Det vet jeg du ikke gjør, sa hun med et sukk. – Moren din var akkurat sånn, hun også.

Hun trakk seg tilbake til soverommet uten å si noe mer. Hun og Louis planla å gå ut for å danse om kvelden, og Carmen trengte minst en time for å bli klar. Håret tok lengst tid. Hun likte å sette det høyt opp ved spesielle anledninger og trekke ned krøller rundt ansiktet. Det fikk henne til å se tynnere og høyere ut, etter hennes mening. Jamilet syntes det så ut som om hun hadde en lodden vulkan på hodet, men Louis elsket det. Hver gang han så henne slik, sammenlignet han henne med en ny filmstjerne.

Jamilet fortsatte å hakke løk. Hun la ikke merke til at Louis reiste seg fra sofaen og kom inn på kjøkkenet.

– Jeg elsker det når tanten din er så glad som nå, sa han og lente seg mot kjøkkenbenken. – Jeg føler meg som en ung mann når hun er så lykkelig. Jeg vet ikke hva det er, men ingen får meg til å føle meg som hun gjør.

Jamilet nikket og smilte. Det fantes ingen tvil om Carmens evne til å styre stemningen med humøret sitt. De siste to ukene hadde de hatt gleden av solrik himmel og mild bris, uten en sky i sikte. Og Louis' nærvær gjorde alt så mye enklere. Med sitt rolige gemytt og sin måte å smile av alle opprør på, spedde han ut Tiás intensitet til en vedvarende mildhet, med akkurat nok futt til å gjøre væremåten hennes interessant. Når Louis var i huset, kunne Jamilet slappe av og stole på at ting ordnet seg på et eller annet vis. Hun lurte på om det var denne effekten som gjorde at kvinner likte å ha en mann i huset, skjønt hun var sikker på at ikke alle menn var som Louis.

– Tanten din fortalte meg hva som skjedde her om dagen, sa han og nikket med hodet mot vinduet. – Med den jenta.

Øynene hans hadde et plaget uttrykk, og han trakk i barten i et forsøk på å få mer av den i munnen.

Jamilet rødmet, men fortsatte å hakke løk med rolig hånd. Hun trakk pusten, og det stakk i øynene. – Det var ingenting, sa hun.

Louis sugde på barten en stund, og trakk en negl under de ni andre. Han kastet bort skitten for hver gang. Da han snakket, var det med så mye ømhet at Jamilet følte seg tvunget til å legge fra seg kniven og snu seg mot ham.

– Jeg har tre jenter, sa han. – Og jeg passer stort sett godt på dem. De havner ikke i for mange problemer med meg rundt seg.

Han la armene i kors og skottet nervøst bort da han merket at han hadde Jamilets fulle oppmerksomhet. – Jeg ber dem passe på hvordan de kler seg. Jeg liker ikke at døtrene mine går ut kledd som gatejenter.

Han vurderte Jamilet vennlig; den lange, hvite blusen og de posete treningsbuksene hun pleide å bytte med et marineblått skjørt når hun gikk på jobb. – Jeg skal fortelle deg noe annet enn det jeg forteller jentene mine. Jeg skal be deg fikse deg opp litt, ok? Du er pen og alt, men hvis du vil at gutten fra den andre siden av gaten, eller en hvilken som helst gutt, skal legge merke til deg …

Han presset sammen leppene, tenkte over det han akkurat hadde sagt og rynket pannen. – Du vet hva jeg mener, sa han matt.

Jamilet nikket som hun visste hun burde gjøre, men inni henne veltet håpløsheten frem. Hun følte seg plutselig syk, som om Pearly hadde sparket henne i magen og slått luften ut av henne igjen.

– Ikke ta det ille opp, sa Louis. – Det er ikke noe galt med deg.

– Det er ok, sa Jamilet, og forsøkte seg til og med på et smil.

– Carmen kan bli med deg ned til sentrum og handle litt.

– Jeg skal spørre henne, svarte hun raskt.

Louis hang med hodet, før han plutselig knipset med fingrene og pekte på Jamilets ansikt. – Nå har jeg det, sa han. – Jentene mine har klær de ikke bruker lenger. De er omtrent på din størrelse. Jeg skal ta med noen til deg.

Øynene hans ble fulle av tårer av medlidenhet med henne, og Jamilet kjente ubehaget i magen lette litt. Hvordan kunne han vite at hun var annerledes enn døtrene hans? At hun ikke kunne kaste bort tid og energi på normale bekymringer som jenter på hennes alder hadde om klær og sminke og andre ting.

– Neste gang jeg kommer, tar jeg med klærne, lovet han.

Han la en varm hånd på skulderen hennes, rett på kanten av merket, der hvor det dyplilla gikk over i rødt, for så å falme ut i et nett av tynne årer.

Et par dager senere sto en papirpose ved siden av Jamilets soveromsdør. Hun tømte den på sengen, og fant flere skinnende, små bluser i alle farger, med striper og gullpynt. Det var et kort, knallrosa skjørt som hun likte best av alt, og et par høyhælte sko lik dem Pearly brukte, men disse var hvite og hadde en svart spenne enda det ikke var behov for en spenne. Den var bare til pynt.

Jamilet sparket av seg mokasinene og prøvde skoene først. De var bare ørlite grann for store, men hun kunne justere remmene og gå helt fint i dem. Hun kikket nedover seg selv og likte anklene sine, så slanke og feminine. Etterpå tråkket hun ut av det marineblå skjørtet og trakk på seg den knallrosa saken. Igjen litt for stort, men det satt godt likevel. Raskt kneppet hun opp blusen, og sprengte nesten knappene i prosessen. Hun valgte en topp med avskårne ermer som gled av skuldrene på en sjarmerende måte. Hun hadde sett Pearly ha på seg topper som dette.

Pearly trakk alltid opp ermene bare for å la dem falle igjen, og hypnotiserte Eddie med den glatte huden på skuldrene som ble tildekket og avslørt hele tiden. Toppen passet perfekt, den satt tett og fint over overkroppen som den skulle. Hun kunne kjenne håret kile de nakne skuldrene, og forestilte seg hvordan det ville være hvis Eddie kysset henne der.

Selv om hun visste at Carmen og Louis ikke ville komme hjem på et par timer, kikket hun ut av soverommet for sikkerhets skyld, og løp nedover gangen og inn på badeværelset så fort de tre tommer høye skoene tillot henne det. Hun lukket og låste døren etter seg.

Hun beundret speilbildet sitt i det halvmørke rommet. I det grå lyset virket figuren hennes velproporsjonert, om enn litt tynn. Lemmenes form og lengde ga skikkelsen ynde. Hun stilte seg i forskjellige positurer, og innbilte seg at hun gikk nedover gaten mens hun høstet beundrende blikk og plystring fra mennene som så på henne, både unge og gamle. Hun forsatte å stirre på speilbildet sitt fra hver eneste vinkel, til mørket som trengte seg inn, gjorde det umulig for henne å se noe annet enn omrisset av kroppen mot den hvite fliseveggen bak henne.

Da hun knapt så mer enn en hånd fremfor seg, skrudde hun på bryteren. Det harde, skarpe lyset flommet inn i rommet og tvang henne til å lukke øynene. Sakte åpnet hun dem igjen. Tunger av rød hud krøp over skuldrene som onde fingre. Hun trengte bare å snu seg en kvart omdreining, og de brennende merkene på baksiden av leggene var klare og tydelige. Nedover armene og ryggen glødet og pulserte merket, som et atskilt vesen med egen vilje og eget sinn. Noen ganger lurte Jamilet på hva merket ville si hvis det kunne snakke. Hun forestilte seg at det gråt og bar seg det meste av tiden. Når det maktet å si noe, sa det at det var like sterkt som det var stygt, og fortjente å leve

190

bare av den grunn. Når dette ikke overbeviste henne, ville det si at det hadde reddet henne fra forfengelighet og meningsløsheten i et ordinært liv. Uten det ville hun utvilsomt ha blitt boende i landsbyen der hun var født, og vært gift med en fyllebøtte som hadde belemret henne med fem barn å mette, kanskje flere.

Tilbake på sitt eget rom gransket hun klærne omhyggelig, og så at bortsett fra en lilla overdel med lange ermer og dyp utringning, ville hvert eneste klesplagg avsløre en stor del av merket. Hun aktet å ta på seg den lilla overdelen så snart hun fikk anledning, og aldri servere Louis middag uten den hakkede korianderen. Han foretrakk å spise den grønne urten før den visnet. Ikke at han klaget. Louis klaget aldri.

Señor Peregrinos stivede skjorter hengte hun pent tilbake i skapet, de langermede til venstre og de kortermede til høyre. De fine skinnskoene sto oppstilt på rekke, med de mørke skoene først og de lyse sist. Jamilet likte å legge sammen sokker som matchet, og stappe dem inni skoene slik hun hadde sett dem i vinduene i de fancy varemagasinene.

– Du har vist deg som en ganske pålitelig ansatt, sa han og skottet opp fra papirene sine.

– Tusen takk, señor.

Jamilet fortsatte med sine plikter, la sammen sengetøyet, tørket av overflatene på badet og tømte søppelet. Hun visste at når señor Peregrino satt ved skrivebordet, fikk hun ikke høre mer av historien før senere samme ettermiddag. Hvis hun var heldig. Noen ganger kunne det gå flere dager før han vendte tilbake til den unike verdenen hvor historiene hans levde.

Jamilet kom ut fra badet med armene fulle av klær som hun hadde tenkt å ta med seg til vaskeriet senere samme ettermiddag, etter at hun hadde fjernet lunsjbrettet hans. Hun slapp alt sammen på gulvet, og knelte for å sortere mørke plagg fra de lyse.

– Ja, virkelig, sa señor Peregrino. – Du er en utmerket ansatt, og en dag skal jeg belønne deg for ditt gode arbeid.

Jamilet tenkte øyeblikkelig på papirene sine, som utvilsomt var skjult et sted i dette rommet, kanskje i samme skuff som han oppbevarte dokumentene sine i. Hun var fristet til å si at den eneste belønningen hun ønsket, var å få tilbake papirene, men hun bet det i seg.

– Jeg får ganske godt betalt for arbeidet mitt her, señor, sa hun og lyste opp. – Men kanskje hvis du vil fortsette med historien din?

Han smilte med samme tilfredshet som en eldre statsmann som blir gjenvalgt i sin stilling. – Å ja. Jeg tror du er blitt ganske glad i min lille fortelling.

Jamilet reiste seg og børstet av knærne. Det var én ting som bekymret henne. – Det er en veldig god historie, señor. Men er det sant, alt sammen?

Han virket litt krenket og blåste seg opp.

– Selvfølgelig er det sant, hvert eneste ord, eller så må Gud slå meg til jorden her og nå.

For å understreke utfordringen holdt han ut armene som om han var rede til å motta den dødelige lynstrålen. Så falt armene ned, og et trett smil dukket opp i ansiktet hans. Han så frem til minnenes herlige fest. Når han dykket ned i fortellingen sin, likte han å løpe raskt forbi ting han allerede hadde snakket om, og å hoppe over steiner som en gang hadde fått ham til å snuble.

Jamilet trengte ingen invitasjon for å slå seg ned, og satte ham i gang slik det var blitt hennes vane å gjøre. – Du trodde Rosa var djevelen, sa hun med tryggheten til en som hadde vært der selv. – Du sa du aldri hadde vært så redd før i hele ditt liv.

Da jeg lukket øynene for å sove den natten, klarte jeg ikke å kvitte meg med bildet av denne kvinnen som på samme tid var så vakker og så skremmende, den perfekte fellen til å fange meg. Jeg tenkte på henne der ute på engen, med nattkjolen åpen i halsen. Hvorfor plukket hun blomster midt på natten? Hvem hadde vel hørt om sånt tull? Jeg lo høyt over hvor absurd det var. Å være så nær noe ondt virket som om det hadde påført meg et snev av galskap.

Latteren min vekket Tomas, og jeg fortalte ham om møtet på kirkegården. Vi ba sammen, tryglet trettheten om å forlate oss, av redsel for at hun skulle komme til sengene våre og ta oss begge. Tomas innrømmet villig at også han hadde drømt om henne. I drømmen hans falt kjolen hennes fra skuldrene og avslørte brystene, som to hvite duer som flagret med vingene og blendet ham med sin skjønnhet. Han lengtet etter å røre deres fjærlette mykhet, men da han strakte ut hånden, blåste vinden så hardt rundt dem at klærne ble revet av kroppene deres og de sto nakne foran hverandre. Tomas sa han kjente hvordan ondskapen rev seg løs inni ham som et vilt og frådende beist. Motvillig og skamfull trakk han til side teppene for å vise meg den fuktige flekken av sæd under ham.

– Djevelen har besøkt oss begge, sa han.

Vi sverget på at vi aldri mer skulle se på henne under resten av reisen. Planen vår var å stå opp tidlig, før resten av gruppen, for å forsikre oss om at hun ikke ville komme i nærheten av oss. Vi snakket knapt til hverandre mens vi travet av gårde neste morgen. Vi gikk over grønne enger som glitret av dugg, hver dråpe fanget soloppgangen som et bittelite prisme, men vi la knapt merke til det, så alvorlig tok vi vår beslutning, så rystet var vi av hendelsene natten før. Vi stoppet bare en gang for et raskt måltid brød og ost, men jeg sanset henne bak oss på stien. Uansett hvor mye jeg forsøkte å få kontroll over tankene mine, så jeg henne for meg blant de andre pilegrimene, det fløyels-myke, ovale ansiktet med smaragdøyne. Som alltid støttet hun sin mor, for den eldre kvinnen var svekket av reisen.

Vårt bestemmelsessted var San Juan de Ortega, og vi passerte flere småskoger på veien. Dagen var ganske varm, likevel fant vi ingen lettelse i den kjølige skyggen fra trærne. Da blikket mitt falt på klippene som var kjent for at eneboere en gang hadde bodd der, lengtet jeg etter å klatre opp den bratte skrenten og krype inn i en av de mørke hulene, hvor også jeg kunne nære min ensomhet.

Ikke langt unna dette stedet oppdaget vi flere storkepar i reder høyt oppe på takene til landsbyhusene. Jeg følte meg sjalu på deres livslange forhold og ømme omsorg for sine små.

Da vi ankom herberget, var vår eneste glede at vi var de første pilegrimene den dagen. Vi kunne fritt velge hvor vi ville legge ned teppene våre, og vi kunne vaske oss grundig i brønnen uten å tenke på at den kunne gå tom, slik den ofte gjorde mot slutten av dagen. Dekket av veistøv fra topp til tå satte vi kurs direkte for kapellet på hovedtorget og knelte ned i bønn. Tomas' ansikt var stripete av tårer, leppene hans beveget seg av halvformede ord. Han virket så skjør og utslitt at jeg var redd for at han ikke kom til å holde ut verken reisen eller fristelsen fra denne kvinnen.

Vi vasket oss og spiste vårt måltid i det samme alvorlige humøret vi hadde båret på hele dagen. Planen var å sove og stå tidlig opp neste morgen, og hver morgen deretter. Med litt flaks ville vi legge dager og mil mellom oss og Rosas gruppe. Dette bekreftet vi med halve fraser og talende nikk, for utslitte til å forme hele setninger. Den frykten vi begge følte, gjorde det unødvendig å si noe.

Men så heldige var vi ikke. Da vi gikk gjennom byen for å finne et overnattingssted, oppdaget vi den første fra vår gruppe komme inn på torget. Det var baskeren Rodolfo, rød i ansiktet og utslitt etter marsjen. Han fikk øye på oss før vi rakk å dukke inn i herberget.

Han tok meg i armen. – Vi kunne hatt glede av sangen din i dag, Antonio, sa han grovt.

Han snudde seg mot Tomas. – Og ditt beroligende nærvær. Den unge mannen døde i natt, hvisket han hest.

– Renato? spurte Tomas, og denne gangen tok han tak i Rodolfos arm.

Rodolfo nikket med blikket fylt av rolig sorg.

– Men det gikk så bra med ham, sa jeg.

– Han skulle til Santiago for å be om frelse for sin far, sa Tomas som til seg selv, og husket samtalen de hadde hatt tidligere.

– De andre kommer om en time eller to. Jeg løp i forveien for å ordne med begravelsen. Vi har båret liket med oss for å holde en ordentlig begravelse, forstår dere, sa han, lettet over å dele byrden med noen. – Vil du hjelpe meg med å snakke med vertshusholderen, Antonio? Vi ble fortalt at han kunne hjelpe i slike saker hvis ikke presten var å få tak i.

Denne kjempen av en mann, med armer som trestammer, tigget meg med barneøyne. Jeg hadde skyldfølelse over å ha sviktet ham og de andre i en slik stund, og sa meg øyeblikkelig villig til å bistå ham. Siden jeg kom rett fra kirken, fortalte jeg ham at presten ikke var ventet på noen dager. Vertshusholderen fikk duge.

Flere timer senere dukket resten av pilegrimsflokken opp, bærende på liket på en improvisert båre mellom seg. Øyeblikket etter at øynene mine hadde hvilt på den døde, søkte de den levende skjønnheten blant pilegrimene. Jeg fant henne i enden av følget, strålende av rødmen etter anstrengelsen mens moren lente seg tungt mot armen hennes.

Neste dag sto vi rundt graven som Rodolfo og jeg selv hadde gravd siden graveren ikke var å se. Ettermiddagssolen hadde gitt etter for et velduftende duskregn like skjørt som et barns tårer. Regnet fuktet de gamle gravene rundt oss og farget dem mørkegrå. Lyset vi delte krympet, og skyggene krøp nærmere oss mens dagen gled over i natt. Jeg sto ved siden av Tomas med bøyd hode akkurat som ham. Jeg hørte de fordreide ordene til vertshusholderen og tvang meg selv til å be. Men jeg visste at hun sto til høyre for meg med det røde sjalet pakket rundt seg mot kulden. Med et stjålent øyekast oppdaget jeg en usedvanlig mørkhet i det ulmende blikket hennes. Jeg husket hva Renato hadde sagt den dagen Rosa sluttet seg til gruppen. Han var sikker på at han aldri hadde sett en mer tiltrekkende jente. Latteren hans var like livskraftig som hos resten av oss, selv om leppene hans forble tynne og bleke. Kanskje hadde den siste tanken før han døde vært om henne; buen i den smekre halsen og det lille smilet som kunne lyse opp en fjellrygg som hundre soler.

Akkurat da skottet hun opp og oppdaget at jeg stirret på henne, og med ett ble hun badet i et gyllent lys. Jeg så meg rundt for å se om solen hadde brutt gjennom skylaget, men skyene hadde bare trukket seg tettere sammen. Hun nikket trist til meg, som om hun ville erkjenne vår felles sorg, men jeg klarte ikke å reagere. Jeg var fengslet av dette mystiske lyset, og innså at det ikke kom ovenfra eller bak henne, men fra henne. Hun skimret som en regnbue. Overveldet av synet måtte jeg se bort, og våget ikke å se i hennes retning under resten av seremonien. Tomas hadde ikke løftet blikket fra skoene sine i det hele tatt. Han holdt seg mer trofast til sin overbevisning enn jeg.

Vi vendte tilbake til herberget etter begravelsen, med planer om å trekke oss tilbake. Tomas var kald som is, og med fornyet bekymring for hans helse dekket jeg ham med mitt teppe i tillegg til hans eget.

Jeg var sikker på at han ville sovne øyeblikkelig, og at jeg ville få litt tid til å samle tankene og forsøke å forstå den visjonen jeg hadde hatt av Rosa ved graven, men han var lys våken. – Hun var oppe hele natten. Det var derfor øynene hennes var så mørke av tretthet, sa han.

– Hva er det du snakker om, Tomas?

Han virket enda mer plaget enn dagen før. – Rodolfo fortalte meg alt mens du ordnet begravelsen. Rosa var oppe hele natten og lette etter urter som kunne helbrede Renatos feber. Hun satt ved siden av ham hele natten, og passet på at når han ønsket vann, fikk han det, og når han klaget over kulde, rusket hun i ilden. Han trakk sitt siste åndedrag i hennes armer.

Hodet mitt begynne å svimle ved tanken. – Så det var ikke blomster hun plukket i månelyset.

Tomas satte seg trollbundet opp.

– Mens vi var våkne hele natten og ba til Gud om at han måtte beskytte oss mot denne kvinnens ondskap …

– Var hun oppe hele natten og utførte Guds arbeid, fullførte jeg.

– Hva skal vi gjøre, Antonio? Når jeg lukker øynene, ser jeg ansiktet hennes, jeg ser øynene og håret …

– Jeg vet ikke, men vi kan ikke tillate oss å la frykten styre oss. Uansett hva det koster, må vi ikke miste vår sinnsro.

Den natten ba vi mer enn noen gang, og ingen av oss sov.

Señor Peregrino snudde seg mot Jamilet da han sa de siste ordene. Stillheten i rommet virket som om den pulserte i kjølvannet av historien hans. Men så oppdaget hun at de svarte øynene gransket henne der hun satt med en hånd over munnen og så ut som om hun skulle sprekke.

– Hva er det? spurte han vantro. – Ler du?

Jamilet vred seg i stolen. Hun presset hånden enda hardere mot munnen, redd for at hvis hun forsøkte å snakke, ville hun hyle av latter i stedet.

Blikket hans smalnet, og leppene strammet seg foraktelig.

– Svar meg, unge dame. Hva er det du synes er så morsomt?

Hun klarte på en eller annen måte å ta seg sammen, og senket hånden, men det var ikke mulig å fjerne det skyldbetyngete smilet. – Jeg beklager, señor. Vær så snill, du må ikke tro at jeg er respektløs. Det er bare litt morsomt å tenke på hvor redde du og Tomas var for en ung jente, uansett hvor vakker hun var.

Han spyttet nesten ut ordene. – Jeg er en gammel mann nå, men da jeg var ung, oppførte menn og kvinner seg annerledes mot hverandre. Det fantes respekt og aktelse.

– Jeg forstår, señor.

– Gjør du?

Han flirte sarkastisk, men øynene hans gransket henne fra topp til tå. – Du lever i en verden hvor det er helt vanlig for en ung kvinne å gi seg hen til enhver mann som tilbyr henne en sekspakning øl og en tur i bilen sin.

– Señor, gispet Jamilet. – Jeg ville aldri gjøre noe sånt!

Han la armene i kors og nikket som om han var tynget av for mye visdom. – Du vil spare deg selv for mye hjertesorg hvis du holder deg unna øl og gutter til du er gammel nok til å vite at det ene aldri bør forlede deg til det andre.

– Jeg er kanskje ung, og det er mange ting jeg ikke vet, men jeg er ikke som andre jenter, svarte hun med samme forakt. – Jeg liker ikke øl, engang.

Han møtte det faste blikket hennes og holdt det, men etter hvert slapp han ned armene og la håndflatene på knærne. Et øyeblikk syntes Jamilet at hun så beklagelse skygge over ansiktet hans, men han forble taus.

Hun reiste seg for å samle sammen skittentøyet, og nølte litt.

– Señor, jeg lurer på hvorfor du forteller meg denne historien?

Han strakte seg etter et papir på skrivebordet, og tillot blikket å hvile på det som om han kjærtegnet hvert ord.
– Akkurat som deg er det mange ting jeg ikke vet, selv om jeg ikke kan skylde på min ungdom.

Øynene hans ble uklare, og han vendte tilbake til papirene. Det sparsomme morgenlyset han likte best, varte ikke lenge.

16

Nå som våren var like om hjørnet, sto vinduene i señor Peregrinos rom for det meste åpne. En behagelig bris, mettet av blomsterduft og nyklippet gress, nådde opp til vinduet i femte etasje og frisket opp luften. Jamilet sto ofte ved vinduet og kikket ut. Hun kommenterte det fine været, og snakket om hvor hyggelig det ville være å rusle rundt på området og spise under skyggen av det største treet, der det tilfeldigvis var plassert ut en benk. Hun kunne ikke forestille seg hvordan noen kunne bo på ett rom i årevis, og hun visste at det ville gjøre ham uhyre godt å komme litt ut. Señor Peregrino reagerte sjelden på den slags snakk. En gang svarte han at han ville forlate rommet sitt når den utvalgte timen kom, og ikke et minutt før, uansett hvor ofte hun foreslo at han skulle gjøre det. Da Jamilet spurte hva han mente med «den utvalgte timen», sa han ingenting og rettet igjen oppmerksomheten mot papirene sine.

– Det får du tidsnok vite, mumlet han da hun trodde han hadde glemt spørsmålet.

En ettermiddag hun ryddet bort lunsjbrettet hans, merket Jamilet at señor Peregrino betraktet henne fra skrivebordet sitt mens han rullet en blyant mellom hendene. Han hadde vært usedvanlig tankefull den dagen, og spiste svært lite av både frokosten og lunsjen. Jamilet antok at han ikke følte seg så bra.

– La det der ligge og kom hit, Jamilet, sa han.

– Kjøkkenet stenger snart, señor.

– Vær så snill, sa han med et nikk. – Kjøkkenet kan vente.

Jamilet satte seg i stolen ved siden av ham. Señor Peregrino skjøv papirene han vanligvis leste til side, og trakk frem flere blanke ark fra skuffen i skrivebordet. Han snakket til Jamilet i en alvorlig tone. – Jeg forstår grunnen til tristheten din, sa han.

– Jeg er ikke trist, señor. Jeg er bare alvorlig …

Han løftet en finger. – Ikke kast bort sånt tøv på meg, unge dame. Enhver idiot kan se at du drar sorgen med deg som om du bærer på en 25 kilos vekt.

Jamilet ble sjokkert over ordene hans, og over at øynene hennes flommet over av tårer. Hun tørket øynene fort og håpet at señor Peregrino ikke la merke til tårene. Hun holdt pusten og konsentrerte seg om å holde tilbake presset som bygget seg opp bak øynene, men klarte ikke å svelge.

– Det er ingen skam i å slippe løs sorgen, min kjære, sa han vennlig. – Ingen skam i det hele tatt.

Jamilet dekket ansiktet med begge hender mens bølge etter bølge av følelser rullet gjennom henne, flommet over sjelen hennes og hamret mot ribbeina til hun knapt kunne puste. Det virket som om tårene hun hadde spart hele livet, dukket opp i dette øyeblikket. Hun var tilbake i fortiden, på vei til skolen, hos legen som erklærte at det ikke fantes en kur for merket, ved morens dødsseng, og til slutt alene i elven med kulden strømmende gjennom seg, som om alt hun visste om verden, hvert eneste glimt av håp hun hadde klart å samle opp, truet med å bli skylt bort av tåreflommen.

Jamilet snufset bak hendene, og señor Peregrino tuslet inn på badet. Han kom tilbake med en bunt toalettpapir som han la på kneet hennes. Uten å se opp tørket hun seg

201

i ansiktet og følte det som om mesteparten av livet var klemt ut av henne. Men samtidig raste også en strålende følelse gjennom kroppen hennes. Hun følte seg vidunderlig fri og lett, og da hun trakk pusten, kjentes det dypere og rikere enn det noen gang hadde gjort før.

– Føler du deg bedre? spurte han.

Jamilet nikket og så seg om etter et sted hun kunne kaste papiret.

Señor Peregrino tok det fra henne og hev det i papirkurven under skrivebordet. – Ingen grunn til tårer. Jeg skal hjelpe deg.

Han snudde seg mot de blanke arkene på skrivebordet og la dem i pen rekkefølge. Jamilet så at sidene ikke var helt blanke, men at det sto en bokstav i hvert hjørne. – Vi begynner i dag og setter av en time eller to hver dag, slik at du lærer å lese og skrive.

Hun stirret på ham i flere sekunder, ute av stand til å si noe.

– Passer dette opplegget for deg?

Jamilet nikket, rystet og beveget av alt som akkurat hadde skjedd. – Vil du gjøre det for meg?

– Jeg sa jo at jeg ville betale deg tilbake for ditt gode arbeid, og jeg holder mitt ord.

De begynte første leksjon øyeblikkelig. Señor Peregrino ba henne gjenta bokstavene i alfabetet etter ham. Jamilet følte seg så ivrig og klossete, og så overveldet av takknemlighet at hun snublet av og til, men mot slutten av uken kunne hun alfabetet utenat både på engelsk og spansk. Hun hadde også begynt å kopiere bokstavene ved siden av hans eksempler ganske bra. Selv om han til tider var utålmodig, hadde señor Peregrino tydelig glede av elevens fremgang. Det beste arbeidet hengte han på veggen ved skrivebordet, og det verste krøllet han sammen og kastet i papirkurven med et «Huff». Det var dager da papirkurven var full av papir, men for det meste ble stillheten bare avbrutt av de myke lydene av ark som knitret på veggen når brisen fant veien inn gjennom det åpne vinduet.

Etter undervisningen var señor Peregrino ofte i humør til å fortsette med historien, akkurat som han gjorde etter den første leksjonen. Jamilet var takknemlig for muligheten til å hvile hjernen litt.

Blikket hans myknet mens det fokuserte på et hjørne av taket.

– La oss se nå, hvor var jeg? sa han. – Å ja, det stedet hvor du syntes to unge menns pine var så komisk.

– Jeg ba om unnskyldning, señor.

– Ja, ja, selvfølgelig, sa han og viftet bort hele saken, for han gjorde sitt beste for å huske hvor han hadde stanset.

Jamilet trakk stolen nærmere. – Tomas fikk ikke sove, sa hun. – Du fortalte ham at uansett hva det kostet, måtte dere beholde kontrollen og ikke miste fatningen.

– Å ja, sa han, tydelig imponert. – Ungdommens aldri sviktende hukommelse.

Rosa ble vakrere i våre øyne for hver dag som gikk. Jeg våknet hver morgen og takket Gud for at han hadde gitt meg en ny dag med henne, kanskje ville vi utveksle et ord eller to til hilsen. Når hun var nær, kjente jeg verken sult eller tørst, varme eller kulde, bare en merkelig vibrasjon i hele kroppen, som om en usynlig dirrende streng knyttet hennes sjel til min.

Jeg holdt disse tankene for meg selv; jeg ville ikke at Tomas skulle vite at jeg nå var et villig offer, og ikke lenger like plaget som ham. Hvis Rosa gikk forbi for å fylle feltflasken i brønnen, sluttet han nesten å puste i et forsøk på å stå imot henne. Jeg klarte ikke å la være å le i disse øyeblikkene.

– Du har kurert meg, min venn, sa jeg mens vi gikk side om side. – Du er blitt det speilet jeg så sårt trengte, og jeg forstår nå at det ikke er noen grunn til å være så elskovs-syk.

Jeg begynte å synge igjen. Det var mange som gikk sammen med oss de lange milene for å høre min musikalske hyllest til alle pilegrimer, hver med sin spesielle grunn til å gå den samme veien, som var blitt nedslitt og herdet av pilegrimer gjennom tusen år. Da vi nærmet oss midtpunktet for reisen vår, ble vi forbløffet over den fantastiske flatheten i det kastiljanske platået foran oss. Landskapet var fullt av røde tak, som ble enda flere jo nærmere vi kom den store og velstående byen Burgos.

–Milene går fort unna når du synger, sa Rodolfo.

Han var ikke lenger så stor og kraftig som da han begynte på reisen. Vandringen hadde ført til at han hadde mistet femten kilo, men armene var fortsatt massive, og nakken hans like tykk som lårene hos andre mennesker. Rosa befant seg også i nærheten. Jeg visste at hun likte sangen min, men hvis jeg merket at hun gikk i takt med rytmen i melodien, banket ikke hjertet mitt hardere av den grunn. Jeg takket Gud for friheten jeg følte. I motsetning til Tomas kunne jeg se på henne og fortsatt huske navnet mitt og hvor vi var på vei.

Overalt hvor vi stanset for å hvile, endret pilegrimsgruppen seg. Noen pilegrimer sakket etter på grunn av skader, eller rett og slett utmattelse. Andre kortet ned på hvilepausen for å slutte seg til vår gruppe fordi de ønsket å være en del av den glade stemningen som omringet oss. Noen ganger studerte unge menn pilegrimene som passerte, av årsaker som hadde lite med gudfryktighet å gjøre, og alt å gjøre med deres ungdommelige lyster som ble oppildnet av ensomheten på veien. Heldigvis for oss kledde Rosa seg ærbart. Siden hun alltid gikk med hodet tildekket av det røde sjalet, ante ikke disse lykkejegerne noe om den sjeldne juvelen blant oss.

Men en ettermiddag hamret solen så intenst ned på oss at hun ble tvunget til å bære sjalet rundt hoftene. Hele hennes skjønnhet var til skue for alle som gadd å se. Jeg tør påstå at selv fuglene fløy langsommere over oss, som om de ville sette pris på den usedvanlig fullkomne kvinnen i vårt følge.

Vi ankom Burgos midt på dagen, da heten var på det verste. Til tross for vår tørst og utmattelse fant vi veien gjennom labyrinten av gater frem til byens berømte katedral, større og flottere enn noen annen vi hadde sett før. Vi forfrisket oss i en fontene beregnet for pilegrimer, noe som kom tydelig frem av relieffet av kamskjell rundt foten. Kamskjellsymbolene viste alle pilegrimer veien til herberger og spisesteder langs strekningen de vandret.

Først la vi ikke merke til soldatene som dovnet seg i skyggen på katedraltrappen, men da vi oppdaget dem, trakk den lille gruppen vår seg nærmere og rundt Rosa, som en hjord som beskyttet ungen sin. Men vi var ikke raske nok. De begynte å røre på seg nesten med en gang, dyttet i hverandre, og skottet mot oss. De var som sultne løver som vurderte stillingen før et angrep. Det tok ikke lang tid før de slo til.

Noen øyeblikk senere hørtes lyden av tunge støvler som hamret over torget. De grå uniformene deres var skitne av veistøv, men pistolene og sverdene som hang i beltene, strålte i solen. Tre av dem gikk mot fontenen. Øynene glødet mot målet, Rosa, mens de fnøs av resten av oss, som om vi var strå som kunne kastes til side. Tomas skalv nesten da lederen, en høy, blond mann med skuldre like brede som bredden mellom to oksehorn, nærmet seg først. De to andre sto bak og flirte idet resten av soldatene trakk seg tilbake til en kafé like i nærheten, klare til innsats mens de betraktet skuespillet fra bordene.

Rosa hjalp moren med å vaske seg i fontenen, som vanlig helt uvitende om rabalderet hun forårsaket. Vi ble alle bekymret da vi oppdaget at soldaten tydeligvis planla å henvende seg direkte til henne. Det var ikke god skikk for en mann å snakke til en kvinne med mindre de var ordentlig presentert for hverandre. Spesielt ikke på et offentlig sted. De eneste kvinnene som ble tilsnakket så avslappet, var kvinner som ... vel, forretningskvinner, om man kan si det sånn.

Ordene hans skremte henne, og hun mistet det røde sjalet på bakken. Soldaten nølte ikke med å plukke det opp. Med et klikk med hælene rakte han det til henne. Hun tok imot med et nikk, samtidig som kinnene hennes rødmet nydelig. Oppmuntret lente han seg frem, usikker på hvilken del av henne han skulle fortære først. Han strakte ut en hånd og rørte ved håret hennes. Tomas stønnet. Min egen mage hoppet, og jeg ble bevisst på noe som ulmet dypt inni meg, noe ukjent, men våkent.

Rosa tok et skritt bakover, og håret hennes gled ut av hånden hans. Det virket som om ubehaget hun viste moret ham, og han benyttet anledningen til å beundre henne fra denne nye vinkelen. Rosas mor tok tak i datterens arm og dro henne bort. Men de kolliderte nesten med en annen soldat, som hadde ventet i tilfelle hans tjenester ble påkrevd. Selv om vi ikke kunne høre hva de sa, snakket han tydeligvis til den eldre kvinnen på vennlig vis. Han bukket for Rosas mor og klarte å engasjere henne i en samtale, noe som ikke var så vanskelig. Og med morens oppmerksomhet avledet, gjorde den blonde mannen et nytt fremstøt. Han pekte på bordet kameratene hans allerede hadde sikret seg. Han ville at hun skulle dele et glass vin med ham, kanskje litt lunsj. Rosa avslo invitasjonen med en stjålen hoderisting. Hun hadde ryggen mot oss, men jeg kunne forestille meg ansiktet hennes, skinnende og glatt som månen, øynene glitrende grønne. Hun kunne trollbinde en eneboer med et halvt smil, eller et kast med sine utsøkte skuldre.

Soldaten begynte å smelte foran øynene våre. Munnen hans gapte som om han hadde fått et plutselig slag, og pannen ble blank av svette. Han skalv i støvlene mens den søte, melodiske stemmen hennes kanskje kom med unnskyldninger, eller nervøst forklarte at hun måtte bli hos sin syke mor. Litt mer selvsikker la hun det røde sjalet rundt skuldrene, slik at håret ble fanget av det. Deretter senket hun hodet og gikk sin vei. Jeg hadde sett henne ende mange samtaler på denne måten, og hver gang ble den hun snakket med, stående og lure på om han eller hun hadde pratet med en engel. Men denne unge mannen var ikke vant til å bli satt på plass av en bondejente, uansett hvor vakker hun var. Da hun snudde seg, grep han tak i sjalet hennes og trakk det ertende bort. Øynene hennes lynte da hun snurret rundt.

Tomas, som dirrende mumlet sin misbilligelse over hele opptrinnet, reiste seg. – Vi må gjøre noe, Antonio, sa han.

Jeg så meg om på torget. Hver eneste soldat og pilegrim fulgte med på dansen mellom Rosa og soldaten. Hun strakte seg etter sjalet, han strakte seg etter hånden hennes. Hun forsøkte å få sjalet igjen, han kom nærmere. Hun gikk unna, han la den ledige hånden på albuen hennes. Hun protesterte, han lo.

Tomas kastet seg ut på torget, og snublet nesten i føtter som var tomme for krefter etter den tretti kilometer lange vandringen.

– Nok! ropte han.

Soldaten tok seg tid til å granske Tomas. Et ironisk glis glimtet over det finmeislede ansiktet hans da han beregnet at han sannsynligvis var 25 kilo tyngre. Jeg tvilte ikke på at han kunne drepe Tomas hvis han ble provosert nok. Med et slag av sverdet sitt kunne han hugge hodet hans i to. Jeg ble overveldet av beundring for Tomas' mot, og sluttet meg til ham.

Soldatene som satt ved bordene reiste seg, og pilegrimene som så på fra utkanten, trakk nærmere. Det virket med ett som om en skygge falt over torget. Raskere enn noe øye kunne få med seg, slo soldaten til med pistolen sin. Tomas falt på bakken. Soldaten stilte seg over Tomas med pistolen, og ventet for å se om Tomas ville lage flere problemer for ham. Det virket som om han var rede til å bruke våpenet på ordentlig neste gang hvis han måtte, for han stakk det ikke ned i hylsteret igjen. Jeg stilte meg mellom Tomas og soldaten, samtidig som Rosa falt på kne bak meg for å ta seg av ham. Soldaten avfeide ikke meg like lett som han hadde avfeid Tomas. Jeg var høyere enn soldaten, og selv om skuldrene mine ikke var like brede som hans, var jeg sikker på at besluttsomheten han leste i blikket mitt, gjorde dem like brede som torget.

– Vi vil ikke ha problemer, sa jeg rolig.

– Det er ikke problemer jeg er ute etter.

Han skottet ned på Rosa, som hadde klart å hjelpe Tomas opp i sittende stilling. – Hun forteller meg at hun ikke er gift, så jeg fornærmer ingen. Denne mannen utfordrer meg, sa han og stakk frem haken.

Jeg forsto hva han mente. Det var en kjensgjerning at en kvinne som reiste uten en ektemann eller en mannlig slektning til å passe på seg, nærmest erklærte sin tilgjengelighet. Det var helt utrolig at det var første gang hun hadde støtt på dette problemet på reisen.

Hvor mine neste ord kom fra, vet jeg ikke. Det var som om de ble klekket ut på tungen min av en usynlig kraft. Alt jeg kunne gjøre, var å spytte dem ut, eller svelge dem. – Hun er ikke gift, det er sant, sa jeg. – Men hun er ikke uten familie. Jeg stoler på at du forstår en brors ønske om å beskytte sin søsters ære. Selv om det innebærer å konfrontere en svært overlegen motstander.

Soldatens ansikt ble tomt. – Broren hennes?

Jeg snakket høyt for å være sikker på at Tomas og Rosa hørte meg. – Ja, de er bror og søster. Som du kan se, står de hverandre meget nær.

Da hun hørte denne talen, falt Rosas mor på bakken for å delta i dette spontane tablået, der hun var det uttrykte bildet av Jomfru Maria med den døde Jesus i armene. – Å, min sønn, min sønn. Hva har du gjort mot min sønn?

Hun grep tak i Tomas' skuldre med begge hender og trakk ham til brystet som om han skulle være et diende spedbarn.

Soldaten fant scenen avskyelig. Han stakk pistolen i hylsteret og spant rundt for å sette seg hos kameratene sine. Vi satt i motsatt ende av torget under lunsjen, men øynene hans forlot aldri Rosas ansikt.

17

Jamilet var akkurat ferdig for dagen, og var på vei ned bakken da hun fikk øye på Eddie, som lente seg mot sykehusets gjerde. Han hadde hendene i lommene, og hodet hang. Selv om han sto med ryggen vendt mot henne, visste Jamilet at det var ham. Det var umulig å ta feil av det mørke håret som krøllet seg litt i nakken, de lange armene og den brede ryggen. Hjertet hennes hamret. Instinktivt gransket hun gaten for å se om Pearly var i sikte. Men Pearly var fortsatt på jobb. Hun kom ikke hjem før lenge etter klokken seks om kvelden, og nå var den så vidt fem.

Jamilet hadde gjort som tanten sa. Det var en måned siden angrepet, og bortsett fra et glimt i øyekroken når hun gikk inn i huset, hadde hun ikke sett ham siden hun knelte på gresset og kikket opp på ham som om hun ble tatt på fersk gjerning i å gjøre sitt fornødne i all offentlighet. Hun husket hvordan han om og om igjen ba Pearly roe seg ned, stemmen hadde vært som en fløyelsmyk hvisken. Jamilet hadde hørt menn snakke sånn når de skulle temme en villhest. Det virket som om det også hjalp på Pearly, selv om neseborene hennes hadde dirret da han trakk henne bort.

Magen hennes ble varm og stram ved minnet. Å se Eddie på denne måten var nesten som et mirakel, men hun ønsket ikke å møte skammen igjen. Hun stanset og lurte på om hun skulle forsvinne inn blant trærne. Han måtte gå om omtrent førti minutter hvis han skulle rekke Pearlys hus i tide. Plutselig, som om han sanset at hun var der, snudde han seg. Han grep tak i gjerdet og viste med et hodekast at hun skulle komme nærmere. Hun hadde ikke noe valg. Beina beveget seg uten hennes tillatelse.

Når de sto nær nok til å snakke, klarte ikke Jamilet å finne på noe å si. Det slo henne at han kanskje ikke ventet på henne i det hele tatt. Kanskje han hadde bestemt seg for å stanse her og beundre trærne og det bleknende lyset mellom greinene. Kanskje hun bare skulle gå rett gjennom porten og fortsette å gå, men hun ble stående hvor hun var, og forsøkte hardt å ikke drukne seg i nærværet hans. Men hun måtte puste, og da hun gjorde det, trakk hun inn duften av såpe og mint-tannpasta, og døde litegrann.

Han renset halsen. – Hvordan går det med gærningene?

Jamilet forsøkte å etterligne det lette smilet hans. – Bra, sa hun.

– Du er ikke redd når du jobber på det gufne stedet?

Jamilet la armene i kors, slapp dem ned, ristet på hodet og smilte fårete.

Eddie nikket og stakk hendene i lommen. Smilet var borte.

– Når det gjelder sist. Jeg vil at du skal vite at det var Pearlys søster som fortalte henne det, ikke jeg, sa han. – Jeg tror hun så oss på biblioteket, eller noe sånt. Jeg beklager hvis hun skadet deg, for jeg vet hun slår hardt.

Jamilet så på ham gjennom gjerdet med store og sårbare øyne. Ved å komme med en så klønete unnskyldning, ble han mer enn bare vakker i hennes øyne. Det fylte henne fullstendig. Varmen som omringet dem, kjentes på samme tid både trygg og atskilt fra resten av verden. Og i dette perfekte øyeblikket håpet hun å oppklare noe som hadde forundret henne.

– Hvorfor er Pearly så sjalu? spurte hun. – Jeg trodde ikke jenter som henne ble sjalu i det hele tatt.

– Alle jenter er sjalu.

– Hvordan vet du det?

– Fordi jeg kjenner mange jenter, og de er alle sjalu. Spesielt hvis den jenta de tror er ute etter typen deres, er pen. Da blir de sinnssykt sjalu, og gjør vanvittige ting som å dra til folk de ikke kjenner midt på gaten.

Eddie kikket først til høyre, så til venstre. Han skrapte med skosnuten i bakken, som om han ble forvirret eller lette etter en måte å avslutte samtalen på. Han ble stille. Øynene hans brant av frykten som ulmet i dem.

– Hvordan visste du det? spurte han. – Hvordan visste du at moren min er syk?

Jamilet klarte ikke å finne en måte å forklare det på, hvordan det hadde kommet over henne den ettermiddagen på biblioteket, eller hvordan det hadde seg at i årenes løp hadde hun lært seg å lese uttrykket i folks ansikt slik de fleste leste en bok. Det var bare en følelse som fylte henne, på samme måte som smerten hans fylte henne akkurat nå.

– Jeg bare visste det, sa hun etter en stund.

Han nikket. Behovet for å snakke var sterkere enn behovet for å forstå. – Hun har kreft. Den er på et sted de ikke kan fjerne noe ... leveren.

– Så trist, sa Jamilet og følte seg både dum og klossete. Hun klarte ikke å tenke på noe som kunne være riktig å si.

– Ja, det synes jeg også, sa han og skakket på hodet.
– Det er jævlig trist.

Han trakk på skuldrene, sa raskt ha det, og forlot henne. Han trakk opp skuldrene som om han gikk inn i en storm. Jamilet ventet til han var halvveis nede i gaten før hun begynte å gå hjemover. Hun så skjorteflakene hans flagre bak ham for hvert skritt han tok, og hvordan han dyttet til knappen i lyskrysset med albuen så han ikke trengte å ta hendene ut av lommen.

Da hun mistet ham av syne, spilte hun scenen om og om igjen i hodet. Mest for å overbevise seg selv om at den var sann, og ikke en av hennes egne fantasier. Når hun tenkte på hvordan gode, vakre Eddie led, skar tristheten hun følte et dypt sår i hjertet hennes, som allerede verket etter konfrontasjonen med Pearly. Smerten var så intens at den nesten var uutholdelig. Flere ganger snublet hun og forestilte seg at hun sto på kanten av en klippe, rede til å hoppe ut i dypet av noe hun ikke forsto. Og så slo den fantastiske og utrolige sannheten ned i henne. Eddie syntes hun var pen. Pen nok til å fremprovosere «sinnssyk sjalusi». Det var hun nesten sikker på. Hun gned seg på kjeven med tommelen for å lete etter smerten som nylig hadde begynt å gjøre mindre vondt, bare for å overbevise seg selv om at det hadde vært virkelig. Da hun fant det ømme punktet, var hun nesten overbevist om at hun aldri hadde vært lykkeligere eller mer ulykkelig i hele sitt liv.

Jamilet fikk et brev av mrs. Clarke som hun la sammen med señor Peregrinos frokost. Da han fikk det, åpnet han det øyeblikkelig og leste det tre eller fire ganger før han pustet igjen. Hodet hans falt tilbake på puten, og han mumlet raskt noe som hørtes ut som en bønn. Øynene hans var blanke av tårer.

– Jeg håper det er gode nyheter, señor, sa Jamilet, mest for å minne ham på at hun fortsatt var i rommet.

Han snudde seg sakte mot henne. Gleden strømmet ut av øynene hans, hele hans vesen var fylt av undring. Han rettet seg opp i sengen og brettet brevet omhyggelig sammen. – Tror du på mirakler, Jamilet?

– Magi, mener du?

– Det jeg mener, er hendelser, sa han. Det rykket i ansiktet hans. – Uforklarlige og fantastiske hendelser som utfordrer meningen med livet ditt og din hensikt i det. Bedre enn alle dine drømmer.

Hun svarte spakferdig. – Jeg har aldri tenkt på det på den måten, señor.

– Vel, tenk på det, sa han og så ut som om han var på nippet til å le som en galning. – Hva annet har du å tenke på? Hva annet har noen å tenke på?

Jamilet forsøkte å late som om hun tenkte over saken, men hun holdt et våkent øye med señor Peregrino. Han oppførte seg besynderlig nok til å vekke engstelse hos henne. Det eneste hun kunne tenke på når hun tenkte på mirakler, var merket, og håpet om en dag å bli kvitt det. Et håp som var sterkere enn noe annet.

– Jeg vil gjerne tro på mirakler, señor, sa hun varsomt.

– Du vil gjerne tro på mirakler, hva? Vel, la meg fortelle deg at for å kunne åpne mine øyne hver morgen og se på verden, *må* jeg tro.

Jamilet nikket som om ordene var til å begripe.

Han blunket glad. – Hva om jeg fortalte deg at jeg har funnet et mirakel til deg?

Jamilet var målløs. – Jeg vet ikke, señor. Jeg ville vel takke deg …

Han klukket og viftet med en hånd. – Du tror at jeg bare er en gammel gærning, men snart, når den utvalgte timen kommer, vil du oppdage at jeg ikke er så gal likevel.

Han sukket og brettet brevet sammen igjen, la det forsiktig inn i konvolutten. Hele tiden glitret øynene hans gåtefullt. – Jeg tror jeg skal fortsette historien min nå, sa han. – Undervisningen din kan vente til senere. Sett deg, sett deg, kommanderte han.

Hun adlød, litt lettet over at denne underlige samtalen var over.

– Vel, sa han. – Hvor var vi?

– Soldaten, brast det ut av Jamilet, glad for å komme med noe nyttig. – Den blonde soldaten var forelsket i Rosa.

– Forelsket? spurte señor Peregrino og hevet øyebrynene.

Jamilet ga seg ikke. – Han klarte ikke å slutte å se på henne fra den andre siden av torget. Han kunne ikke flytte blikket fra henne.

– Er det kjærlighet, Jamilet?

Hun tenkte alvorlig over det. – Kanskje det er mer som et frø. Hvis det får vann og lys, kan det vokse til kjærlighet, sa hun sjenert.

– Interessant. Jeg har aldri hørt det forklart på den måten før, sa han.

De svarte øynene lyste for hvert ord. Og den spanske dagen vokste frem rundt dem.

Det virket som om hveteåkrene strakte sine gylne fingre mot himmelen, som om kornaksene vokste i det uendelige mens de hvisket hemmeligheter til de slitne pilegrimene som ruslet forbi. En etter en gled kilometerne unna, uten annen variasjon enn en og annen kirke som klynget seg fast på en nesten umerkelig bakketopp. Når vi nærmet oss landsbyene, fikk vi øye på dueslagene på jordene, og de store dueflokkene. Mens de monotone omgivelsene lullet de fleste av oss inn i en transe, gikk Tomas inn for rollen som beskyttende bror med ukarakteristisk entusiasme. Rosas mor var svært så takknemlig for å ha fått en sønn. Hun bablet ustanselig om det. Jeg tror at til og med Tomas' grenseløse tålmodighet ble satt på prøve.

Når vi tilbrakte tid sammen med mor og datter på denne måten, var det ikke vanskelig å forstå hvorfor Rosa var en så rolig jente. Hun måtte utvilsomt vente i dager, kanskje uker, for å få en mulighet til å smette inn et ord eller to. Likevel tålte hun moren med vennlighet. Ingen kunne tro at hun følte det minste tegn til irritasjon når hun fikk beskjed om å dekke ansiktet mot veistøvet, gå forsiktig over løse steiner, eller drikke langsomt, ellers ville hun få vondt i magen. Disse advarslene, og mange andre, fyrte moren konstant av mot datteren, og Rosa adlød uten et ord. Ansiktet var alltid rolig, og avslørte nesten ingen følelser. Det var umulig å vite hva hun tenkte, og absurd å tro at hun hadde andre følelser for meg enn den samme vennligheten hun viste alle andre.

Et par ganger hadde hun oppdaget at jeg så på henne. Jeg ble litt forvirret, men tok meg raskt sammen ved å spørre henne om hun ville at jeg skulle synge. De eneste gangene Rosas mor tidde, var når hun sov, eller når jeg sang. Derfor ble vi fire sjelden sett uten hverandre. Tomas med sin nye familie, og jeg, den gode vennen som passet på dem alle.

Det gikk ikke lang tid før Tomas' besettelse for Rosa gikk over i tilbedelse. Han nevnte ikke lenger sin hengivenhet for kirken, og jeg kunne sverge på at han begynte å legge litt på seg. Klangen i stemmen mørknet litt, et par ganger kjente jeg ikke stemmen hans igjen. Han likte å fortelle Rosa om livet sitt hjemme i landsbyen, om de store landområdene som familien hans eide, og den fine, broderte duken de brukte selv til enkle måltider, som alltid inkluderte kjøtt. Rosa lyttet og nikket høflig, men virket ikke imponert.

Moren, derimot, siklet nesten, og overlot mer enn villig kontrollen over samtalen til Tomas så snart det angikk hans families eiendommer. Hun stakk armen under hans og lo av noe han sa som ikke nødvendigvis var morsomt. – Du er slik en dyktig, ung mann, sa hun glad. – Jeg har alltid sagt at en mann med muskler i hodet er mye mer interessant enn andre menn. Er du ikke enig, Rosa?

Som alltid svarte Rosa moren med fornuftig forsiktighet.

– Jeg setter pris på omtenksomhet hos både menn og kvinner, mor.

Doña Gloria klukket og gikk fortere. – Det er nesten som om det er meningen at du skal være min sønn, Tomas.

Mer enn en gang snakket Doña Gloria til meg ved de sjeldne anledningene da verken Rosa eller Tomas kunne høre oss. Jeg husker spesielt en gang jeg fylte feltflasken min fra brønnen. Hun dukket opp bak meg og skremte meg. – Er det sant, alt det Tomas sier om sin familie og deres posisjon? spurte hun med forvridd munn, som om vi var medsammensvorne.

Jeg klarte ikke undertrykke min indignasjon. – Jeg kan forsikre deg, Doña Gloria, at rik eller fattig, så er Tomas en ærlig mann.

– Ja, selvfølgelig, sa hun og forsøkte å berolige meg med en moderlig stemme. – Men jeg er sikker på at du forstår at en mor må passe på sin datter, spesielt når hun er så vakker som Rosa. Du aner ikke hvilke fantastiske historier jeg har hørt. Det er som om menn blir verdens verste løgnere bare de kaster et blikk på henne.

Hun lo, og slo seg for munnen med nok styrke til å slå ut et par tenner, og hun hadde ikke mange til overs.

– Jeg har planlagt hennes skjebne i mange år, hvisket hun etter å ha samlet seg litt.

Jeg var fristet til å fortelle henne at bare Gud kunne bestemme skjebnen, men jeg hadde ikke noe behov for å havne i en filosofisk diskusjon. Jeg fylte feltflasken min og forholdt meg taus.

– Jeg forsøkte å overtale Rosa til å la være å foreta denne dumme reisen, ved å fortelle henne at Gud lytter til bønnene hennes uansett hvor hun ber, men hun ville ha reist med eller uten min tillatelse. Å ja, hun er sta, sa hun som reaksjon på mine hevede øyebryn, for jeg ble overrasket over å høre at Rosa var noe annet enn lydig. – Hun virker spak og føyelig det meste av tiden, men tro du meg, når hun bestemmer seg for noe, kan ingen stanse henne.

– Hvorfor er det så viktig for datteren din å fullføre pilegrimsvandringen? spurte jeg.

Doña Gloria blåste opp kinnene og fiklet med feltflasken sin. Hun mistet den nesten. Det var den eneste gangen jeg så henne i beit for ord. – Hvorfor er det viktig for noen? spurte hun og lot meg være alene med jobben min.

Da vi la frem sengetøyet den kvelden, glødet Tomas bokstavelig talt. Rosa hadde kommet inn i spisesalen med fuktig hår etter å ha vasket det. Hun kunne valgt flere plasser ved bordet, inkludert stolen ved siden av meg, men hun valgte å sette seg ved siden av Tomas. Han gjenga måten det skjedde på flere ganger. – Tror du hun liker meg? spurte han.

– Det tviler jeg ikke på.

Tomas smilte, ute av stand til å skjule gleden. – Når jeg tenker på hvordan vi begynte denne reisen, er det et mirakel for meg. Du var den som var fortapt, og nå går jeg i de samme skoene du hadde på deg, bortsett fra … jeg tror ikke at jeg har mistet veien i det hele tatt, Antonio. Jeg tror jeg har funnet den.

– Jeg er ikke sikker på at jeg forstår, min venn.

Tomas stirret opp i taket med glassaktige øyne. – Det er ikke meningen jeg skal bli prest. Det var meningen at jeg skulle bli forelsket i Rosa, og hun i meg.

Hver natt trakk han teppet helt opp til haken og snakket som et barn, full av løfter, ivrig etter å møte neste dag og alt hva den kunne bringe. Så overrasket han meg med noe nytt.

– Jeg frykter at uansett hvor mye jeg elsker og ærer Rosa, kan jeg ikke stole på meg selv når jeg er alene med henne. Jeg takker Gud for at vi er omringet av våre følgesvenner når vi går arm i arm og spiller bror og søster.

218

– Hva er du redd skal skje hvis dere er alene? spurte jeg.

Jeg følte meg skyldbetynget, for jeg visste svaret på spørsmålet mitt bedre enn ham. Jeg forsto den indre ilden som brenner skarpere enn rasjonell tanke, som egger viljen og kjødet mot det mest intime av alle begjær.

Stemmen hans skalv. – Jeg er redd jeg skal tvinge min berøring på henne.

– Og så ..., sa jeg og følte meg som djevelen selv.

– Hun vil gi etter, og tillate meg å røre ved kinnet og håret hennes, kjærtegne henne som en virkelig elsker. Hun vil presse leppene mot mine, og omfavne meg.

Jeg forholdt meg taus, sydende av skam etter å ha lyttet til slike fantasier, som for mine ører hørtes like rene ut som en preken fra prekestolen. Til sammenligning var mine tanker mer enn perverse; like ville som de galiciske fjellene som ventet oss ved slutten av reisen. I mine drømmer hadde jeg tatt Rosa til min seng utallige ganger. Jeg forestilte meg hvordan ankelen hennes førte til kneleddet, den utsøkte lengden av låret hennes og den enestående mykheten etter det. Mang en ettermiddag hadde jeg lagt mitt trette hode på hennes varme bryst, og sovet som en kjerub som fløt blant skyene, eller så ble vi like hemningsløse som to slanger som vrir seg i gresset. Jeg aksepterte lysten min på samme måte som jeg aksepterte gnagsårene på mine føtter og verkingen i beina; som noe jeg måtte akseptere som utenfor min kontroll hvis jeg skulle kunne fortsette vandringen.

Vi var kommet nesten halvveis på reisen vår. Jeg drømte ikke lenger om å stå i skyggen av den store katedralen og knele foran den gylne prakten til apostelens krypt. Det var sant at jeg var befridd fra den smertefulle besettelsen jeg følte for Rosa, men jeg følte ingen sterkere overbevisning for kirken av den grunn. Jeg lengtet heller ikke lenger til tryggheten hjemme, eller etter å oppleve spennende, store eventyr i utlandet. Jeg var fornøyd med å være en pilegrim på vandringsveien som tok hver dag og hvert skritt som de kom.

Duften av hvitløk og løk som surret i olje, fylte kjøkkenet da Carmen kom hjem litt tidligere enn vanlig. Jamilet var opptatt med å hamre enden av en ølflaske mot et kjøtt-stykke som lå på kjøkkenbenken. Lyden av Carmens sko som havnet i hjørnet av rommet, fikk henne til å bråstan-se med flasken i luften.

– Jeg hørte ikke at du kom, tía, sa hun.

Carmen var allerede ved kjøleskapet. – Det er ikke noe rart, sånn som du bråker.

Hun gulpet i seg ølet og viftet med en finger. – Ikke bry deg med å lage middag i kveld. Louis og jeg tar deg med ut for å feire bursdagen din.

Jamilet satte fra seg flasken og tørket hendene på forkleet.

– Jeg hadde bursdag forrige uke.

– Og så da? Har du aldri hørt ordtaket «Bedre sent enn aldri»?

Jamilet satte bort kjøttet og grønnsakene til middag neste dag, og ble stående litt rystet og forvirret på kjøkke-net. Hun hadde egentlig aldri feiret bursdagen sin før. Gabriela hadde alltid ment at det å markere fødselsdager var en syndig feiring av selvnytelse, for ikke å si uøkono-misk. Det meste noen fikk på bursdagen der i gården, var et sukkerbrød som måtte deles i fire.

Uten å vite hva hun skulle finne på, tok Jamilet opp-vaskhåndkleet og begynte å tørke over benkene mens Carmen så på.

– Herregud, vil du slutte å vaske? sa hun. – Jeg sa det jo til deg. Vi skal ta deg med ut, så du kan kjøpe noe å ha på deg. Det kan hende vi treffer på noen jeg kjenner, og jeg vil ikke de skal tro at niesen min er en wetback uten smak.

Med et nølende smil gikk Jamilet inn på rommet sitt og skiftet til det eneste hun hadde – den lilla, langermede skjorten Louis hadde gitt henne, og et par jeans som hun bare brukte i helgene. Hun vasket ansiktet og børstet håret, som nå var så langt at det gikk an å skyve det bak ørene, før hun tuslet ut i stuen igjen. Hun følte seg sjenert og rød i ansiktet. Louis hadde akkurat kommet, og løftet en øl i været som hilsen da hun kom inn på kjøkkenet.

– Hun kan se fin ut, hva? sa Carmen stolt til Louis, som bare kunne si seg enig med et nikk og et blunk.

Han sa ingenting om skjorten. Carmen begynte å rote gjennom vesken sin mens hun mumlet for seg selv, og fant endelig frem en leppestift. Uten å spørre grep hun tak i Jamilets ansikt. – Gjør sånn, sa hun og spisset leppene.

Jamilet gjorde som hun fikk beskjed om, og lukket øynene. Hun trakk inn duften av den voksaktige parfymen fra stiften mens Carmen jobbet. Deretter presset Jamilet sammen leppene og kjente den kremete mykheten gli mellom dem. Sminken smakte litt bittert, selv om den ikke var ubehagelig.

Hun åpnet øynene og oppdaget at Carmen og Louis gransket henne som om de aldri hadde sett henne før. – Det er helt utrolig, hva? sa Carmen til Louis.

Han nikket og åpnet en ny øl. – Den leppestiften ser veldig bra ut, sa han.

Carmen tok tak i Jamilets skuldre og snudde henne rundt.

– Kom igjen, jente. Jeg skal vise deg noe.

Hun førte henne bort til baderomsspeilet og sto bak henne mens de begge studerte Jamilets speilbilde. De så på et ovalt ansikt med glatt, honningfarget hud og store øyne – mørke og fryktelig triste. Jamilet syntes den rosa leppestiften fikk munnen hennes til å virke for stor og malplassert i et ansikt hvor alle fargene varierte mellom svart og solbrunt.

– Hva ser du? spurte Carmen.

– Min mors tristhet, svarte Jamilet øyeblikkelig.

Carmen ristet Jamilets skuldre. – Vet du hva? Hvis jeg hadde ditt ansikt og din figur, ville jeg pyntet meg hver dag og danset hver kveld. Jeg ville vist frem hva Gud hadde gitt meg til jeg var for trøtt til å røre meg. Da ville jeg kanskje dø ung, men jeg ville dø lykkelig.

– Men merket, tía ...

– Jeg snakker ikke om merket, bjeffet Carmen. – Jeg snakker om deg.

Fordi hun hadde lagt seg litt sent etter en flott bursdagsfeiring, kom Jamilet noen minutter for sent på jobb og gikk rett til kjøkkenet for å hente señor Peregrinos frokostbrett. Da hun kom inn på rommet hans, hilste hun to ganger på ham, men han svarte ikke. Han arbeidet intenst med et eller annet på skrivebordet sitt. Hun la merke til at han hadde tatt bort alt arbeidet hennes fra veggen, noe som tydet på at han forberedte en ny utfordring. Jamilet sukket. Uansett hvor mye hun satte pris på hans engasjement når det gjaldt utdannelsen hennes, ønsket hun at han ikke alltid var en så krevende lærer. Forrige uke hadde han blitt sint da hun ikke klarte å uttale «th»-lyden slik han ville det, og hadde kastet blyanten sin tvers gjennom rommet.

Jamilet satte rolig brettet på nattbordet, og utførte sine plikter på badet. Hun gjorde seg klar til å gå da han snurret rundt og snakket til henne. – Hva er dette? Ikke noe «God morgen» og «Har du sovet godt?»

Jamilet nikket og mumlet fort «God morgen, señor,» før hun fortsatte mot døren. Skjørtet hennes hektet seg fast i sengerammen, og hun rev det til seg med et rykk.

– Skal si du er irritert i dag, sa han.

Jamilet skjøv forvillede hårstrå vekk fra øynene og forsøkte å fokusere blikket på ham så oppriktig som mulig. – Jeg er ikke irritert, señor.

Señor Peregrino sperret opp øynene og lente seg fremover i stolen. – Du liker kanskje ikke å innrømme det, men du er irritert, og hvis jeg kan få tilføye det ... lunefull.

– Synes du *jeg* er lunefull, señor?

– Det gjør jeg.

Han viftet med en finger mot brettet, noe som betydde at han ville at hun skulle gi ham kaffe. – Sannheten er at jeg ikke vet hva jeg kan forvente meg fra dag til dag av deg, om du kommer til å være blid eller pottesur. Det hender du skremmer meg med det giftige blikket ditt, og jeg lurer på om du, som nå, leter etter en mulighet til å helle kaffen over meg. Ved et uhell, selvfølgelig.

Jamilet sluttet brått å røre i koppen. – Du vet at jeg aldri ville ... noe så dumt!

– Og nå kaller du meg for en gammel tulling.

– Jeg sa ikke ...

– Det er best du husker din plass, bjeffet han.

– Selvfølgelig, señor.

– Vel, sa han og så overdrevent mistenksomt på henne. – Jeg hadde tenkt å be deg drikke kaffe med meg mens jeg fortsetter historien.

– Takk, señor, men jeg liker ikke kaffe. Det er for bittert.

– Det virker på meg som humøret ditt er enda verre.

Først ignorerte Jamilet den siste kommentaren, og brakte ham kaffen. Hun la merke til de forskjellige øvelsene han hadde forberedt for dagens undervisning. Han hadde utvilsomt vært sent oppe for å ha dem ferdig til morgenen. – Ingenting vil bedre humøret mitt mer enn å lytte til din historie, sa hun.

Han nippet til kaffen, og øynene hans glitret bak dampen.

– Den er fascinerende, er den ikke?

– Ja, og den hjelper meg så jeg slipper å tenke på problemene mine.

Han viftet med hånden som om han ville fjerne den lille misstemningen mellom dem. – Når du har helsen og ungdommen din, har du ingen problemer. Nå, hvor var jeg?

Jamilet brukte et øyeblikk på å samle tankene. – Tomas fortalte deg at han var forelsket i Rosa, og at han var redd for å være alene med henne på grunn av hva han kunne finne på å gjøre. Du lyttet og følte deg skyldig fordi tankene du hadde om henne, var mye ... verre, men du var ikke like fortapt som før. Du var en pilegrim på veien og tok en dag av gangen, og du hadde ingen interesse ...

– Ja, ja, jeg husker det nå, sa señor Peregrino.

Han løftet en hånd for å få henne til å tie, men øynene danset av skøyeraktighet. – Det er best du husker at det er *min* historie, Jamilet.

– Selvfølgelig, señor.

Hvis reisen til Sahagun hadde virket slitsom, var turen mot Leon trøstesløs. Landskapet var flatt og uendelig, uten noe som kunne fange vår oppmerksomhet bortsett fra vinden i tistlene og den fjerne ringingen fra sauebjeller. Det virket som om de eneste følgesvennene våre var de svarte haukene som sirklet over oss på jakt etter et måltid blant kornet. Tomas hadde sluttet å dele sine tanker om Rosa, og jeg la merke til at han ofte gikk saktere når jeg sang. Han og Rosa og Doña Gloria sakket akterut, for langt unna til å høre noe eller synge sammen med meg.

En kveld vi satt alene nær peisen og ventet på middagen vår, så jeg på ham mens han nippet til et glass vin og snurret glasset mellom hendene. – Jeg har alltid vært fornøyd med å leve i din skygge, Antonio, sa han. – Helt siden vi var gutter, har jeg vært tilfreds med å følge etter deg, vente på deg på bakken under treet mens du klatret opp på den høyeste greinen, klappe i hendene og trampe med føttene mens du danset, siden jeg selv ikke kunne danse. Kanskje jeg ikke gadd å lære meg det, jeg visste jo at jeg aldri ville kunne bli bedre enn deg.

Han sukket dypt. – Vi kommer til å vende tilbake til landsbyen vår ved denne reisens slutt som forandrede menn, men forskjellen mellom deg og meg kan aldri forandres.

– Slutt å snakke i gåter, Tomas, sa jeg og forsøkte å høres humoristisk ut.

Han tok en lang slurk vin, tømte glasset. Øynene hans skinte av følelser. – Du elsker ikke Rosa, men det gjør jeg. Mitt hjerte og min sjel er viet til henne. Gi henne muligheten til å elske meg.

Han skjøv glasset til side. – Lov meg at du overlater henne til meg.

Jeg hadde aldri sett ham så desperat. – Mine løfter kan ikke bevege en kvinnes hjerte, sa jeg til slutt.

– Jeg forstår det, men jeg vet også at hvis ikke Rosa blir distrahert av deg, vil jeg ha en sjanse hos henne.

– Vi kaster begge bort tiden, Tomas. Du vet like godt som meg at hun ikke har vist forkjærlighet for noen mann. Jeg tror både sinnet og hjertet hennes hører til et annet sted.

Tomas strøk fingrene nervøst gjennom håret. – Kanskje, men jeg kan se hvordan du betrakter henne. For deg er hun bare en ny, vakker kvinne, men for meg er hun den eneste … bare Rosa.

Tomas så intenst på meg, og jeg visste at det ikke nyttet å diskutere mer med ham. – Ja vel. Jeg lover å overlate henne til deg, sa jeg med et trett sukk.

Det virket på meg som om denne pilegrimsvandringen endelig hadde klart å tømme Tomas for hver eneste lille trevl av tålmodighet, og fylt ham med en stahet som truet med å renne ut av ørene hans.

Jeg våknet tidlig neste morgen, styrket meg med tre kopper sterk kaffe, og dro av gårde med en dagsrasjon i ryggsekken. Jeg visste at Tomas ville vente på Rosa, uansett hvor lang tid det tok, eller hvor mye av moren hennes han måtte tåle. Jeg dro noen kilometer nedover et stykke gammel vei fra romertiden, og disen som klynget seg til bakken så tidlig, rakk meg til knærne. Da solen steg opp over de forblåste steppene, nådde jeg igjen en gruppe pilegrimer. Det var flere unge damer blant dem som jeg gjettet ikke kom fra Spania. Minst tre av dem snakket engelsk, selv om det var tydelig at de hadde mer enn bare overfladisk kjennskap til spansk.

Den peneste av de tre var blond, og like liten og vever som en nyklekket kylling. Spansken hennes var nesten perfekt, og pludringen hennes tiltalende nok. Hun gikk med en slik spenst i skrittene at jeg lurte på om ikke føttene hennes hovnet smertefullt opp etter en halv mil. Hun kikket tilbake på meg hele tiden, og smilet levnet ingen tvil om at hun så på meg med velbehag. Men jeg smilte ikke tilbake. I stedet hadde jeg lært meg å møte slik oppmerksomhet med urokkelig og dominerende blikk som var mer overbevisende enn noe smil.

Midt på dagen tok vi en pause nær en klar bekk som førte ut i Eslaelven. De tre damene balanserte etter tur på glatte steiner for å krysse bekken og få tak i markblomstene som vokste på den andre bredden. Jeg lot som om jeg ikke la merke til dem mens jeg spiste lunsjen min, men i øyekroken så jeg den vaklende skikkelsen til den blonde jenta. Hun virket som om hun var en fjellgeit, ikke en jente, så kraftig og stø som noen jeg hadde sett i høylandet. Men så, plutselig, gled foten hennes, og hun skrek da hun falt ut i bekken hvor vannet rakk henne til livet. Noen sekunder senere hadde også jeg hoppet i bekken, og forsøkte å gi henne en hjelpende hånd. Hun gled ut av grepet mitt hele tiden, og det virket som om hun holdt på å besvime. Jeg hadde derfor ikke annet valg enn å bære henne til den gjørmete elvebredden, hvor vi ble møtt med mer gapskratt og fnising enn omtanke.

Vi var begge tunge av kulde og vann, og noen tente et bål. Jentas navn var Jenny, og da hun trakk av seg det tykke ullskjørtet, la de to venninnene hennes det ved bålet. Jeg stilte meg også nær varmen siden buksene mine var alt som trengte å tørkes, og jeg ikke akkurat kunne ta dem av meg. Jeg dro av støvler og sokker, og satte dem til tørk på en stein ved siden av bålet. Jenny kastet av seg teppet hun fikk og kretset rundt meg, ganske fornøyd i sin hvite bomullsunderkjole. Hun stilte mange spørsmål om hvorfor jeg tok denne pilegrimsreisen, hvor jeg kom fra og hvem jeg reiste sammen med. Jeg svarte på spørsmålene hennes, men ga få detaljer, noe som lot til å frustrere henne veldig.

Hele tiden var venninnene hennes opptatt med å passe på varmen og sjekke skjørtet henne hvert femte minutt, uten å bry seg om samtalen vår. Da jeg kommenterte oppmerksomheten de viste henne, forklarte Jenny at de var tjenerne hennes. De skulle passe på henne underveis og rapportere til foreldrene hennes i Amerika. Foreldrene tillot henne å gjøre denne pilegrimsreisen fordi den ble ansett for å være religiøs og ikke en vanlig ferie. At hun snakket så godt spansk, kom av familiens vellykkede forretninger i Mexico, og det faktum at hun hadde bodd der store deler av barndommen.

– Foreldrene mine mener det er på tide at jeg blir gift, sa hun og så dristig på meg. – Men jeg foretrekker å se verden uten en ektemann på slep. Og når jeg gifter meg, skal det være med en jeg velger selv.

Hun trakk en stripe med tåen i støvet mellom oss, og jeg ble slått av hvor forskjellig hun var fra Rosa. Den ene kvinnen var velsignet med en makeløs skjønnhet og en beskjeden sjel, mens den andre, som etter mitt syn var like vanlig som en regnfull mandag, oppførte seg som om hun var velsignet med skjønnhet. Fascinert tillot jeg henne å lokke meg videre inn i samtalen.

– En ung kvinne som ikke ønsker å gifte seg, sa jeg og laget mitt eget mønster i støvet. – Det er en viss fare i det.

Hun lo, og ødela øyeblikkelig sirklene mine med tåen. – Det er den andre grunnen til at jeg er på pilegrimsreise, sa hun, og lente seg nærmere. – Jeg søker litt fare. Det tror jeg du gjør også.

Jeg bøyde meg ned for å sjekke støvlene mine. – Nei, miss Jenny, sa jeg. – Jeg håper å unngå fare hvis jeg kan.

Jeg trakk på meg sokkene mens hun skravlet i vei om reisen sin og hvordan hun nektet å la seg temme av den, slik foreldrene håpet.

Jeg hentet ryggsekken min og tok den på meg. Jeg håpet at jeg kunne gjøre det klart for henne og resten av følget at jeg aktet å gå alene.

– Det har vært en glede å treffe deg, miss Jenny, sa jeg og bukket igjen. – Jeg ønsker deg en trygg reise og mange … farlige velsignelser.

Hun smilte beskt. – Vi sees vel igjen, håper jeg, ropte hun da jeg var kommet opp på veien. – Jeg hører det er en farlig elv lenger fremme. Det kan hende jeg kommer til å trenge deg.

Jeg lo og vinket til henne og de andre før jeg fortsatte reisen alene. Mot slutten av dagen fant jeg herberget i den andre enden av byen. Jeg kunne ikke være sikker på at de andre ville slå seg sammen med meg. Det hadde vært en lang dagstur, og det kunne hende de bestemte seg for å slå leir langs veien i stedet for å risikere at natten tok dem igjen. Selv om jeg var alene, så jeg frem til et glass vin og en solid porsjon lammestuing til middag. Jeg valgte et lite bord nær vinduet, hvor jeg kunne holde øye med veien. Jeg hørte dem før jeg så dem. Jennys latter overdøvet pilegrimenes larm da de kom strømmende, og fylte omgivelsene med gle-

228

desutbrudd og sang og forventningen om en myk seng og et varmt måltid. Jenny førte an i gruppen som en gallionsfigur på et digert skip. De fine klærne hennes var dekket av søle, det samme var håret. Det minnet meg om en høystakk som var blåst over ende av en storm og deretter blitt utsatt for et nådeløst regn. Men øynene hennes var levende der de gransket de tomme gatene på leting etter herberget.

Jeg reiste meg for å se bedre. Gruppen var blitt dobbelt så stor; jeg antok at det var sannsynlig at Tomas og Rosa var blant dem. Noen minutter senere var spisesalen full av pilegrimer som satte fra seg ryggsekkene sine, spurte etter forfriskninger og falt sammen i stoler eller på gulvet da alle stolene ble opptatt. Jeg var omringet av en kollektiv og overstrømmende tretthet, men jeg holdt blikket festet på veien og merket ikke at Jenny satte seg ved siden av meg. Hun stirret like ivrig som meg; det virket nesten som om hun ertet meg. Som jeg trodde, dukket Rosa og Tomas opp i trengselen, med Doña Gloria haltende mer enn noen gang. Tomas virket furten, og Rosa var like stoisk som alltid. Ansiktet skimret, og hun var varm i kinnene mens øynene forble like kjølige som den mørknende himmelen. Jeg klarte ikke å skjule fortryllelsen da jeg så på henne.

– Hun er nydelig, sa Jenny.

Overrasket over det uventede selskapet tok jeg meg fort sammen og satte meg i stolen. Jeg fant på en forklaring.
– Mine venner. Jeg var bekymret for at de ikke skulle komme så langt i kveld.

– Jeg er overrasket over at du valgte å gå i forveien hvis du er så bekymret, sa Jenny og forsynte seg med et glass av vinen min.

– Jeg foretrekker å gå alene, sa jeg, litt forskrekket over dristigheten hennes.

Jennys tjenere dukket opp og fortalte henne at de hadde ordnet overnatting på byens beste vertshus.

– Jeg tenkte jeg skulle sove i herberget med de andre i natt, svarte hun.

De ble stille, åpenbart ganske overrasket.

Tomas og Rosa fant frem til oss, med Doña Gloria bokstavelig talt på slep mellom dem. Hun stønnet og bar seg over hvor forferdelig dagen hadde vært, og over hvor elendig det sto til med gnagsårene på føttene hennes. Jeg ga henne stolen min, og hun falt sammen i den. Hun stanset knapt sin heftige klagesang mens hun gjorde det. Rosa knelte og trakk av morens støvler og sokker. Føttene var hovne og røde som kokte rødbeter. Fotsålene var dekket av blemmer, noen av dem dekket hele hælen.

Jenny la en trøstende hånd på Rosas skulder. – Jeg er redd hun må hvile noen dager.

– Tror du det? spurte Rosa, men virket ikke skuffet.

– Det er jeg helt sikker på. Litt salve ville også være bra for henne.

Jenny sendte tjenerne for å hente salven. Da de vendte tilbake, masserte Rosa det illeluktende fettet inn i morens føtter mens Doña Gloria ba til Gud om å befri henne fra hennes lidelser. Hun durte i vei om hvor elendig nattesøvnen hennes var, og hvor umulig det var å få sove i herbergene, som var klamme, overfylte og myldret av utøy.

– Jeg insisterer på at du tar mitt rom på vertshuset, madam, sa Jenny.

Hun helte sjenerøst i et vinglass som Doña Gloria gladelig tok imot, uten sin sedvanlige monolog om bare å drikke første juledag. Så vidt jeg hadde sett, hadde hun raust feiret den helligdagen hver bidige dag siden vi traff henne.

– Det ville være deilig ...

– Vi kan ikke ta rommet ditt, miss, svarte Rosa og avbrøt moren, kanskje for første gang i sitt liv. – Jeg er redd vi ikke kan betale for det, og ...

– Tøv. Jeg har allerede betalt for det, og denne stakkars kvinnen trenger en god natts søvn uten å bekymre seg for utøy.

– Det er snilt av deg, sa Rosa og rødmet synlig. – Men jeg kan forsikre deg om at vi har hatt det svært komfortabelt ...

Rosa så seg om i det bråkete rommet for å forsikre seg om at ingen hadde hørt Jennys nedsettende kommentar. – Min mor er redd for rottene som av og til løper over gulvene, det er alt.

Jenny himlet megetsigende med øynene. – Vel, jeg mente de på to bein. De kan være mye farligere, sa hun med et blunk.

Så snart Jenny hadde overtalt Rosa til å ta imot tilbudet, fortsatte hun å bestille for hele bordet og insisterte på at vi slo oss sammen med henne. Det kom kjøttpaier, friske grønnsaker og husets beste vin. Til dessert nøt vi en mandelterte, varm fra ovnen. Hele tiden fortalte Jenny oss om opplevelsene sine på veien, og toppet det hele med hvordan jeg hadde reddet livet hennes. Hun utbroderte det til det var langt utenfor all troverdighet, og fikk det til å høres ut som om jeg hadde kjempet mot elvens turbulente strøm for å redde henne. Jeg minnet henne på at vannet knapt hadde rukket meg til knærne.

Da hun hørte dette, skakket hun på hodet og henvendte seg til Tomas. – Er vennen din alltid så beskjeden?

– Ikke alltid, sa Tomas. – Men jeg må si at beskjedenhet kler ham.

Mot slutten av kvelden hadde til og med Doña Glorias humør forbedret seg, og Rosa var tydeligvis fascinert av Jenny. Hun stilte henne mange spørsmål om livet hennes i Amerika. Jenny svarte på dem, og ansikt til ansikt med skjønnheten foran seg viste hun ikke det minste snev av sjalusi, slik jeg hadde sett hos andre kvinner.

231

Da måltidet var over, våre mager fulle og våre hjerter lette, tok Jenny armen min da vi sto i døråpningen og så etter Rosa og moren hennes som gikk over torget til vertshuset. Doña Glorias halting var mye bedre, og hun lente seg ikke så tungt på Rosa. Tomas bar ryggsekkene deres. Han gikk med bøyd hode, som om han ba.

– Vennen din er håpløst forelsket, sa Jenny. – Heldigvis for ham er Rosa like fattig som hun er vakker. Jeg er sikker på at Doña Gloria allerede planlegger bryllupet.

Jeg stirret på henne et øyeblikk, ventet på at smilet i ansiktet hennes skulle forsvinne. Hvordan kunne denne kvinnen, som hadde observert oss tre i noen få timer, våge å være så dristig med teoriene sine?

Jeg bukket høflig. – Jeg ønsker deg god natt, miss Jenny. Og hvis jeg ikke ser deg i morgen tidlig, vil jeg ønske deg god tur også.

– Det samme til deg, sa hun. – Men jeg er sikker på at du kommer til å se meg.

19

Følelsen av pengesedler i hånden, myke som fint lær, og duften av dem – litt skarp og jordaktig – fylte Jamilet med tilfredshet, og fikk henne til å føle det som om hun sto på nippet til å få drømmene sine oppfylt. Hun forestilte seg hvordan hun skulle gi pengene til legen som ville kurere henne. Etter å ha tatt imot betalingen ville han finne frem et skinnende instrument som lignet litt på en pistol. Den hadde en innviklet rad av knapper og tilbehør som durte behagelig mens den strålte ut lys, som om den tok i bruk en ukjent kraft like mystisk som stjernene. Hun ville ta av seg klærne og legge seg ned på magen på undersøkelsesbenken for å vente. Til tross for at hun var villig til å tåle hvilken som helst smerte, ville laserbehandlingen være omtrent som et nesten skåldhett bad. Resultatet ville vise seg øyeblikkelig, og hun ville få et speil så hun kunne se selv. Ren, uplettet hud fra nakken til knærne, bare litt rød. Den snille legen ville fortelle henne at rødfargen kom til å forsvinne i løpet av noen dager, og så ville huden bli perfekt.

Jamilet sukket da hun la de nesten to tusen dollarene hun hadde spart, tilbake i skoesken. Etterpå strakte hun armen bakover og lot fingrene gli langs den tjukke hudkanten på skuldrene, lett merkbar under den tynne bomullsblusen. Hun løsnet blusen i livet, førte fingrene over korsryggen og lot som om det var en elskers berøring. Så snart hun var kvitt merket, ville dette være det mest følsomme stedet der Eddie kunne begynne å kjærtegne henne. Enten i korsryggen eller bak i nakken. Hvis han var like øm og romantisk som hun trodde, var dette stedene hvor deres elskov ville begynne.

Inngangsdøren gikk opp, og smalt igjen. Dette ble fulgt av den hule lyden av sko som ble sparket av og traff gulvet en etter en. Carmen var ikke ventet hjem på et par timer, og Jamilet visste øyeblikkelig at noe var galt. Hun stakk raskt blusen ned i linningen og gikk ut i stuen. Der fant hun Carmen i en haug på sofaen, med armer og bein rett ut som om hun ventet på å bli henrettet. Hun hadde ikke giddet å gå til kjøleskapet for å hente sin første ettermiddagsøl. Hun hadde aldri før droppet denne delen av rutinen sin. Ofte glemte hun å trekke ut proppen i badekaret, eller å sette ut søppelet på den dagen det ble hentet, men hun glemte aldri sin første ettermiddagsøl.

Jamilet gikk selv til kjøleskapet og satte en kald øl midt på stuebordet. Hun ventet litt, men da tanten ikke rørte på seg, åpnet hun den og satte den tilbake på bordet, en tomme eller to nærmere. Men Carmens øyne var glassaktige mens hun uopphørlig tygget på underleppen. Det virket ikke engang som om hun merket at niesen satt der.

– Ølet ditt står her, tía, sa Jamilet.

Carmen svarte med et svakt grynt, men rørte ikke en muskel.

– Hva er i veien, tía?

Øynene hennes klarnet litt. Det virket som om hun kanskje ville si noe, da hånden plutselig skjøt ut og grep ølboksen som en løvinne angriper et bytte. Hun helte den ned på rekordtid, og lot den tomme boksen falle ut av hånden. Den rullet ned fra sofaen og havnet på gulvet.

– Hvorfor har du kommet tidlig hjem? spurte Jamilet, og tvang seg til ikke å røre ølboksen.

Underleppen begynte å skjelve. – Hvorfor skal jeg jobbe hele dagen, når livet mitt er over?

– Har noe skjedd med Louis?

Hun nikket og begravde hodet i puten ved siden av seg. Kroppen begynte å riste av kraftige hulk. Jamilet styrtet til badet og kom tilbake med flere meter toalettpapir som hun la ved siden av tantens knyttneve. Carmens fingre lukket seg sakte om den enorme klumpen. Hun tørket nesen og øynene med samme desperasjon som en som forsøker å fjerne en flekk. Hun roet seg litt og satte seg opp. Ansiktet var rødt og hovent. – Det spiller ingen rolle hva som har skjedd. Det er over, sa hun tonløst.

– Ting ordner seg alltid mellom dere to, tía. Det vet du jo.

– Denne gangen er det annerledes.

– Hvorfor det?

Carmens øyne rullet. – Fordi kjerringa ikke hadde vett nok til å dø i Mexico som hun burde ha gjort. Hun forsøkte å bruke venninnens papirer til å komme seg over grensen igjen. Enhver idiot vet at du må pugge fødselsdatoer og sånt hvis du skal lure dem, men den senile megga ble så nervøs at hun glemte alt. Hun klarte ikke engang å huske venninnens navn da de spurte henne.

– Så synd, sa Jamilet, og visste at noe sånt ville føre til arrestasjon på grensen, men hun var ikke sikker på hvordan det ville påvirke Carmen og Louis.

Carmen stappet puten under haken og klemte den hardt inntil seg, slik et barn klemmer en teddybjørn. – Han kom innom jobben da jeg var ferdig med ruten min, og fortalte at han ikke kunne treffe meg denne helgen. Kanskje aldri mer, han føler seg så opprørt og skyldig fordi kona og døtrene sitter i fengsel. Han begynte å sikle og si alt mulig

vrøvl til meg, så jeg sa til ham: «Hei, ser jeg ut som en for-
dømt prest?» Du skulle sett uttrykket i ansiktet hans. Det
var vemmelig.

– Sa du virkelig det?

Carmens øyne videt seg ut et øyeblikk. – Synes du det
var slemt?

Jamilet nikket, og Carmen kastet puten av all kraft til
den andre enden av rommet. – Hva i helvete skulle jeg
gjort, da? Fortell meg det, du som er så smart.

Øynene hennes gransket Jamilet med en frykt som gren-
set til noe ukjent, men som lignet en skygge av håp.

Jamilet bøyde seg etter den tomme ølboksen. – Jeg vet
ikke, tía, sa hun. – Kanskje vi bare må vente og se hva som
skjer.

Carmen pustet ut, og haken falt ned mot brystet. – Vi
kan vente til håret mitt blir hvitt, men det vil ikke foran-
dre på noe. Det er over.

Telefonen fra politiet kom da Jamilet satte middagen i
ovnen. Kyllingenchiladaer, som hun håpet ville lette tan-
tens humør. Hun holdt fortsatt på grillvotten mens politi-
mannen forklarte at selv om Carmen ble løslatt på eget
ansvar, var hun ikke i stand til å kjøre bil, og noen burde
komme og hente henne. Jamilet løp de fire kvartalene til
politistasjonen uten å stanse. Tanten lå rett ut på en tre-
benk, vesken hennes og alt i den var strødd utover gulvet
nær føttene hennes. Politimannen bak vinduet rakte
Jamilet Carmens bilnøkler og førerkort mens Carmen
skulte på niesen som om det var hennes skyld at hun var i
denne knipen.

De gikk de første kvartalene i taushet. Jamilet ønsket å
høre tantens versjon av saken, selv om hun allerede visste
noe av det som hadde skjedd. Politiet ble tilkalt for å ordne
opp i et slagsmål på Chabelito's Bar. Da de ankom, så de

Carmen med en annen kvinnes hode klemt under armen. Alle vitnene sa at Carmen hadde slått først, men at hun hadde tålt masser av ukvemsord før hun gjorde det. – Hvis hun hadde gitt seg da vi kom, ville vi kanskje latt henne slippe der og da, forklarte politimannen på telefonen. – Men det tok to av oss å roe henne ned.

Med det svarte håret i en sky rundt hodet og en ødelagt skohæl som gjorde at hun haltet, fikk Carmen ganske mange stirrende blikk da de gikk nedover gaten. Carmen merket ingenting. Hun holdt blikket på fortauet. Et par ganger lente hun seg mot Jamilet da hun sjanglet på sine umake hæler. Hun mumlet noe.

– Hva sa du, tía?

– Jeg sa hun burde vite bedre enn å snakke om Louis, sa hun klagende.

– Var det derfor du ble sint?

Carmen snudde seg for å skule på niesen enda en gang, og snublet i prosessen. – Ville ikke du bli forbannet hvis noen fortalte deg at din mann hadde en annen jente?

Jamilet sa ingenting.

– Den megga, mumlet Carmen. – Jeg vet at det ikke er sant. Jeg har mine spioner, og de sa han ikke har vært ute av huset bortsett fra for å gå på jobb. Hun sa det bare for å gjøre meg sint.

– Vel, det virket også, sa Jamilet.

Hun klarte å le litt, men spenningen lettet ikke, og hun følte seg dum som forsøkte.

– Jeg har aldri vært i fengsel før, Jamilet, sa Carmen med en stemme som var myk av overraskelse. – Du tror meg sikkert ikke, men det er sant.

– Jeg tror deg, tía.

– Jeg bare drakk og forsøkte å svelge all dritten jeg følte inni meg, men det ble verre. Denne gangen svelget raseriet meg i stedet for omvendt.

– Jeg er bekymret for deg, tía.

– Vel, her er noe annet du kan bekymre deg for. Jeg må møte i retten om noen uker, og det kan hende dommeren bestemmer seg for å sende meg i fengsel i lang tid, kanskje et par år.

De gikk et halvt kvartal til i taushet. – Jeg vet ikke hva jeg skal gjøre, Jami, sa Carmen. – Nå føles det som om livet mitt virkelig er over. Selv om Louis kom tilbake nå, vet jeg ikke om det ville hjelpe.

Jamilet tok tak i tantens arm for å støtte henne, og Carmen begynte å gråte stille. – Jeg føler meg som en dritt, sa hun. Tårene rant inn i munnen hennes. – Nei, dritt er for pent for meg, for ekte ... du kan fortsatt se og føle det og lukte det. Jeg er mer som en fjert, en diger, stille, drepende fjert, et stinkende spøkelse.

– La oss gå hjem, sa Jamilet og strevde under vekten av tantens elendighet. – Du vil føle deg bedre når du har hvilt litt.

– Ja, la oss gå hjem, sa hun. – Jeg vil sove og aldri våkne mer.

Selv om Jamilet aldri hadde brydd seg om kaffe, forandret hun mening etter den første koppen. Kanskje hadde det noe å gjøre med at señor Peregrino selv hadde laget den til henne, mens han mumlet at han var sikker på at hun som de fleste barn foretrakk sin med masser av fløte og sukker. At en latinamerikaner ikke likte kaffe, var ikke bra, siden kaffe ble ansett for å være et av kontinentets største bidrag til den siviliserte verden.

– Det klarner tanken og styrker helsen, erklærte han. – Folk som ikke drikker kaffe, er svake og dumme i hodet. De har ingen meninger om noen ting, og hvis de har det, er de redd for å formulere dem i ord og si dem høyt.

Jamilet takket ja til sin andre kopp, litt rystet over at han serverte henne, men hun fortsatte likevel å gjenfortelle gårsdagens hendelser. Hun hadde passet på tanten til klokken tre om morgenen. Tanten var så ulykkelig at hun hadde truet med å gå til First Street-broen i pyjamasen og hoppe ut i elven. Når hun ikke vurderte forskjellige måter å ta livet sitt på, gråt hun over sin ensomhet, og ydmykelsen over å ha vokst opp sammen med den vakre og perfekte Lorena. – Jeg vet at mamma ønsker at jeg hadde dødd i stedet for henne, jamret hun.

Jamilet hadde forsøkt å lette tantens smerte med urtete og fornuft, men Carmen var for sønderknust til å gjøre annet enn å tenke på hvor enorm smerten hennes var.

Selv om señor Peregrino var beveget av Carmens ynkelige forfatning, var han enda mer opptatt av Jamilets tretthet. – Det er en kjærlighetsaffære som er dømt til undergang, sa han. – Og jeg tror ikke du skal miste mer søvn over det. Det er grenser for hvor mye kaffe et menneske kan drikke.

Han fortsatte likevel å fortelle om kaffens utmerkede egenskaper. Sivilisasjonen hadde mange av sine store bragder å takke for den oppdriften kaffen skapte i folks blod, og Den Gamle Verden skyldte Den Nye Verden en stor takk for denne oppdagelsen. Han ymtet om at kaffen tanten hennes drakk, kanskje ikke var sterk nok.

– Det virker som om hun liker den, sa Jamilet. – Hun drikker tre kopper rett etter hverandre og bryr seg ikke om melk og sukker.

Hun tok en liten slurk mens hun skottet opp på ham.

– Dessuten har ikke tía Carmen problemer med å si hva hun mener, señor.

Da hun var ferdig, ryddet hun frokostbrettet hans og takket for kaffen.

– Du kan la det stå til senere, sa han. – Jeg vil fortsette historien min.

Øynene hans skyet over av anstrengelsen med å huske.

Jamilet satte seg på kanten av stolen. – Señor, du var …

Hånden hans skjøt opp. – Hysj. Jeg kan ikke høre meg selv tenke.

Han lukket øynene, som for å stenge ute alt som kunne forstyrre minnene, men det var fortsatt ingenting som tydet på at historien ville fortsette. Han åpnet øynene. – Ok, sa han. – Hvor sluttet jeg?

Jamilet var så ivrig etter å svare at stolen skrapte mot gulvet. – Jenny fortalte deg at Rosa var like vakker som hun var fattig, og at Doña Gloria planla bryllupet. Hun nølte litt. – Du var sint på Jenny, selv om hun hadde latt Rosa og moren få rommet hennes på vertshuset.

– Det stemmer. Jeg har aldri truffet noen med større evner til å gjøre meg sint.

Han satte kaffekoppen til side og begynte.

Doña Gloria våknet med så betente føtter at hun ikke klarte å stå opp til frokost. Rosa var urolig, og ba oss komme til morens rom så vi kunne hjelpe henne med å bestemme hva hun skulle gjøre. Jenny fulgte med. Hun sa hun hadde erfaring med kjerringråd fordi barnepiken hennes hadde hatt helbredende evner og hadde lært henne alt hun kunne. Hun fortalte fantastiske historier som stilte henne selv i et gunstig skjær mens vi gikk til vertshuset.

Doña Gloria satt lent mot puter i sengen sin, med munnen full av kjeks og honning. Hun virket ganske komfortabel, men da hun trakk bort teppet for å vise oss føttene sine, kvalte vi alle et gisp. I løpet av natten hadde føttene hovnet til det dobbelte av normal størrelse. Det virket som om de kunne sprekke når som helst. Ingen våget seg nærmere for å ta en grundigere kikk. Bortsett fra Jenny. Hun virket mer nysgjerrig enn forferdet, og mumlet for seg selv mens hun trykket på en av Doña Glorias fotsåler, som var like blank som en strukket svinetarm stappet med pølsekjøtt.

– Det ser ikke bra ut, er jeg redd, sa hun til Rosa. – Det finnes ikke salve som hjelper, fordi problemet har å gjøre med måten blodet strømmer gjennom føttene hennes på.

Rosas stemme skalv litt da hun ba om Jennys råd. Det virket ikke som om min og Tomas' mening talte så mye lenger, men Tomas benyttet anledningen til å gjøre tankene sine kjent før Jenny rakk å svare. – Hvis problemet er mangel på hvile, bør vi holde sammen til Doña Gloria er frisk nok til å fortsette, sa han med kjepphøy autoritet.

Jenny ristet på hodet, ikke det minste imponert over hans tilsynelatende overbevisning i saken. – Jeg er redd hun ikke kan gå på noen dager, kanskje ikke på noen uker, engang.

Tomas blåste seg litt opp, men klarte ikke komme med noe annet forslag, bortsett fra å bære Doña Gloria hele veien til Santiago på ryggen.

Rosa dekket morens føtter, noe vi alle var takknemlige for.

– Hva foreslår du? spurte hun, og så enda en gang på Jenny.

– Din mor må avbryte pilegrimsvandringen hvis hun skal ha håp om å kunne gå igjen.

Doña Gloria sluttet å knaske på kjeksen sin da hun hørte dette, og begynte å klynke.

Rosa klappet moren på skulderen. – Bør hun få en lege hit?

– Å ja, absolutt, sa Jenny entusiastisk. – Så snart som mulig, men han kommer til å fortelle deg det samme.

– Jeg skal forhøre meg i resepsjonen, sa Tomas og styrtet ut av rommet. Utvilsomt i håp om at legen ville være uenig i Jennys vurdering. Han kom tilbake etter mindre enn et minutt, strålende fornøyd. – Vi er heldige, sa han. – Det bor en lege her. Vertshusholderen snakker med ham nå, for å se om han vil være så vennlig å foreta en undersøkelse.

Jenny snudde seg mot Rosa. – Du trenger ikke å bekymre deg for din mor, hun kommer seg når hun bare får hvilt. Det vil ikke skade å holde seg unna alkohol og søtsaker, heller.

Legen kom med spor av marmelade på tuppen av den grå barten. Han brukte litt lenger tid på undersøkelsen enn Jenny, selv om han virket ivrig etter å holde pasienten på en viss avstand, ettersom hun insisterte på å utrykke sin elendighet som et klagende muldyr.

– Hun kan nok ikke gå på de føttene, er jeg redd, sa han og så seg omkring, litt usikker på hvem han skulle henvende seg til. – Det er et sirkulasjonsproblem, og ganske alvorlig, ut fra hva jeg kan se. Hvis det ikke avtar, kan koldbrann sette inn, og da, vel, hun kan miste føttene.

Doña Gloria begynte å hyle med fornyet energi, og Rosa forsøkte forgjeves å roe henne ned.

– Hun burde reise hjem så snart som mulig og få ordentlig behandling, fortsatte legen.

Han skar en grimase over hylene fra sengen. – Og madam, sa han med nok autoritet i stemmen til å få henne til å tie. – Får jeg foreslå at du holder deg unna søtsaker og det ekstra glasset sherry etter måltidet.

Etter det slo han hælene sammen og gikk.

Forberedelser til Doña Gloria og Rosas hjemreise ble igangsatt øyeblikkelig. Vertshusholderen var ivrig etter å bli kvitt den syke gjesten. Han viste derfor stor bekymring, og informerte oss om togtidene til Barcelona. Hvis Rosas ansikt hadde vært stoisk tidligere, var det nå like blottet for liv som et gravkammer. Tomas smilte tomt og lurte på hvor hun var. Jeg hadde bare litt dårlig samvittighet da jeg fortalte ham at jeg ikke visste det, selv om jeg hadde sett henne gå inn i kirken mindre enn ti minutter før.

De andre pilegrimene hadde gått mot Leon for mange timer siden, og alt var stille. Tomas og jeg satt sammen og så på duene, som samlet seg rundt fontenen til et lite bad. De flakset rundt i bestemte mønstre og lignet en sverm bier. Rett foran øynene mine dannet de en bølgende form som strakte seg ut og fortettet seg, til jeg helt tydelig kunne se Santiago selv flyte over fontenen mens han pekte med staven sin mot veien og mante oss til å forlate torget øyeblikkelig.

– Ser du det jeg ser, Tomas – over fontenen?

– Jeg ser en merkelig dis. Det er vanskelig å skjelne ...

– Det er Santiago. Han vil vi skal forlate dette stedet med en gang.

– Og la Rosa i stikken? Det gjør jeg ikke, Antonio. Ikke for å tilfredsstille Santiago, engang.

Brått kom Rosa og Jenny ut fra kapellet, arm i arm og med brede smil. Rosa strålte av glede. – Min mor har gitt sin tillatelse til at jeg kan reise videre alene.

Hun snudde seg mot Jenny. – Så lenge jeg går sammen med miss Jenny. Tjenerne hennes vil passe på min mor på reisen hjem.

– For en velsignelse for oss alle! ropte Tomas så høyt at fuglene flakset opp fra fontenen med et plask og søkte ly i redene sine under takskjegget på kapellet.

– Ja, det er en velsignelse, sa Rosa og tok tak i Tomas' hånd. Et øyeblikk trodde jeg de ville kaste seg ut i en jig midt på torget. Jeg hadde aldri sett Rosa så uttrykksfull. Men det var Jenny som vekket min nysgjerrighet, jeg så at hun stirret på Tomas og Rosa som om hun beundret sine egne marionetter. Rosa unnskyldte seg, hun forklarte at hun måtte hjelpe moren med å få ordnet det nødvendige. Tomas insisterte på å hjelpe henne, og overlot til Jenny og meg å bli sittende igjen og tenke over denne brå endringene i omstendighetene.

– Du virker ikke det minste glad for at Rosa vil fortsette sammen med oss, sa Jenny da smilet bleknet fra ansiktet hennes. – Jeg er overrasket.

– At noe overrasker deg i det hele tatt, er et under for

meg, miss Jenny. Det virker som om ting alltid går nøyaktig som du planlegger.

Jeg skulle til å si noe mer, da soldater til hest red inn på torget. Den blonde Andres var blant dem. Han førte sin skummende og utmattede hest til vanntrauet. Det var innlysende at de ikke kom til å ri videre.

– Kjenner du dem? spurte Jenny.

Akkurat da oppdaget Andres meg og overlot hesten til sine underordnede. Han gransket Jenny, imponert over det fine stoffet i klærne hennes og hennes kvinnelige former, men det glassaktige uttrykket som kom over ham når han så på Rosa, manglet.

– Jeg håper du har det bra, sir, sa han med et lite bukk.

– Og at din følgesvenn og hans søster Rosa ikke er for slitne etter reisen.

– Søster? gjentok Jenny og snudde seg mot meg.

Andres strakte sin hanskekledde hånd mot Jenny. – Tillat meg å presentere meg selv. Mitt navn er kaptein Andres Segovia. Jeg følger pilegrimsveien på grunn av statsanliggender.

Jenny tok hånden hans og presenterte seg, som den dannede damen hun var. – Kan jeg da anta at din forespørsel etter miss Rosa har med statsanliggender å gjøre?

Andres rødmet, et øyeblikk så han ut som en tiåring, men han tok seg raskt i det. – Jeg spør etter den henrivende miss Rosa fordi jeg hadde anledning til å snakke med henne tidligere og syntes hun var sjarmerende.

Han snudde seg raskt mot meg, forvirret av Jennys granskende blikk.

– Jeg håper du vil hilse henne fra meg, sa han. – Og familien hennes, så klart.

– Så klart, sa jeg med et lite bukk.

Jenny snakket. – Moren hennes er syk, kaptein. Hun reiser til Barcelona i ettermiddag.

– Det gjør meg trist å høre, sa Andres, og virket nysgjerrig.

Han ville ha stilt flere spørsmål, men mennene hans ropte på ham. Med et stivt bukk til oss begge snudde han på hælen og gikk. Jenny sto målløs igjen. Jeg benyttet den sjeldne anledningen, og unnskyldte meg raskt med at jeg måtte pakke, men hun var så frekk at hun grep meg i albuen og ga meg valget mellom å stanse eller rive meg løs og risikere å fremstå som om jeg ikke eide manerer.

Hun var stille og alvorlig, som om hun, lik en sigøyner, forsøkte å lese tankene mine. – Er hun virkelig …? Nei, det er ikke mulig.

Utrykket hennes ble varmere, og øyekrokene rynket seg i et smil. – Det er et triks, eller hva?

Jeg nøt svaret mitt. – Det er ikke meningen at du skal vite alt, miss Jenny. Og noen spørsmål er bedre uten svar.

20

Noen dager etter arrestasjonen virket det som om Carmen følte seg bedre. Hun snakket ikke lenger om Louis, sto opp tidlig for å gå på jobb, og kom hjem til vanlig tid. De eneste gangene hun virket urolig, var når hun gikk gjennom dagens post. Hver gang hun ikke fant innkallelsen til retten, sukket hun tungt av lettelse.

– Vet du, Jami, sa hun etter at to uker var gått. – Jeg tror jeg slipper unna.

Carmen lente seg tilbake i sofaen, la beina på bordet og klarte å presse frem en hjertelig klukking. – Jeg hører at sånt skjer hele tiden. Saksbehandlingsfeil, kalles det. Noe går galt med datamaskinen, og pang, saken min er borte, sa hun og knipset med fingrene.

Beroliget av tanken på at forholdene begynte å bli normale igjen, gikk Jamilet en ettermiddag innom markedet for å kjøpe kaktusblader til en spesiell stuing hun lenge hadde hatt lyst til å lage. Hvis hun skyndte seg, ville hun rekke hjem før Carmen og kunne sette i gang maten. Jamilet ilte nedover gaten med en pose i hver hånd. Hun fikk øye på Eddie, som ventet på den andre siden av gaten som vanlig. Han nikket, og Jamilet nikket tilbake. Dette hadde vært alt som skjedde mellom dem siden samtalen utenfor sykehusgjerdet, og denne gangen var ikke Jamilet så fornøyd med det. Hadde hun ikke vært sent ute med middagen, ville hun kanskje ventet utenfor for å se om de kunne prate litt.

Som det nå var, løp hun opp trappene og oppdaget at Carmen allerede var hjemme. Jamilet så at tantens bil sto foran huset, og som alltid hang de myke, rosa terningene rundt speilet. Carmen sa at de minnet henne på at livet var et sjansespill, og at hun til nå hadde vært heldig. Siden tantens appetitt nå var tilbake til det normale, forventet Jamilet å finne henne på sofaen mens hun bladde utålmodig i et ukeblad. Carmen likte ikke å vente på mat. Hun likte ikke å vente på noe.

Jamilet åpnet døren og ropte ut. – Tía, jeg er hjemme. Jeg setter i gang med middagen med en gang.

Det kom ikke noe svar. Hun banket forsiktig på baderomsdøren, og den gled opp. Badekaret var tomt.

Iskald frykt strømmet gjennom Jamilet. Hun løp til Carmens rom og slengte opp døren uten å bry seg med å banke. Carmen lå på sengen med halvåpne øyne og et brev på brystkassen. Jamilet trengte ikke å se etter for å vite at det var innkallingen til retten. Hun grep tak i tantens skuldre og ristet henne hardt.

– Tía, ropte hun. – Tía, våkn opp, tía!

Carmen verken rørte seg eller blunket, og øynene var like tunge. De så ikke på noe eller noen. En tynn stripe spytt rant ut av munnviken hennes, samtidig som en tom pilleboks falt ned fra sengen.

Jamilet slo tanten i ansiktet og ropte på henne. Hun ble nesten kvalt av sine egne skrik, og forsøkte å roe ned frykten som raste som en storm gjennom henne. Hun slo Carmen i ansiktet til tanten var rød i kinnene, og hennes egne hender var våte av spytt. Desperat av redsel for at tanten var død eller døende løp hun gjennom hoveddøren og ut i gaten. – Eddie, du må komme! skrek hun.

Hun ropte det på både spansk og engelsk, stemmen hennes var nesten skingrende. Og hun skalv så voldsomt at hun ikke kunne være sikker på at han hørte henne, så hun fortsatte å rope på ham på spansk og engelsk. Det virket som om hun holdt på en time før han kom, men senere fortalte han at det bare var sekunder.

På en eller annen måte klarte hun å forklare hva som hadde skjedd, og Eddie løp inn i huset før hun ble ferdig. Han ristet Carmens skuldre akkurat som Jamilet hadde gjort, men enda hardere, så nakken og skuldrene hennes hoppet opp fra sengen. Det kom ingen reaksjon. Han ba Jamilet ringe legevakten. Mens hun gjorde det, bøyde han seg over Carmen og begynte å puste inn i munnen hennes, dype pust som fikk brystkassen hennes til å heve og senke seg. Igjen og igjen gjorde han dette. Av og til la han øret mot munnen hennes, som om han forsøkte å høre en hemmelighet ment for bare ham. Deretter fortsatte han å puste inn i henne, som om jorden ville stanse hvis han ikke gjorde det. Han stoppet bare en gang, da han ba Jamilet gå utenfor og vente på sykebilen.

Da ambulansefolkene kom, skjøv de Eddie til side. Jamilet så fortumlet på mens flere uniformerte menn klippet opp Carmens klær med store sakser. Hun hadde på seg et matchende sett behå og truse – Louis' favoritt. Carmen klaget alltid over hvor ukomfortabelt det undertøyet var, men tøyset om at en kvinne måtte ofre seg for mannen sin hvis hun skulle ha håp om å holde på ham.

– Er hun død? spurte Jamilet Eddie, som hev litt etter pusten.

– Jeg vet ikke, sa han.

En av mennene stakk en lang slange i Carmens hals mens en annen lette etter en blodåre i armen hennes, men han klarte ikke å finne en gjennom fettet. Til slutt måtte han stikke nålen i hånden hennes. Sammen løftet mennene henne fra sengen og over på båren. Det slo Jamilet at tía ville hatet å sove med så mange unge menn praktisk talt sirklende rundt den nesten nakne kroppen hennes, men Carmens øyne var fortsatt tomme; verken åpne eller lukkede.

En dirrende følelse vokste i Jamilets bein. Hun svaiet litt, og måtte lene seg mot veggen. En av førstehjelperne spurte henne om hun ville være med i ambulansen, men hun svarte ikke før han spurte henne for tredje gang, og da snudde hun seg mot Eddie.

– Jeg synes du skal dra, sa han.

– Følger du meg?

Han nølte og stakk hendene i lommene. – Jeg kan ikke, sa han.

Men han ventet ute på gaten til Carmen ble rullet ut og løftet inn i ambulansen, og mens Jamilet klatret inn etter henne, og så kjørte de av gårde til fylkessykehuset.

Tre grå morgener på rad. Tåken klynget seg til fortauene og trærne i en iskald omfavnelse. Det var vanskelig for Jamilet å være alene i huset. Stillheten var det verste. Selv med trafikken susende utenfor, folk som ropte til hverandre og fly som brummet over himmelen, ble livet utenfor huset dempet av rommenes tette, knusende stillhet. Noen ganger var det vanskelig for Jamilet å puste, det var som om hun trakk stillheten ned i lungene, og selv hjertet banket i en mye langsommere rytme.

På bare noen få dager hadde oppvasken samlet seg i kummen, og sengene var uredde. Carmens siste ølboks sto fortsatt på nattbordet hennes. Kaoset var ikke i nærheten av hva det hadde vært da Jamilet kom, men stanken i kummen var en påminnelse om at hun var på vei i samme retning som tanten. Lukten ble raskt en usynlig tråd, stram nok til å følge etter henne inn på soverommet og plage henne om natten, men enn så lenge var det nok å stenge døren, lukke øynene og glemme alt.

Hun ville rydde opp i morgen etter jobb. Hun hadde allerede vært borte i tre dager og trengte søvn, for det var ikke tvil om at det ventet problemer når hun vendte tilbake. Hver dag hadde hun ringt og sagt at en familiekrise forhindret henne fra å komme. Miss Clarke tok imot unnskyldningen med taushet, etterfulgt av avmålte spørsmål om hvor lenge hun forventet å bli borte. Det var tydelig at miss Clarke hadde hørt sånne unnskyldninger før, og hun lot seg ikke bevege av medlidenhet eller nysgjerrighet, men var opptatt av de praktiske problemene med å skaffe erstatning. Den tredje dagen ble hun satt på vent, og søster B. dukket opp i telefonen.

– Dette er svært usedvanlig, sa hun. – Hva slags familiekrise er det snakk om, Monica?

– Tanten min er syk og ligger på sykehuset, svarte Jamilet. – Hvis jeg ikke er der, blir hun urolig.

Søster B. pustet hardt; bølger av pust blåste inn i og ut av telefonrøret som om hun hoppet tau, men sannsynligvis var hun bare andpusten av sin egen uro. – Hvis du ikke kommer på jobb i morgen, må jeg hente inn en vikar. Når det skjer en forandring i rutinen, blir pasienten din ... Hun stanset og laget en gurglelyd i halsen. – Han blir avskyelig, sa hun.

Jamilet lovet at hun skulle komme. Hun forsøkte å roe seg ned ved å minne seg selv på at hun ikke lenger tok seg av Carmen alene. Louis var kommet tilbake, og på noen måter var det bedre enn før. Han hadde styrtet til sykehuset da han hørte ryktene på Chabelito's bar om Carmens selvmordsforsøk. Han satt ved sengen hennes da Carmen endelig våknet etter å ha sovet som en død i tolv timer. Hans øyne var det første hun så, og de holdt rundt hverandre mens de gråt litt. Louis erklærte for Carmen og alle andre som kom inn i rommet, sykepleiere, leger og vaktmestere, at dette var kvinnen han elsket, og at han nå ville slutte å leve på en løgn. Han lovet Carmen og Jamilet at når kona kom tilbake, ville han fortelle henne det også, og gifte seg med Carmen, slik han burde ha gjort for mange år siden.

– Ikke vent, fortell henne det nå, sa Carmen da hun følte seg bedre.

– Jeg vil ikke fortelle henne det nå, når hun er så bekymret for om hun kommer hjem, men ikke vær redd, min lille blomst, sa Louis. – Jeg sparer penger for å hente dem hit, men det kommer til å ta litt tid. Det er fire av dem, vet du.

– Hvor mye trenger du? spurte Carmen.

Louis skottet opp i taket mens han regnet i hodet. – Å, jeg tror omtrent … Han lukket et øye. – To eller tre tusen.

– Pokker! sa Carmen. Hun slo hånden i sengen og sprutet en god del appelsinjuice på sengetøyet. – Du kommer til å være død og begravet før du kan får spart opp så mye penger. Helvete, sa hun. – *Jeg* kommer til å være død og begravet.

Louis sa ingenting, han la hånden hennes mot kinnet sitt. Carmen trakk lykkelig på skuldrene, selv om anledningen vanligvis ville ha fått henne til å krangle og klage. Hun hadde fått mannen sin tilbake, og det var alt som telte nå.

Likevel klarte ikke Jamilet å slippe bekymringene for henne så lett. Hun kunne ikke være sikker på hvor lenge tanten ville være fornøyd med det opplegget Louis hadde foreslått. Carmens tilfredshet var ikke av den tålmodige typen som stakk dypt, styrket av tro og overbærende, langvarig lidelse. Den varte omtrent like lenge som en morsom vits, og Carmen var ikke den som lo lenge.

Señor Peregrinos rom var kaotisk – skittentøy lå slengt overalt på gulvene, og brett fra flere måltider sto stablet i et hjørne. Det dryppet fra brett til brett, som en grumsete fontene overlatt til årenes forfall. Señor Peregrino snudde seg ikke bort fra skrivebordet da Jamilet kom inn. Hun måtte tråkke over haugene på gulvet for å kunne sette frokostbrettet på nattbordet.

Jamilet var blitt en ekspert på å gå stille på sine harde sko, og hun organiserte de forskjellige haugene på gulvet etter beste evne.

Hun var rimelig godt i gang da han snakket bryskt uten å snu seg. – La det være.

Jamilet skvatt, og slapp kleshaugen hun holdt, på gulvet.

– Jeg sa det til deg i går, sa han strengt. – Du skal ikke røre noe på mitt rom, er det forstått?

– Unnskyld meg, señor, sa Jamilet. – Det har du aldri sagt til meg.

Da han hørte Jamilets stemme, spant señor Peregrino rundt og fikk stolbeina til å skrape over sementgulvet. Han så på henne som om hun var en død slektning som var våknet til live, først overlykkelig, men så smalnet blikket hans og munnen strammet seg til en liten grimase. – Så, du har bestemt deg for å komme tilbake, hva?

– Tanten min er syk, señor.

– Se på dette stedet, sa han og slo ut med begge armene.

– Se på den skitten jeg har måttet finne meg i.

– Jeg beklager, señor. Jeg trodde de ville sende noen andre til jeg kom tilbake.

– De er idioter, alle sammen! erklærte han. – Jeg har ikke tid til å drive opplæring av enhver idiot som kommer inn her. Det var vanskelig nok å lære opp deg, og du er ikke fullt så dum som gjennomsnittsidioten.

Señor Peregrino var fortsatte kledd i pyjamas. Han reiste seg og strakte på seg, som om han våknet etter en lang og deilig søvn. Ansiktet hans var dekket av et tynt, sølvfarget lag med skjeggstubber.

– Jeg skal dusje nå, erklærte han. – Og når jeg er ferdig, forventer jeg at sengen er redd opp, gulvet ryddet og hvert eneste av de fæle brettene fjernet. Deretter, fortsatte han med et elegant bukk, – deretter skal jeg spise min frokost i sengen, og etterpå skal vi fortsette med undervisningen vår. Og hvis du er heldig, får jeg lyst til å fortsette med historien min etter lunsj.

– Utmerket, señor, sa Jamilet. – Du vil vel ha nytt sengetøy, også?

Han var på vei til badet. – Ja, og ring etter en kanne kaffe. Denne her kommer til å bli kald før jeg er klar. Og pass på at de lager nok til oss begge.

– Selvfølgelig, señor.

Jamilet smilte for seg selv da hun fortsatte å sortere skittentøyet på gulvet.

Men señor Peregrino ble stående i døren til badet, før han henvendte seg til henne i en mykere tone. – Jeg trodde ikke du kom tilbake, sa han. – Du burde visst at en gammel mann som meg har lett for å bekymre seg.

Jamilet kikket opp fra arbeidet, inn i øyne som var fulle av ømhet, og kjente en liten ball av glede sprette opp i halsen, varm som et slumrende frø som hadde nektet å spire, men som nå begynte å sitre av liv. Hun svelget hardt av frykt for å bli kvalt. Hun kunne ha fortalt ham at hun hadde bekymret seg for ham også, og at hun hadde lurt på hvem som passet på ham. Men hun ombestemte seg, og strammet musklene rundt øynene, som truet med å renne over. Hun fortsatte å rydde skittentøyet med irriterte rykk hit og dit. Hun klarte til og med å sukke litt. – Du vet at jeg aldri vil forsvinne uten papirene mine, señor. Og det er så mye arbeid her at jeg ikke vet hvordan jeg skal få tid til å høre på historien din i dag.

Han eksploderte med et rungende «Ha!» og forsøkte å høres bitter ut, men det gode humøret vant. – Du får unna tre eller fire ganger så mye arbeid hvis det finnes en sjanse for å høre mer av historien min, og det vet du.

Jamilet smilte. Det var ikke nødvendig med ytterligere bekreftelse på det de begge visste var sant.

To dampende krus kaffe, et av dem med masser av sukker og fløte, ventet på nattbordet så snart morgenens plikter var unnagjort. Brettene og klærne var flyttet ut i korridoren og måtte bæres ned, men rommet var plettfritt og sengetøyet nyvasket. Jamilet åpnet vinduet. Formiddagssolen strakte seg gjennom rommet, som en myk, gyllen arm som lokket dem til å sitte og meditere i varmen den brakte med seg.

Nybarbert og duftende av såpe og pudder tok señor Peregrino begge krusene til skrivebordet sitt. De nippet til kaffen sammen, og betraktet det fine støvet Jamilet hadde forstyrret i sin hektiske vaskeballett. Støvkornene danset som miniatyrstjerner mellom lys og skygge i rommet.

– Denne gangen husker jeg hvor jeg stanset, erklærte señor Peregrino stolt.

Jamilet skottet på ham gjennom dampen som steg opp fra kruset. Hun husket også, men sa ingenting.

– Jeg hadde klart å irritere Jenny like mye som hun hadde irritert meg, ved å nekte å fortelle årsaken til at Tomas og Rosa lot som om de var søsken. Ja, sa han. – Jeg var ganske fornøyd med meg selv, helt til det gikk opp for meg at Jenny var i stand til atskillig mer enn å bli irritert.

Señor Peregrino løftet den dampende kannen mot henne. – Mer kaffe? spurte han, som om de satt i en stue eller på en fortauskafé.

– Ja, takk, sa Jamilet og holdt ut kruset sitt så señor Peregrino kunne fylle det opp. Etterpå lukket hun øynene og lyttet til den hypnotiserende melodien i stemmen hans, og følte det som om hun fløt like mye som støvpartiklene rundt dem. Kanskje var det et resultat av de to toppede skjeene med sukker i kaffen, og ikke noe annet, men hun tvilte på det.

Kvelden falt over Leon som et mørkt slør. Stearinlys dukket opp i alle vinduer rundt det lille torget vårt, og stedet virket som om det var hjemsøkt av skygger som beveget seg etter egen vilje. Jeg hadde tilbrakt det meste av ettermiddagen ved samme bord, og bekymret meg for alt og ingenting. Hvordan skulle jeg holde ut Jenny resten av reisen? Kunne Tomas komme til å miste sin forstand på grunn av Rosa? For hver dag som gikk, virket han mindre og mindre som den mannen jeg kjente da vi dro hjemmefra for så lenge siden. Og så var det min største bekymring – når ville Andres slå til? For det fantes ikke tvil i min sjel om at han kom til å gjøre det. Han virket som en slu mann, som ikke var så dum at han tillot sin lidenskap å styre ham sånn uten videre. I stedet putret den i sjelen hans mens han klekket ut en ond og forrædersk plan.

Jeg hadde advart Tomas om Andres' nærvær, og han var henrykt over å få muligheten til å spille rollen som kjærlig bror enda mer overbevisende enn ellers. Da de krysset torget sammen, arm i arm, satte jeg pusten i halsen. Hun hadde på seg en enkel kjole, det mørke håret hang i en tykk flette nedover ryggen hennes, og hun var uten annen pynt enn de smaragdgrønne øynene. Selv sirissene ble stille av ærefrykt.

Tomas avbrøt sin pompøse entré med noen nervøse øyekast rundt torget, på jakt etter Andres. Han hadde utvilsomt fortalt Rosa at han var i nærheten. Et usikkert smil lå på leppene hennes, men i motsetning til Tomas våget hun ikke å se seg rundt og invitere til en hilsen som kanskje kunne føre til noe annet.

– Kommer ikke Jenny? spurte hun da hun så at jeg satt alene ved bordet.

– Hun kommer nok snart.

– Bra, sa hun, og smilte ordentlig denne gangen. – Når Jenny er med oss, kjennes hjertet mitt lettere.

– Hun har noe eget ved seg, sa jeg og helte i vin til alle.

Jenny dukket opp etter en liten stund. Hun så pen ut, med hår som skinnende kobber, og øynene glitrende av ustanselig glede. Hun bablet i vei om at hun ønsket seg et varmt bad og en myk seng, men ble taus da hun oppdaget uttrykket av smerte og skrekk som plutselig dukket opp i Rosas ansikt.

Vi hørte støvlene hans hamre mot tregulvet før vi så ham. Tomas tok et fast og trygt tak i Rosas hånd, mens Jennys øyne glitret over kanten på glasset hun satt med, som blikket til et forventningsfullt barn som nettopp har fått en ny leke.

Andres bukket til oss alle, men han var bergtatt av Rosas ansikt, som ikke avslørte annet enn ubehag over å bli beundret så skamløst.

– Det er en deilig kveld, sa Andres og tvang blikket til å gli over oss.

– Ja, det synes jeg også, sa Jenny før hun snudde seg mot meg. – Synes du ikke det er en fin kveld for dans, Antonio? Tomas forteller meg at du er en svært dyktig danser.

– Kanskje, svarte jeg.

– Jaså, du er danser? spurte Andres, litt distrahert av sin beundring av Rosa.

– Jeg har hatt glede av dans fra tid til annen.

– Jeg er sikker på at jeg har sett din brors venn danse mange ganger, sa Andres og henvendte seg til Rosa. – Kan du se bort fra din søsterlige lojalitet et øyeblikk og fortelle meg om han er flink?

– Han er fantastisk.

Rosa møtte Andres' spørrende blikk med usedvanlig overbevisning.

Han ble tydeligvis henrykt over å høre dette, og smalt hånden i bordet med et rungende brak. – Da skal vi danse, erklærte han høyt før han reiste seg. – Det finnes sikkert musikere her som står til tjeneste.

Jenny klappet henrykt i hendene, men det neste som kom ut av munnen hennes, stanset nesten hjertet mitt. – Så fantastisk, Rosa, sa hun høyt, bøyde seg frem og klemte armen hennes. – Men hvorfor kaller denne herren Tomas for din bror, når han ikke er broren din mer enn han er min? Snakker han om et broderskap som oppstår under pilegrimsreisen? For hvis han gjør det, da er vi alle en eneste stor, lykkelig familie, ikke sant?

Fargen forsvant så fullstendig fra Rosas ansikt at hun til og med ble blekere enn Andres' hvite hanske som hevet seg for å peke på henne og Tomas. – Dere er ikke søsken? spurte han.

– Selvfølgelig ikke, svarte Jenny og hoppet i stolen for hvert ord. – De leker en dum lek, selv om ingen vil fortelle meg hvorfor.

Ansiktet hennes trakk seg sammen i et smil som ble stivt og grotesk mens hun ventet på at noen skulle reagere, men det fantes bare taushet.

Til slutt snakket Rosa. – Vi mente ikke noe vondt, sir.

– Jeg tviler ikke på at du kan overtale en fugl til å slutte å fly, eller en fisk til ikke å svømme, om så bare fordi det ville more deg, min kjære, sa han. – Jeg er ikke immun mot sjarmen din, men jeg er heller ikke en fugl eller en fisk.

Da han hadde sagt dette, reiste han seg og forlot bordet uten et ord mer.

Jeg har verken før eller siden følt trang til å slå en kvinne, men der og da krevdes det alt jeg hadde av selvkontroll å la være å smekke til Jenny. Tomas satt livløs i stolen, som om han var blitt fratatt sin identitet og sitt menneskeverd. Rosa var som alltid umulig å lese. Hun så etter Andres som om hun kunne lese fremtiden i de brede skuldrene hans, men hva fremtiden ville bringe, syntes ikke i ansiktet hennes.

Noen minutter senere begynte musikere å samle seg på torget. Bordene ble ryddet, og støyen fra slitne pilegrimer gikk over i den larmende og glade lyden av festligheter. Føtter som hadde klapret mot veien gjennom mange kilometer, hovne av gnagsår og verkende av smerte, begynte å trampe lett til lydene av instrumentene som varmet opp. Musikk som dette, fra de spanske høylandene, hadde makt til å få veistøvet til å falle av de av oss som følte oss kallet, og fylle oss med en strøm av ny energi, like frisk som fjelluften. Selv om jeg var sint på Jenny, klarte jeg ikke å la være å føle det slik. Hjertet mitt begynte å banke med i øyeblikkets ånd.

Tomas dunket meg på skulderen og pekte mot Andres, som sto midt på torget og flyttet føttene i takt med musikken. Han var en imponerende mann, og når han sto alene som nå, så han ut som en militær statue som var blitt levende. Plutselig feide musikk over torget, og Andres begynte å danse for alvor. Jeg kjente denne jigen. Den var vanskelig, og ble best utført av menn som var både atletiske og grasiøse. Han klarte seg fint, selv om utførelsen var litt stiv. Det var uansett sjelden å treffe noen som kunne danse slik, og publikum var tydelig imponert. Menn samlet seg rundt ham for å se på. De klappet, og det tok ikke lang tid før et par andre unge menn også danset, men uten Andres' styrke og kontroll. Ved siden av ham lignet de skyggefigurer skapt av støvet som støvlene hans virvlet opp når de hamret i bakken.

Vinen flommet, og mange pilegrimer helte i seg mer enn det budsjettet deres normalt ville tillate. Til min overraskelse løftet Tomas armen og ropte til jenta at hun skulle hente en krukke til. Glassene våre ble øyeblikkelig fylt opp. Tomas dirret av oppstemthet og lettelse da han løftet glasset til munnen. Han var overbevist om at Andres ikke brydde seg om vårt lille spill, og at vi ikke trengte å bekymre oss. For var det mulig at en sint mann kunne danse med slik løssluppenhet? Kunne hodet hans brygge sammen morderiske planer mens kroppen ga etter for slik lettsindighet? Jeg burde ha bedt Tomas å slutte å drikke før han mistet dømmekraften, minnet ham om at faren ikke var over ennå, men jeg holdt meg i ro og bare så på.

Da Andres var ferdig, ble mange av glassene hevet for ham, men han hadde bare øye for vårt bord. Blikket hans var fiksert på Rosa, som nikket høflig. Han så ribbet ut der han sto, uten å ense jubelen som bombarderte ham fra alle andre enn den han brydde seg om. Han vendte oppmerksomheten mot meg, og strakte ut armen.

– Han vil at du skal slutte deg til ham, sa Jenny.

– Jeg er ikke i humør til å danse i kveld, sa jeg glatt.

– Jeg er ganske trett ...

– Av hva? Vi har ikke gått i dag. Noen av disse unge mennene som danset, har akkurat kommet, de har knapt hatt muligheten til å sette seg ned og ...

Jenny ble taus da hun hørte Andres henvende seg til folkemengden og peke i min retning. Hun gispet henrykt da hun fanget opp det han sa.

– Det har kommet meg for øre at det er en fremragende danser blant oss, sa han. – Kanskje vi kan overtale ham til å dele sitt talent med oss.

Folkemengden mumlet sitt bifall og så seg om etter denne mystiske danseren.

– Jeg beklager, Antonio, sa Rosa. Ansiktet hennes var et bilde på anger. – Jeg burde ikke fortalt ham hvor dyktig du er. Kanskje jeg tar feil, og du ikke er så fantastisk likevel.

Jeg forsto ikke hva hun mente før senere. Og jeg kunne ikke spørre henne hva hun mente, kunne ikke la meg merke med bønnen i blikket hennes, for folkemengden utfordret meg. Jeg reiste meg og tok av meg frakken, glattet ut skjorten så godt jeg kunne, og håpet at de andre pilegrimene ville tilgi meg de skitne skoene og de krøllete klærne.

Da jeg sto midt på torget, skilte jeg meg sterkt fra Andres, som sto der i sin plettfrie uniform og sine pussede støvler. Jeg lukket øynene og ventet. Lydene på torget falt til ro, og jeg hørte bare ekkoet fra fjellene og et kor av vind som sang med en ren og vakker stemme. Den smittende rytmen fra tamburinen fikk meg til å røre på tærne og finne det usynlige mønsteret i melodien; hjertet i dansen min. Musikken løftet seg, og musikerne fulgte meg mens vi lette etter den sammenføyningen av kropp og sjel som musikk og dans er. Vi beveget oss sammen. Jeg kjente musikken strømme gjennom beina, gjennom armene mine. Min kontroll var også min glede. Presisjon og koordinasjon inspirerte hver bevegelse. Jeg ropte av fryd, og hørte andre rope tilbake og klappe i samme takt som dansen min. Da jeg tilfeldigvis åpnet øynene, så jeg samme forundring i ansiktene deres som de så hos meg. I det øyeblikket var vi alle forelsket i livet. Så lenge dansen levde og musikken spilte og våre stemmer hevet seg over nattens ro, føltes det som om vi hadde overvunnet selv døden.

Braket av applaus og jubel brøt transen. Jeg sto andpusten midt på torget før jeg gikk tilbake gjennom mengden, til lyden av stor jubel. Da jeg kom til bordet mitt, var ikke stemningen så ellevill. Selv om Jenny var dåneferdig av forbløffelse, og benyttet enhver anledning til å vise sin anerkjennelse ved å ta armen min og til og med trykke foten min med sin egen da jeg satte meg. Rosa var tydelig opprørt, og etter en hastig kompliment unnskyldte hun seg og forlot bordet med tårer i øynene.

Mens vi fulgte henne med øynene der hun snodde seg gjennom folkemengden på vei til kvinnenes sovesal, forklarte Jenny oss hvorfor. – Hun følte seg ikke bra, og ville gjerne få en god natts søvn til i morgen tidlig.

Hun helte vin i et glass til seg selv. – Men jeg morer meg kostelig. Jeg kan være oppe i timevis, kanskje kommer jeg ikke til å sove i det hele tatt, sa hun med et djevelsk smil.

Ansiktet hennes myknet, og hun henvendte seg til en som sto bak meg. – Å, señor Andres, sa hun. – Tillat meg å gratulere deg med danseferdighetene. Det var en stund jeg fryktet at jorden skulle knuses under føttene dine.

Andres var ikke alene. Ved siden av ham sto en junior-offiser som holdt et lite skinnskrin. Etter at Andres hadde tatt imot Jennys kompliment med et avvisende nikk, rettet han oppmerksomheten mot meg. – Den vakre Rosa hadde rett. Jeg må innrømme at du er en bedre danser enn meg.

Han nikket til ledsageren, som la skinnskrinet på bordet mellom Tomas og meg. – Den av dere som er mer mann enn hund, vil åpne dette skrinet og forstå hva innholdet betyr, sa han.

Tomas' skuldre rykket til, som om han var blitt stukket i hjertet, og øynene hans falt på meg med en vanvittig red-sel som virket som om den hadde lammet ham. Jeg strak-te meg etter skrinet for å åpne det, da Tomas slo hånden min bort. Han åpnet det selv, med så mye kjekkaseri og kraft at det nesten falt på gulvet. Andres og den yngre mannen flirte da de så at Tomas' øyne ble fulle av vann, og at haken falt ned da han oppdaget en langløpet pistol, hvi-lende på svart fløyel.

– Hva betyr dette? spurte jeg.

– Jeg er ikke vant til å snakke med hunder, men i dette tilfelle skal jeg gjøre et unntak, sa Andres med et bukk. – Din venn har akseptert utfordringen min. Jeg forventer at han møter meg ved daggry på engen utenfor byen.

– Han har ikke akseptert noe som helst, og du vet like godt som meg at det er forbudt å duellere.

Den unge soldaten lo, men Andres fikk ham til å tie med et blikk. Han snerret lavt. – Min ære er ikke underlagt trivielle formaliteter. Hvis han ikke er parat og til stede i morgen som jeg ber om, kommer jeg til å jakte på ham og skyte ham i fullt dagslys, hvis jeg må. Og jeg kjenner dette landet som min egen bukselomme. Det finnes ingen steder han kan gjemme seg.

Jeg reiste meg. – Da ber jeg om å få ta hans plass. Han har aldri skutt med pistol i sitt liv, det vil knapt kunne kalles en jevnbyrdig kamp.

Andres gransket meg alvorlig. Han lurte utvilsomt på om jeg var like dyktig med pistolen som jeg var på dansegulvet. Men han hadde ikke trengt å være redd. Jeg hadde tatt i en pistol en eller to ganger i mitt liv. Det ble ansett som lite sannsynlig at jeg kom til å trenge slike ferdigheter som prest.

– Jeg vil ha min oppreisning uansett. Gjør som du vil, sa han.

Andres gikk, og vi ble sittende en stund i taushet. Selv Jenny virket noe alvorlig og tankefull, men klarte ikke la være å stryke fingrene langs den skarpe kanten på skinnskrinet som sto mellom oss.

Jeg kunne ikke styre meg. – Det er din tåpelige og egenrådige natur som har forårsaket dette, sa jeg og hatet henne.

Hun trakk seg ikke unna, men satt like tankefull. – Hvis du ikke kan beskytte en kvinnes ære på annen måte enn ved å lyve, da synes jeg synd på dere begge. Og jeg er sikker på at Rosa føler det på samme måte.

Eggen i ordene hennes traff målet, og jeg følte stoltheten min krympe under fordømmelsen hennes. Tomas stammet ved siden av meg, men vi greide ikke å si noe, og hun overlot oss til vår egen håpløshet.

For første gang i våre liv kranglet Tomas og jeg om hva vi skulle gjøre. Krangelen dreide seg om hvem som skulle møte Andres neste morgen. Til å begynne med insisterte Tomas på at dette var hans sjanse til å demonstrere sitt mot, og at Gud hadde gitt ham muligheten til å vinne Rosas kjærlighet. Han beskyldte meg for å være egoistisk og grusom som ville nekte ham det. Akkurat i det jeg skulle til å gi etter, fikk han et voldsomt skjelveanfall som strakte seg ut i armene og beina, og som ikke ga seg før jeg overbeviste ham om at det var vanvittig av ham å møte Andres. Jeg hadde opplagt bedre sjanser til å overleve, om ikke annet fordi jeg ikke ble rammet av slike skjelveanfall.

Mens natten gled videre, tok tankene våre mange desperate vendinger. Vi vurderte mulighetene for flukt en kort stund, og kom frem til at Andres ville finne oss, som han sa, og at livet som flyktning ville være uutholdelig. Vi fortalte hverandre at det fantes en liten mulighet for at Andres ville bomme, eller for at skuddet hans ville såre meg i stedet for å drepe meg. Vi snakket om hva vi skulle gjøre hvis den ene eller den andre av disse mulighetene inntraff. Da vi til slutt hadde diskutert alle praktiske hensyn vi kunne forestille oss, gransket vi pistolen omhyggelig til vi var sikre på at den var i god stand. Først da, med bare noen timer igjen til daggry, hvilte vi hodene på bordet og lukket øynene.

Da det første skjæret fra morgensolen dukket opp i vinduet, hadde jeg vært våken en stund og lyttet til Tomas' rolige pust. Jeg ristet ham forsiktig, og han våknet med et rykk. Søvnens uskyldige uttrykk ble øyeblikkelig erstattet av en engstelig grimase da han husket hvor forferdelig situasjonen var.

–Det er på tide å gå, sa jeg og løftet pistolskrinet.

Jeg følte en uventet lettelse over at om ikke annet, så var den verste natten i mitt liv over. Vi vasket ansiktene i det kalde vannet fra kjøkkenbøtten før vi gikk ut på torget.

Steinbygningene var svarte mot den bleke himmelen, og det var mulig å skimte stien som førte ut til jordet. Der kunne jeg se for meg sirkelen av trær som ville skjule oss for enhver som gikk forbi. Lyden av pistolskuddet ville verken skremme eller vekke noen. Det lot seg lett forklare med at det var vanlig at jegere dro ut tidlig på morgenen.

Jeg lente meg mot Tomas og snørte støvlene mine, da jeg hørte en dør gå opp og igjen på den andre siden av torget. Silhuetten av to skikkelser kunne skimtes i døråpningen til vertshuset, men det var umulig å se dem klart gjennom tåken og mørket. En av dem, en kvinne, kom gående mot oss. Tomas gispet svakt. Det var Rosa. Hun bar det røde sjalet over hodet som en kappe, og skuldrene lutet fremover mot kulden. Hun nærmet seg oss, og rakte frem hånden mot meg.

– Det blir ingen duell, sa hun. – Vær så snill, Antonio. Gi meg pistolen.

Nå hadde også den andre skikkelsen kommet over torget. Andres stilte seg ved siden av henne, med åpen frakk og den nakne brystkassen fullt synlig.

Et kokende raseri brant i halsen min. – Hva har du gjort, Rosa?

– Det er ikke det det ser ut til å være, sa hun. – Men jeg måtte gjøre noe.

Hun holdt fortsatt ut hånden, men jeg kunne ikke få meg til å gi henne skrinet.

Andres tok et skritt frem, men stemmen hans hadde mistet sitt overmot. Han hørtes bare trett ut, og ivrig etter å vende tilbake til sengen sin. – Gjør som hun sier. Jeg trekker tilbake min tidligere utfordring ... til dere begge, sa han. – Jeg kommer ikke til å plage damen igjen, og dette er siste gangen dere ser meg. Jeg ber bare om å få igjen pistolen, da den er en del av et sett og svært verdifull for meg.

Uten å vite hva annet jeg kunne gjøre, rakte jeg Rosa skrinet og så på mens hun ga det til Andres. Han kastet et kort blikk på henne, men den voldsomme tilbedelsen var borte, selv om ansiktet hennes skinte som en velsignelse i det grå morgenlyset.

Da vi gikk tilbake til herberget presset vi henne for å få en forklaring, men hun ristet på hodet og smilte trist. Hun forsikret oss om at hun ikke hadde skjendet sin ære, og at det var det viktigste. Jeg selv var overbevist om at det måtte være sant, for jeg kunne ikke forestille meg at en mann ville slippe henne så lett etter at å ha kjent den fantastiske gleden av hennes selskap. Men noe usedvanlig hadde foregått mellom dem, det fantes ikke tvil om det. Jeg hadde mistanke om at denne kvinnen hadde en hemmelig kraft som til og med var større enn hennes skjønnhet. Senere den morgenen hørte vi den kjærkomne lyden av hestehover mot brosteinene da Andres forlot landsbyen med sine menn. Og vi så ham aldri igjen etter den dagen, akkurat som han hadde lovet.

21

Noe var annerledes med Louis. Han kom på besøk nesten hver kveld, og var like tilbedende som ellers. Han snakket overstrømmende om hvor sexy Carmen var, om den herlige stemmen hennes og den provoserende midjen, men noe var annerledes, og det fikk Jamilet til å grøsse litt, til tross for varmen på kjøkkenet. Hun likte ikke å tenke på det, men når hun gjorde det, forestilte hun seg at det var en liten klokke som tikket inni hodet hans og som talte sekundene og minuttene, og som minnet ham på at hvert eneste minutt han tilbrakte med Carmen, var han ikke der han burde være. Det gjorde ham skvetten og rar. Noen ganger hørte han ikke etter når Carmen fortalte morsomme historier som normalt ville fått dem begge til å brøle av latter, spesielt hvis de hadde tatt seg noen øl. Og det var en annen ting – Louis drakk nesten ikke lenger. Han tvang i seg en øl eller to, men bare når Carmen skulte og spurte om han planla å bli den neste paven. Han smilte fårete og forklarte at han jobbet overtid for å kunne spare opp pengene han trengte for å hente hjem familien og få orden på ting.

Stort sett ble Carmen beroliget ved tanken på at Louis ville holde løftet sitt, men andre ganger gransket hun øynene hans mens mistanken kokte i henne. Det virket som om han krympet litt for hvert ord han sa. Han smeltet av varmen fra blikket hennes til knoklene hans falt ut av ledd og han ble en buktende haug, en gryte med menneskekjøtt som putret i sin egen samvittighet. – Det blir annerledes når gamla kommer tilbake, Carmencita, sa han med håndflatene rettet mot henne.

– Ja visst, sa hun og kastet på hodet.

Hun la armer og bein i kors så kroppen hennes vred seg bort fra ham som en diger kringle. Resten av kvelden ville hun ikke engang se på ham. Hun holdt seg i ånde med å male tåneglene og le av ting på TV som hun normalt ikke ville synes var det minste morsomt. Men latter hadde alltid fått Carmen til å føle seg sterk, som om hun kunne vri på opprøret i hodet og få det til å danse litt.

Han ville likevel holde seg ved siden av henne på sofaen, og til og med tvinge seg til å drikke en øl til. Når Jamilet hentet de tomme boksene, la hun merke til at furene i ansiktet hans var blitt dypere, og at han hadde mistet vekt han ikke hadde godt av å miste. Nå satt til og med skoene løst. Men når han snudde seg for å se på Carmen, selv om hun oppførte seg ille, strålte han av sunnhet, ute av stand til å føle noe annet enn glede, virket det som.

En kveld hun vasket opp, klarte Jamilet å få spurt ham om når han trodde kona hans kom tilbake. Carmen var for stolt til å gjøre det selv. Hun søkte tilflukt i spydige kommentarer om at hun aldri hadde trodd hun skulle se frem til at den gamle megga kom hjem og lignende bemerkninger, men hun gikk ikke nærmere inn på det.

Louis trakk nervøst fingrene over barten og skottet bort mot Carmen, som satt på sofaen og fornøyd mumset på en diger pose ostepop.

Det kommer til å ta lengre tid enn jeg trodde, sa han.

– Jeg må sende dem penger mens de er der, også. Det gjør det vanskelig å spare.

Jamilet ønsket å være oppmuntrende, men hun fryktet at tantens nerver var frynsete, og at neste gang hun falt sammen, ville det bli verre. – Hvis du vil, kan jeg vise dem hvor jeg krysset elven. Det var ikke så vanskelig, sa hun, overrasket over desperasjonen i sin egen stemme.

– Det er veldig snilt av deg, Jamilet. Men gamla er veldig gammel ... som meg. Hun kan ikke krysse elver som en ungpike.

Carmen ropte fra stuen. – Louis, få ræva di over hit. Du vet jeg hater å forklare begynnelsen på en film for deg.

– Jeg kommer straks, Carmencita.

Han snudde seg mot Jamilet og hvisket: – Jeg tror det egentlige problemet er at jeg har mer kvinne enn jeg kan takle.

På grunn av lyden fra fjernsynet og den rennende vasken var hun ikke sikker på om hun hørte ham si «kvinne» eller «kvinner», men hun kunne uansett ikke være annet enn enig.

For andre gang på en uke fant ikke Carmen bilnøklene like før hun skulle på jobb. Jamilet hjalp til med å lete etter dem mens Carmen bombarderte henne med beskyldninger om at hun var en besatt «ryddegærning», som tanten yndet å kalle det. Skjønt tonen denne morgenen var blottet for den hengivenheten som vanligvis fulgte bebreidelsene. Etter at de hadde snudd opp ned på huset, dukket nøklene opp i skittentøykurven, nede i lommen til Carmens bukser, som hun hadde slengt på badegulvet kvelden før. To dager tidligere hadde de dukket opp i kjøleskapet, og ville ikke ha blitt funnet hvis ikke Jamilet hadde bestemt seg for å tine noe kylling til middag den kvelden.

– Ser du? sa Carmen og viftet med nøklene opp i Jamilets ansikt. – Bare la ting ligge hvor du finner dem.

Hun styrtet ut til bilen sin og overlot til Jamilet å låse døren.

Jamilet hatet å komme for sent. Señor Peregrino ville bli skuffet. De kom til å få mindre tid sammen, noe som ville gå ut over undervisningen hennes. Når hun kom for sent, var det også mer sannsynlig at han ville utsette å fortelle mer av historien til neste dag. Jamilet løp de første kvartalene, men stinget i siden tvang henne til å senke farten, først til lett jogging, så til rask gange. Da hun oppdaget Eddie, som lente seg mot gjerdet utenfor sykehuset, bråstanset hun. Denne gangen fantes det ikke tvil om at han ventet på henne.

Selv om det bare var noen dager siden forrige gang hun så ham, føltes det som en evighet av tid, som var blitt forlenget av bekymringer og frykt hun knapt forsto, og enda mindre taklet. Hun hadde sett ham en eller to ganger på verandaen med Pearly når hun gikk hjem om kvelden, men våget verken å vinke eller se i hans retning. Dette var den første sjansen hun hadde hatt til å takke ham for at han hjalp henne med Carmen.

Da hun nærmet seg, husket hun at hun ikke hadde gredd håret pent den morgenen. Hun hadde vært så opptatt av å finne tantens nøkler at hun ikke engang kunne huske om hun hadde vasket søvnen ut av øynene. Raskt lot hun en hånd fare over ansiktet, som for å forsikre seg om at nesen og munnen var omtrent der de skulle være. Eddie skjøv seg bort fra gjerdet da han så henne.

De hilste ikke på hverandre, men Jamilet sto nær nok til å kjenne varmen hans, og det gjorde henne nesten åndeløs. Hun ventet på at han skulle si noe, håpet at hvis han ikke gjorde det, ville hun klare å finne ordene som passet til øyeblikket og dra det ut til noe mer enn et tilfeldig møte.

– Hvordan går det med tanten din? spurte han, som om han tilfeldigvis fant det naturlige utgangspunktet for en samtale.

Jamilet svarte andpusten. – Bra, det går veldig bra med henne. Jeg rakk ikke å takke deg for hjelpen.

– Det er ok.

– Jeg så deg på verandaen, men jeg ville ikke …

– Det forstår jeg, sa han svakt.

Samtalen kunne ha endt der. Både Jamilet og Eddie ventet på at den naturlige avslutningen skulle dukke opp, men de ble stående hvor de var og se på dampen fra åndedrettene deres, som blandet seg og forsvant. Hun så nærmere på ham og oppdaget at øynene hans var hovne og matte. Menn så ofte slik ut når de hadde drukket kvelden før, men hun lurte på om det var tilfellet når det gjaldt Eddie.

Han tok tak i gjerdet for å støtte seg. Ansiktet hans var fortrukket av noe han ikke klarte å få sagt. Han åpnet og lukket munnen, og åpnet den igjen. – Jeg … æ … jeg vet du må på jobb. Jeg vil ikke at du skal bli sen.

– Det gjør ingenting, sa Jamilet, nesten før han rakk å snakke ferdig.

– Jeg bare begynte å gå i dag morges. Jeg vet ikke hvor jeg gikk eller hva, og jeg endte opp her. Jeg vet ikke hvorfor.

Ansiktet hans myknet et øyeblikk, og ble deretter grepet av en blanding av rå og verkende sorg.

Jamilet rakte instinktivt ut hånden, og la den på armen hans. Berøringen fikk ham til å snakke, og ordene ramlet ut av munnen hans. – Det er vel fordi du visste at hun var syk, ikke sant?

Tårene glitret i øynene hans. Jamilet lot hånden hvile på armen hans, og sa ingenting.

– Jeg var forbannet.

Han klukket og ristet på hodet som om han forsøkte å forstå en dårlig spøk. – Jeg ville ikke snakke om det.

Han så anklagende på henne, og ble taus. Han senket hodet, og tårene ble en varm strøm mellom fingrene hennes.

– Når døde hun? spurte Jamilet etter flere sekunder.

Eddie løftet den ledige armen, dro ermet under nesen og snufset. – I går kveld, sa han.

Det var nesten umulig for Jamilet å konsentrere seg om undervisningen. Hun lyttet med et halvt øre mens señor Peregrino gikk gjennom feilene hun hadde gjort på siste oppgave, og klarte å svare sånn noenlunde sammenhengende. Men tankene vandret som en drage som hele tiden ble løftet fra bakken av små vindkast. Den var rede til å ta av og sveve gjennom luften, men señor Peregrino trakk i snoren og dro henne tilbake til jorden igjen og igjen ved å insistere på at hun lærte forskjellen mellom «kjønn» og «skjønn», «kjøre» og «skjøre».

Hvordan kunne hun konsentrere seg om hva señor Peregrino snakket om, når hun visste at hun samme kveld skulle treffe Eddie under treet deres, akkurat som den første kvelden? Det var hans idé, og han kom med den uten å nøle. – Møt meg i kveld. Vi kan gå en tur eller noe. Ok?

Et smil dukket opp på leppene hans, og Jamilet kunne bare nikke og si ja til å være der når han måtte ønske, på hvilken måte han måtte ønske det. Hun ville komme. Plutselig virket det som om livet hennes hadde fått ny mening, og hun følte en absurd lyst til å le og gråte og stirre ut i luften og bare tenke på dette mirakuløse som hadde skjedd.

Hun klarte seg frem til lunsj uten å virke for distré, skjønt señor Peregrino gransket henne med en viss nysgjerrighet. Da han skjøv stolen ut fra skrivebordet med foten og ba henne sitte ned mens han fortsatte med historien, satte hun seg og ventet på at han skulle begynne.

– Vel, sa han. – Hvor stanset jeg?

Jamilet flyttet oppmerksomheten mot ham. Hun hadde stirret på det pastellblå sengetøyet hans og lurt på hva hun skulle ha på seg om kvelden. Hun hadde bestemt seg for at håret nå var langt nok til å ha løst. – Jeg beklager, señor ...

– Historien min, gjentok han. – Hvor stanset jeg?

Han så at hun vred på seg for å lete etter svaret. Han lente seg frem i stolen. – Så hukommelsen din er ikke så god som du trodde, hva?

– Jeg er redd for det, señor.

Han lente seg tilbake, litt fornøyd. – Vel, heldigvis for oss husker jeg det veldig godt.

Jo høyere vi klatret opp i fjellene som voktet inngangen til El Bierzo og Galicia, og jo dypere vi kom inn i skogene der, jo mer regn opplevde vi. Det hamret nådeløst ned over oss, stien ble gjørmet, og føttene sank ned i bakken for hvert skritt. Det var umulig å snakke eller synge i et slikt styrtregn. Ofte kom vi frem til bestemmelsesstedet vårt sent om ettermiddagen, uten å være spesielt glade over å ha overlevd enda en dag. Selv Jenny var alvorlig.

Men i motsetning til de andre satte jeg pris på regnet. Det inspirerte meg til lange timer med en selvransakelse jeg sårt trengte. De sier at når en mann nesten dør, blir han brått klokere, og jeg lot tankene vandre fritt. De fløy som fugler, utforsket alt, og stanset hvor de selv ønsket det. Mens jeg sto på elvebredden en morgen og betraktet Rosa, som lette etter fotfeste på en glatt bro, dukket det opp mange tanker på en gang. Jeg tenkte på den ydmyke måten hun førte seg på, og tålmodigheten hennes med Jennys konstante plapring og overlegne holdning. På Thomas' patetiske oppførsel, som hun ikke møtte med annet enn vennlighet, alltid hensynsfull overfor hans sjelekval, som hun helt sikkert var klar over. Og så tenkte jeg på måten hun hadde reddet livene våre på, og bedt meg om pistolen med en slik mild besluttsomhet. Dette var en ekstraordinær kvinne.

Jeg kjente en fredelig strøm av glede inni meg da jeg innså at det jeg følte for Rosa, ikke var forervelig eller galt. Det kom ikke av lyst eller hemmelige tanker som ble tilfredsstilt under teppene i den mest ensomme timen om natten. Det hadde utviklet seg til noe ganske fantastisk, fordi jeg så forbi hennes skjønnhet og gledet meg over hele hennes praktfulle vesen. Jeg drømte ikke lenger om å eie henne. Det var nok å se på henne, høre stemmen hennes av og til, og vite at vi så på den samme solen, den samme månen. Jeg kunne ikke lenger fornekte at jeg elsket henne mer enn livet selv. Likevel innså jeg at det å fortelle henne hva jeg følte, bare ville påføre henne smerte. Som alltid virket hun opptatt av ting som lå over vanlige menneskers liv, og jeg fryktet at min kjærlighetserklæring bare ville øke byrden hennes på mystisk vis. Det beste jeg kunne gjøre, var å tie og lide alene med min kjærlighet.

Jeg delte heller ikke min nye innsikt med Tomas, som fortsatte å velte seg i sin egen elendighet. Han klaget over at han hadde kastet bort sin eneste mulighet til å demonstrere motet sitt for Rosa. Jeg har ikke tall på alle de gangene han fortalte meg at han burde ha tatt pistolen fra meg og avvist Andres' botferdighet. Hadde han gjort det, var han sikker på at Gud ville ha gitt ham seier. Når vi om noen få uker kom frem til Santiago og reisen vår var slutt, ville også hans sjanse til å vinne Rosas kjærlighet være over.

– Jeg skal fortelle henne hva jeg føler før festen for Sankt Stefan, sa han sent en kveld etter at Jenny og Rosa hadde trukket seg tilbake for natten. – Jeg skal be henne følge med meg hjem som min kone, noe jeg burde ha gjort for mange uker siden, og ville ha gjort også, hvis jeg ikke var en sånn feiging.

– Festen for Sankt Stefan er i morgen, sa jeg.

– Jeg vet når den er, glefset han. – Ikke bare det, men hvis hun avslår frieriet mitt, har jeg ikke noe annet valg enn å betrakte denne reisen og hele mitt liv som bortkastet. Jeg vil ikke nøle med å handle.

– Hva er det du sier, Tomas?

Han svarte ikke, men lot meg sitte igjen foran ilden for å gruble over hva han hadde tenkt å gjøre. Jeg nippet til vinen, og selv om den var bitter, nøt jeg sødmen ved å vite at min kjærlighet til Rosa ikke førte til slike kvaler. Jeg kunne lukke øynene mine, noe jeg gjorde, og se henne for meg på veien som den velsignede jomfruen selv, der hennes ynde lyste opp stien foran oss. Plutselig kjente jeg en varme mer brennende enn ilden, og åpnet øynene. Hun sto foran meg.

– Jeg beklager å forstyrre deg, Antonio, sa hun med et lite nikk. – Jeg har vanskelig for å sove. Kan jeg sitte hos deg en stund?

Jeg rettet opp stolen min og strakte meg etter en til for å trekke den nærmere varmen.

– Du forstyrrer meg ikke i det hele tatt. Sett deg. Varmen er svært behagelig.

Jeg helte i et glass vin til henne som hun tok imot med et nikk, og jeg skalv litt av velbehag idet skjørtekanten hennes strøk mot kneet mitt da hun satte seg.

Ansiktet hennes var stramt av engstelse. – Det virker ikke som om noe opprører deg, Antonio, sa hun stille. – Du er alltid så rolig og selvsikker.

Stemmen hennes var nesten anklagende, og jeg var ikke sikker på hvordan jeg skulle reagere.

– For å bruke dine ord, sa jeg. – Ting er ikke alltid som de virker.

Hun smilte og vendte seg bort; beæret meg med å vise profilen sin, som var enda mer utsøkt enn glasset hun holdt mot leppene. – Jeg vil gjerne fortelle deg en hemmelighet hvis du vil høre.

Fargen steg i kinnene hennes.

– Det vil være en ære.

– Jeg har tenkte lenge på hvordan jeg skulle si dette, og

siden vi er så nær bestemmelsesstedet vårt, innser jeg at jeg må gjøre det nå, eller miste sjansen for alltid.

Hun satte fra seg glasset og snudde seg mot meg. – Du må forstå at jeg ikke forventer noe. Bare at du lytter.

– Jeg forstår, sa jeg, uten å forstå noe.

Stemmen hennes var litt skingrende, som om hun var en ungpike som tilsto en mindre synd. – Jeg har ikke fortalt noen av de andre pilegrimene at grunnen til at jeg ville reise til Santiago, var at jeg ville bekrefte min overbevisning for kirken. Min mor har aldri vært begeistret for mine planer om å bli nonne. Familien min er fattig, og hennes ønske har alltid vært at jeg skal gifte meg med den rikeste mannen hun kan finne. Jeg har hatt mange friere, sa hun med en viss sorg. – De kom til alle døgnets tider, overlesset med gaver og sprekkeferdige av vakre løfter, men jeg sendte dem alle bort. Mitt håp og min bønn var at pilegrimsreisen ville overbevise henne om mitt sanne kall.

Jeg hadde lyttet med hjertet i halsen fordi jeg ikke kunne tro at hennes søken var så lik min. Jeg ønsket å fortelle henne at vi hadde samme hemmelighet, men forholdt meg taus og lyttet som hun ba meg om.

Hun så på meg med øyne som to grotter av en evig lykke jeg ikke kunne fatte. – Jeg vet at det å snakke som jeg gjør nå, bryter alle regler for sømmelighet. Hvis min mor var her, ville hun skåret av meg tungen, men jeg ber om et mirakel, og jeg har stor tro.

Hun knyttet hendene i fanget og fikk tårer i øynene. – For du forstår, heller enn å styrke min opprinnelige hensikt, har reisen gitt meg en ny. Jeg er forelsket i deg, Antonio. Jeg har elsket deg siden første gang jeg hørte deg synge på torget.

Forsøk å se for deg en ung mann som akkurat har hørt en slik tilståelse fra det vakreste og mest fullkomne vesenet han noen gang har vært heldig nok til å kjenne. Hadde jeg stått oppreist, ville jeg ha falt på kne. Som det var, krevde det en kraftanstrengelse bare å puste, blunke og være sikker på at dette ikke var en bisarr og fantastisk hallusinasjon.

Vi sa ingenting på en stund. Hun flyttet blikket for å beundre bålet, mens jeg stirret på henne, redd for at hun skulle forsvinne i løse luften hvis jeg våget å røre meg.

Til slutt brøt hun stillheten. – Du har vært flink til å lytte, Antonio. Hvis du ønsker å si noe nå, så ... jeg ... det jeg mener, er at du ikke trenger å være redd for å såre meg. Jeg har forberedt meg, siden jeg ikke trenger å ha hjernen til et geni for å forstå dine følelser for Jenny.

– Mine følelser for Jenny?

Det var som å få en bøtte isvann i hodet.

Rosa ble ille til mote, siden hun nå ikke bare avslørte sin egen hemmelighet, men også en annens. – Jeg mente ikke ... det er bare det at jeg har sett hvor godt dere to går sammen, og slik forholdene er, kan jeg ikke unngå å være interessert.

Hun klarte å presse frem et lite, skyldbetynget smil.

– Jeg kan forsikre deg om at jeg ikke har noen spesielle følelser for Jenny, kjære deg, sa jeg. – Overhodet ikke slike som du antyder.

Sakte, som om jeg nærmet meg en sjelden sommerfugl som kunne flagre av gårde inn over en eng og bli borte for alltid, tok jeg hendene hennes i mine og tillot den myke varmen fra berøringen å fylle meg helt. Det ble nesten for mye av det gode å se på henne og røre henne samtidig, men jeg beholdt selvkontrollen mens jeg trakk inn den søte duften av pusten hennes. Vissheten om at hun ikke ante noe om mine følelser for henne, fikk meg til å famle etter ord, men jeg fant dem slik en mann må finne balansen for å kunne overleve. – Forestill deg det du føler for meg multiplisert tusen ganger, og du kommer kanskje i nærheten av mine følelser for deg. Selv ikke jeg forstår denne kjærligheten, men jeg er villig til å underkaste meg den fullstendig, slik jeg burde ha gjort helt fra begynnelsen av.

– Ikke ert meg, Antonio.

Hun holdt blikket mitt som om hun ville skjelne mitt sanne hjerte, som jeg gladelig ville ha revet ut av mitt eget bryst for å glede henne. Men hun så det hun trengte i øynene mine, og beæret meg med et mirakuløst smil.

Jeg presset leppene mot hendene hennes, og fra det øyeblikket var vår kjærlighet beseglet for alltid.

Jamilet åpnet øynene og oppdaget at señor Peregrino satt med lukkede øyne og et fjernt smil lekende på leppene. Hun så øynene hans røre seg bak øyelokkene, og fikk inntrykk av at han fortsatte med historien uten å bry seg med å snakke høyt.

– Unnskyld, señor, sa hun. – Du sluttet å snakke.

Øyelokkene hans rykket til. – Det vet jeg.

Han svarte bryskt, men smilet ble værende. Men til slutt åpnet han øynene og blunket gjennom minnetåken. – Jeg tenker bare på mitt livs mest dyrebare øyeblikk.

Han skjerpet blikket. – Det er merkelig – du var ikke spesielt interessert i å lytte da vi begynte, og nå vil du ikke at vi skal stanse. Det burde ikke overraske meg, tatt i betraktning hvor tankene dine var i dag morges.

– Jeg er alltid interessert i historien din, señor.

– Å, Jamilet, sa han. Han la armene over kors og skakket på hodet. – Jeg er ikke så lettlurt som du tror.

Han nikket sakte mens han så på henne som om han kunne vite alt om henne bare ved å følge konturen av øyebrynene og buen i kjeven hennes. Jamilet skulle til å klage, men han hevet en hånd for å få henne til å tie. – Den fullstendige åndsfraværelsen din i dag gjør meg overhodet ikke i tvil om at du enten er besatt eller forelsket.

Jamilet rødmet og fomlet med hendene, men sa ingenting. Hun begynte å rydde sammen kaffekrus og teskjeer, men stanset.

– Hvordan vet man om det er kjærlighet eller besettelse?

– Først vet du ikke forskjellen, svarte han. – Det tar tid å vite hva du holder på med, men alt av verdi tåler tidens tann. Det er ikke noe annerledes med kjærlighet.

– Hvordan kan jeg elske noen jeg knapt kjenner?

– Det skjer hele tiden, sa han og lente seg fremover i stolen. – Men vær forsiktig, Jamilet. Når du befinner deg i denne tilstanden, er ikke alltid ting som de ser ut til å være.

22

Carmen og Louis hadde lagt planer om å gå ut for å spise middag og se en film, noe som heldigvis førte til at de var borte i flere timer. Etter at de hadde gått, smatt Jamilet inn på tantens soverom og studerte samlingen av parfymeflasker på toalettbordet. Hun valgte en i en snodd flaske som så ut som om selve lidenskapen hadde fått glasset til å vri seg av hete og kjærlighet. Hun tok en dråpe bak hvert øre og håndledd slik hun hadde sett tanten gjøre, men bestemte seg for å hoppe over dråpen mellom brystene. Hun var sikker på at den lilla, langermede skjorten Louis hadde gitt henne, ville være nok til å dekke henne helt, og med en genser over den ville det ikke være mulig for Eddie å se noe hun ikke ville at han skulle se.

Hun ventet under treet, utenfor gatelyset, pustet inn sin egen duft og ble litt ør av den. Parfymen var sterkere enn hun hadde trodd. Hun plukket ned et fuktig blad fra treet og begynte å gni det på håndleddene og bak ørene. Så dum hun var som hadde drømt om forførelse på dette tidspunktet. Eddie ville snakke om morens dødsfall, alt annet kunne han få fra Pearly. Akkurat nå satt de sikkert på verandaen og klådde på hverandre, som de alltid gjorde. Bildet fikk Jamilet til å slappe litt av. Hun luktet på bladet for å sjekke om hun hadde klart å gni av litt av tåpeligheten sin, men det virket ikke som om sansene hennes fungerte ordentlig. Hun var omringet på alle kanter av en fremmed summing som gjorde blikket sløret og ødela hørselen. Hun trakk pusten dypt for å roe seg. Eddie ville komme når som helst. Eller kanskje han hadde glemt det fordi Pearly hjalp ham med å takle sorgen på den beste måten jenter kan.

Hun hørte en myk rasling, og Eddie dukket opp. – La oss gå, hvisket han.

Han snudde seg og førte an, men hadde det ikke så travelt som den kvelden de gikk til Braewood asyl. Jamilet hadde ikke problemer med å holde følge, og noen få blikk på ham avslørte at han var roligere og mer avslappet enn han hadde vært samme morgen. Han var fortapt i sine egne tanker, men det virket som om han likevel visste nøyaktig hvor han skulle. Det var besluttsomhet i skrittene hans da han rundet et hjørne etter at de hadde gått noen kvartaler i taushet.

– Liker du ender? spurte han til slutt.

– Mener du fuglene?

Han klukket. – Ja, du vet hva jeg mener. De har flate nebb og sier kvakk, kvakk.

– Jeg gjør vel det, sa Jamilet. Hun la merke til at han bar på en plastpose.

Jamilet visste ikke at parken fantes, selv om hun hadde gått gjennom denne delen av byen flere ganger når hun gikk til markedet. Den lå litt tilbaketrukket fra gaten, bak et sykelig utseende skogholt hvor trærne ble kvalt av eksosen de pustet inn fra den konstante trafikken. Så snart de var kommet bak trærne, gikk trafikkstøyen over i en svak dur. Jamilet fokuserte på den rolige pusten til Eddie, da han gikk ned stien som endte ved en ganske stor dam. Han gikk mot en benk på en liten knaus på den andre siden av dammen. Han hoppet opp og satte seg på bordet med føttene på benken, og lot det være masser av plass for Jamilet til å gjøre det samme. Hun lot det være minst en meter mellom dem, slik at da han åpnet posen for henne, måtte hun lene seg litt frem for å få en håndfull brødsmuler.

Han kastet ut den første håndfullen, og de hørte et plask og den hese kvekkingen fra endene som dukket opp. På et blunk virket det som om hele flokken vraltet foran dem. Jamilet kastet ut enda en håndfull, og snadringen ble til små trompetstøt, som om de spilte på lekeinstrumenter for å gi uttrykk for sin takknemlighet, som var desto sterkere siden de ikke var vant til menneskelig sjenerøsitet på denne tiden av døgnet. Jamilet kastet ut mer brød og følte trang til å be dem dempe seg. Det siste hun ville, var at noen skulle oppdage dem. Det å sitte på en parkbenk og mate endene sammen med Eddie var det nærmeste hun hadde vært paradis.

På mindre enn fem minutter var alle brødsmulene fortært, og endene, klagende og opphisset over at hellet deres var over så fort, vraltet tilbake til det høye gresset nær bredden der de vanligvis holdt til. Stillheten fylte mørket.

– Når døde moren din? spurte Eddie.

Jamilets lepper dirret litt da hun svarte. – For nesten et år siden.

– Hvor lenge var hun syk?

Jamilet sukket. Selv om kvelden var varm, skalv hun fra topp til tå. – Hun måtte ligge til sengs og hvile hjertet sitt lenge.

Jamilet puttet hendene inni ermene og fortalte ham om morens sykdom, og utelot at hun trodde det kom av fortvilelsen over merket. Eddie lyttet nøye, og Jamilet var redd han skulle merke hullet i historien; utelatelsen var like tydelig som en gigantisk åpning i taket som slapp inn både regn og snø og alt annet som falt fra himmelen. Men da hun var ferdig, sa han bare: – Min mor var ikke syk så lenge. Alle sa det var bra, for da slapp hun å lide.

Jamilet var ikke sikker på hvordan hun skulle reagere. Eddie lengtet etter å oppleve trøsten i deres felles sorg, men da moren døde, hadde hun følt en enorm frihet som ikke passet seg for en datter, som om hun for første gang i sitt liv kunne puste dypt og ordentlig. Hun trengte ikke lenger se inn i de vakre, mørke øynene som holdt henne fanget med sin frykt for alt ukjent. Når Lorena skrubbet gulvene i Millerhuset mens Jamilet lekte med Mary, kunne hun titte opp fra arbeidet sitt. En tykk lokk av håret ville falle frem og delvis dekke til øynene hennes, men den smertefulle oppmerksomheten var ikke skjult. Når hun satt i gynge-stolen og så på mens Jamilet lukte i chiliåkeren, kunne munnen vri seg i et fortapt smil, som om hun ikke så på datteren, men på den fremtiden hun aldri kunne forandre.

Eddies fot flyttet seg en tomme nærmere Jamilets, og hun innså at hun ikke hadde hørt på ham, slik han hadde hørt på henne.

– ... har noen fortalt deg at ...

Han stanset seg selv, og stappet hendene i lommene.
– At du er annerledes ... på en måte ...

Jamilet kjente at hun smeltet innvendig, og snudde seg litt. – Ja, sa hun.

– Jeg mener ikke at det er ille, sa Eddie.

– Det er ok.

Jamilet snudde seg litt vekk og så på lysene fra passe-rende biler som forsøkte å finne dem gjennom trærne, for-søkte å trenge gjennom den myke puten av gress og fred som omhyllet dem. Lyset rakk ikke langt nok til å treffe dem, og fant i stedet flekker av gress og jord og trær.

Hun hørte Eddies jeans skrape over det flisete treverket da han flyttet seg nærmere, og kjente blikket hans følge profilen hennes, men kunne ikke røre seg, kunne ikke blunke. Hun var paralysert av lengselen etter å bli funnet, og den sloss med frykten for å bli virkelig oppdaget.

Hun kjente stoffet som dekket armen gli over huden. Eddie rørte ved ermet hennes, og fortsatt klarte hun ikke å røre seg.

– Blir du ikke varm med de lange ermene? spurte han.

– Nei, egentlig ikke, sa Jamilet og klemte sammen armhulene, som var våte av svette.

Eddie pustet dypt og snudde seg for å se gjennom trærne, akkurat som Jamilet. – Jeg skal ikke hoppe på deg eller noe sånt, sa han. – Du kan bare slappe av. Jeg ville bare ha litt selskap. Jeg pleide å komme hit med moren min ... det er ikke noe mer enn det.

– Da du var liten?

– Ja. Hun pleide å følge meg hjem fra skolen hver ettermiddag. Hun tok med seg brød hjemmefra, hun visste at jeg likte å mate endene.

– Hun må ha vært veldig snill, sa Jamilet.

Eddie lente seg bakover på albuene, til han lå nesten helt nede på bordflaten, akkurat som hun hadde sett ham gjøre utallige ganger på Pearlys veranda. – Ja, men hun hadde temperament.

Han plystret mykt. – Hun var vel snill for det meste, tror jeg.

Jamilet løste opp knyttnevene. Hun fant mot nok til å se på ham, og blikket fortapte seg litt i de brede skuldrene. En lysstråle fra billykter feide over dem og avslørte at han gransket Jamilet også, som om han forsøkte å finne forståelse for tapet sitt i neseryggen og de myke, store øynene hennes. Han så bort igjen.

– Tror du at hun kanskje er her nå? hvisket han. – Jeg mener ... du vet jo at noen folk tror at når du dør, holder spøkelset seg i nærheten for å se til at ting ordner seg. Du vet, ikke at de hjemsøker noen, bare at de ser på ...

Jamilet grublet litt på dette spørsmålet en stund. Hvis hun ønsket å være åndelig og mer som bestemoren, var dette riktig tidspunkt, men det å være så nær Eddie gjorde det nesten umulig å løsrive seg fra den materielle verden. Sterke følelser strømmet gjennom kroppen hennes. En behagelig kiling flommet opp gjennom lårene og hoftene, og en herlig varme strålte ut fra magen og ga henne roser i kinnene. Hun så ned på ham igjen, de glitrende øynene, den glatte munnen, stram av en nådeløs bølge av sorg som skar gjennom ham som den hadde gjort om morgenen.

Brått følte hun samme ømhet som en mor føler for sitt sovende barn; i neste øyeblikk kjente hun styrken hans, like solid og ekte som sorgen, og tiltrekningskraften han eide i all sin kompleksitet. Alt dette, og ærefrykten over at de delte dette øyeblikket alene sammen på en parkbenk i halvmørket en vårkveld. I hele seg dirret hun av en følelse hun aldri hadde kjent før, og den fikk henne til å snakke til behovene hans, finne ordene han trengte å høre, selv mens hun så ham rett inn i øynene.

– Hun er her akkurat nå, Eddie, sa hun. – Hun elsker deg fortsatt. Det vil aldri forandre seg.

Musklene i ansiktet hans myknet og slappet av i et smil. Han la seg helt bakover på benken og la hendene under hodet mens han betraktet nattehimmelen gjennom trærne.

– Masser av stjerner i kveld, sa han. – Se.

Han flyttet seg for at hun skulle få god plass til å legge seg ned ved siden av ham.

Jamilet strakte seg ut og så et svakt gjenskinn av stjerner gjennom en dis av bylys og smog. Det var likevel nok stjerner til å miste tellingen, hvis man var i humør til å telle.

– Hei, så du det? sa han med gutteaktig begeistring.
– Det var et stjerneskudd.

Jamilet myste kraftig og ristet på hodet. – Jeg så det ikke.

De lå stille en stund til. – Du vet hva de sier om stjerneskudd? sa han.

284

– Det er en sjel som reiser til himmelen, sa Jamilet.

– Tror du på sånt?

Jamilet hadde ikke tenkt på det før, men hun svarte:
– Ja. Gjør ikke du?

Eddie pustet fortere. Stillheten som hang mellom dem, ble tung av sorg, og av behovet hans for å tøyle den og la den strømme gjennom seg som en tynn luftstrøm i stedet for som en orkan. Han gråt til og med, smerten sprutet ut gjennom den sammenknyttede styrken i hjertet hans. Han la en hånd ned langs siden, og Jamilet trodde at han lette etter et lommetørkle da hun kjente fingrene hans på håndleddet sitt. De dvelte litt der, før de gled ned i håndflaten til de fant mellomrommene mellom fingrene hennes og foldet seg sammen der, myke og varme.

De lå slik lenge, men ingen av dem snakket før Jamilet brøt stillheten. – Tanten min blir engstelig hvis jeg ikke er der når hun kommer hjem.

De satte seg opp og forberedte seg på å gå, men Jamilet følte seg litt ør og usikker på seg selv. Det var som om hun hadde fått et glimt av himmelens underverk. I noen få, dyrebare øyeblikk hadde universets mysterier vært hennes. Nå ble det forventet at hun skulle vende tilbake til et normalt liv på jorden som om ingenting var skjedd.

De gikk tilbake samme vei, med en sømmelig og vennlig avstand mellom seg. De var nesten fremme ved Jamilets hus da Eddie stanset noen meter fra treet. – Pearly og jeg … vi er ikke sammen lenger, erklærte han rolig. – Men det er likevel best for deg at hun ikke ser oss.

Jamilet sperret opp øynene. – Har dere slått opp?

Eddie trakk på skuldrene. – Jeg skal fortelle deg om det senere, sa han, og øynene hans flakket over skulderen hennes.

– Er ikke det gamlingens bil?

Jamilet snudde seg og oppdaget Louis' Pinto parkert foran huset, med Louis og Carmen fortsatt inni, hvor de nøt et langt og amorøst farvel. Med knapt et ord til Eddie løp hun raskt til huset, og klarte å late som om hun akkurat hadde kommet ut døren da hun hørte bilen kjøre inn. Da hun snudde seg for å se seg tilbake, var Eddie borte.

Señor Peregrino lyste av stolthet da han festet Jamilets siste øvelse på veggen. – Dette er ditt beste arbeid så langt, sa han høytidelig. – Du gjorde ingen feil, vet du det?

Jamilet rødmet. – Er du sikker, señor? Jeg pleier vanligvis å ha to eller tre.

– Ikke en eneste, sa han. – Og jeg kan ikke lenger undervise deg med blanke ark og blyant. Vi må skaffe deg noen skikkelige bøker fra biblioteket.

Jamilet slo hendene sammen. – Vi kan gå sammen, señor. Jeg er sikker på at hvis jeg snakker med søster B. ...

– Sannheten er at så godt som du leser nå, trenger du ikke meg lenger.

Han sukket. – Uansett har du gjort deg fortjent til en hyggelig liten ferie. Hva om du tar deg fri en uke eller to fra undervisningen?

– Det høres fint ut, señor. Du kan heller bruke mer tid på å fortelle meg resten av historien din.

Han sa ingenting, satte seg bare bedre til rette i stolen og begynte å rydde skrivebordet sitt.

– Vel, jeg tror du vil bli glad for å høre at jeg har bestemt meg for ikke å fortsette med historien min, Jamilet. Jeg har lagt merke til hvor åndsfraværende du har vært i det siste, og vel ... det er innlysende at det som interesserer en gammel mann, ikke nødvendigvis interesserer en ung kvinne. Jeg skal gi deg tilbake dokumentene dine med en gang, og du kan velge din egen kurs.

Noen få måneder tidligere ville Jamilet blitt overlykkelig over slike nyheter, men nå følte hun det som om hun var blitt snytt for noe. For første gang på det hun kunne huske, føltes det veldig viktig at hun forsvarte seg. – Det er ikke rettferdig, señor, sa hun, overraskende bestemt. – Vi hadde en avtale. Jeg skulle høre på historien din helt til den var ferdig, og så skulle du gi meg papirene tilbake. Ikke før.

Señor Peregrino skakket på hodet; et spørrende uttrykk dukket opp i ansiktet hans. – Jeg stjal dem fra deg. Har du glemt det?

Han trakk på skuldrene. – Kanskje «fant dem» er mer presist, men jeg påtvang deg denne avtalen. Det kan ikke benektes. Men ... men det spiller ingen rolle nå.

Jamilet snakket veldig fort, som om hun ville forhindre at hun rakk å tenke for mye.

– Hvorfor ikke det, barn?

Han stirret fast på henne, forsøkte å gjennomskue iveren hennes.

– Jeg bare ... jeg vil høre resten av historien din. Jeg *må* høre resten, fordi jeg ikke har mine egne historier lenger.

– Dine egne historier?

Hun nikket ivrig. – Jeg pleide å lage historier hele tiden, señor, men etter at jeg begynte å høre på din, kan jeg ikke late som lenger.

– Jeg forstår, sa han, litt nedslått. – Enda en gang beskylder du meg for å late som.

– Later du ikke som litt av tiden, i det minste? spurte Jamilet forsiktig.

Señor Peregrinos blikk ble innadvendt, som om han tenkte over hva han skulle si. Han rettet seg opp i stolen, og øynene hans lysnet.

– Det jeg har lært, er at vi alltid later som, Jamilet. Fra det øyeblikket vi våkner om morgenen til det øyeblikket vi lukker øynene om kvelden. Fra den dagen vi blir født, til den dagen vi dør – alt rundt oss er en illusjon. Virkeligheten skapes over tid, av de erfaringene i våre liv vi velger å tro på.

Jamilet rettet oppmerksomheten mot det glitrende blikket hans og forsøkte å forstå hva han mente. Som vanlig glapp det unna for henne, men hun følte seg likevel inspirert. Hun reiste seg, rettet skuldrene og kom med en erklæring.

– Da velger jeg å tro på historien din, señor. Den er min virkelighet, og det er galt av deg å ta den fra meg.

Han klukket og ble deretter alvorlig; kinnene hans skalv av følelser. – Du er et utrolig barn, Jamilet, og det er alltid underholdende for meg å være sammen med deg.

– Da er det bare rettferdig at du underholder meg litt til gjengjeld.

– Vel, jeg vet nå ikke det …

– Du kan umulig stanse når du er kommet til den mest spennende delen av historien, selv om det har vært mange andre spennende deler.

– Ja, det er sant, sa han, og ble mot sin vilje fanget av entusiasmen hennes.

– Det var første gangen du så Rosa, og da du tok igjen mot Andres, og den gangen Rosa reddet deg og Tomas fra duellen, men den siste delen var den beste av dem alle.

– Synes du virkelig det?

– Å ja. Men jeg må fortelle deg at jeg visste helt fra begynnelsen av at Rosa kom til å bli forelsket i deg.

– Hvordan kunne du være så sikker på det? spurte han, tydelig fornøyd med forutsigelsen hennes.

– Fordi ellers ville du ikke hatt noen grunn til å fortelle meg historien, ville du vel, señor?

Señor Peregrino svarte ikke på spørsmålet, men smilte mens han la armene i kors over brystet og gransket eleven sin med en viss beundring. Senere samme ettermiddag fortsatte han historien.

På et blunk var livet mitt forandret. Hvilken rolle spilte det om natt fulgte dag, om det var nødvendig å spise når man var sulten og sove når man var trett? Jeg ble overveldet av en dansende ekstase som øyeblikkelig kastet om på alt jeg syntes var viktig i livet. Rosa elsket meg, og ingenting annet spilte noen rolle. Jeg følte meg like uverdig som en meitemark som var plukket opp av jorden og satt på en gulltrone. Selv om jeg syntes alt ved min engel var full-komment, lurte jeg på om hun var litt tåpelig som elsket meg, når hun kunne velge mellom utallige rike og dyktige menn. Men denne tanken skjøv jeg bort hver gang den dukket opp. Kjærligheten i mitt hjerte overvant all min tvil.

Slik situasjonen var, følte jeg ikke at jeg hadde annet valg enn å fortelle Rosa om Tomas' planer om å fri til henne. Jeg forklarte at hvis han fikk vite om oss, ville det såre ham så dypt at han kanskje ikke ville klare å fullføre reisen, eller det kunne føre til noe enda verre. Selv om jeg ikke var like overbevist som Rosa om at Jenny hadde ster-ke følelser for meg, var jeg sikker på at det ville være like katastrofalt om hun fikk vite sannheten som hvis Tomas fikk det. Planen var å forhindre at Tomas fikk snakket med Rosa alene på resten av reisen. Når vi kom til Santiago, ville vi fortelle dem begge sannheten. Vi tvilte ikke på at den mirakuløse kraften i Santiagos kjærlighet og helbre-delse ville lette deres smerte og vår engstelse. Til da sverget vi å holde vår kjærlighet og våre ekteskapsplaner hemmelig.

Vi trasket gjennom landsbyer med halmdekkede tak, omringet av grønne enger fylt av sauer og kyr. Min kjær-lighet og fantasi blomstret sammen med lyngen, gyvelen og den ville timianen da vi klatret høyere opp over de ensomme åskammene. Jeg forestilte meg hjemkomsten med Rosa ved armen. Veien til landsbyen min var grov og ikke så ulik den vi reiste på. Det første man får øye på når man kommer dit, er den gamle kirken med sin værbitte steinport og sitt tårn. Klokkene ville ringe, så klart, og naboene kom til å kikke ut av vinduene sine. Tannløse, gamle damer som måpte av synet, og barn som skottet opp fra pliktene sine for å beundre den mørke engelen, så betagende at ord ble fattige. Foreldrene mine vet allerede at jeg ikke vil bli prest, vet det er på grunn av en kvinne, og skammer seg over at sønnen deres er like sårbar for menneskelige behov som naboens gutter. De har allerede bestemt seg for at ingen kvinne kan rettferdiggjøre en slik avgjørelse. Men når de treffer henne, forstummer kritikken. Når de hører stemmen hennes og lærer det vakre sinnet hennes å kjenne, blir de overbevist om at hun er verdig, og at avgjørelsen min er like feilfri som om Santiago selv hadde dukket opp foran dem for å velsigne oss. Den kalde mottagelsen de hadde planlagt, blir øyeblikkelig gjort om til en feiring av det nye paret.

Timene på veien gikk fort når jeg lekte med slike tanker, og smerten i føttene var lettere å holde ut når jeg stjal små glimt av min vidunderlige skatt. Men det var umulig å forestille seg hjemkomsten uten å tenke på Tomas. Han ville også være der, og når jeg forsøkte å se ham for meg, glad og fornøyd ved siden av oss, lykkelig over min kjærlighet, ble drømmebildet uklart. Når skyene trakk seg til side, så jeg den slappe kroppen hans henge fra et tre, med tomme øyehuler og blodet rennende etter den ustanselige hakkingen fra fugler. Disse tankene skjøv jeg også fra meg ved å minne meg selv om at mirakler ventet i Santiago.

Vi kom utslitte frem til Foncebadon, men ble likevel enige om å gå noen få kilometer til neste by. Vi hadde hørt at der ville vi finne et herberge som for en symbolsk sum sørget for at pilegrimer fikk varmt vann i en stamp de kunne dukke hele kroppen ned i. Kostnaden avhang av hvor mange mennesker som var villige til å bruke samme badestamp.

Vi gikk de siste kilometerne med fornyet energi fordi vi gledet oss til denne uvante luksusen. Jeg tvilte ikke på at

Tomas tenkte som meg – hvordan sørge for at han fikk stampen etter Rosa. Det fantes ikke tvil i min sjel om at det himmelske brygget ville gjøre en mann fornøyd i en evighet. Jeg skottet på Tomas. Han så på Rosa med brennende, alvorlige øyne. Han hadde sagt lite til meg de siste dagene, og jeg antok at det kom av at han var skamfull over å ha mistet motet på Sankt Stefan-festen. Men det var bare noen få dager igjen, og jeg tvilte ikke på at han ville forsøke å snakke med henne snart.

Da vi ankom herberget, ble badet gjort i stand i et lite rom ved siden av kjøkkenet. På denne måten var det lettere for tjeneren å bære bøtter med varmt vann, en etter en, inntil den dype metallstampen var full. Så snart det var gjort, var det ikke nødvendig å spørre hvem som skulle bade først. Jenny spratt øyelikkelig opp og forsvant uten et ord inn i kottet. I mellomtiden nøt vi tre andre den sjeldne galiciske solen. Tåken, som det meste av dagen hadde hengt lav og tung over oss, sprakk plutselig opp og avslørte en verden som virket som om den fikk farge på magisk vis. Rosa satt i veikanten og døste foran et levende bakteppe av grønt, kinnene hennes glødet i solvarmen. Jeg fant en skarp pinne og begynte å hakke på den harde gjørmen under støvlene mine. Den falt på bakken i store klumper.

Tomas renset halsen. – Rosa, jeg håpet å få snakke med deg etter måltidet i kveld …

– I kveld?

– Ja, hvis du ikke har noe imot det.

Rosa trakk på skuldrene. – Hvorfor snakker vi ikke her, akkurat nå?

Tomas så bønnfallende på meg, men jeg lot som om jeg var altfor opptatt av å fjerne gjørmen fra støvlene til å legge merke til det.

– Jeg tror det finnes en kraftig kost på kjøkkenet som vil være bedre egnet for det der, min venn, sa han, og prøvde å høres jovial og ubesværet ut i forsøket på å bli kvitt meg.

– Dette går faktisk veldig bra, svarte jeg, og klarte å vrikke av enda en diger klump som løste seg opp så snart den traff bakken.

Tomas reiste seg og sukket; han så utover mot jordene bak herberget hvor gresset glitret i solen. En idyllisk sti snodde seg mot åsene. Han ville be Rosa bli med på en tur langs den stien. Det var jeg overbevist om, og han samlet mot til å gjøre det, da Jenny dukket opp fra kjøkkenet med et strålende smil, midt i en sky av damp. Jeg hadde aldri vært så glad for å se henne noen gang.

– Jeg føler meg som et menneske igjen, erklærte hun. – Jeg må veie fem kilo mindre enn jeg gjorde før badet.

Rosa fniste nervøst, like lettet som meg over at samtalen med Tomas ble utsatt for øyeblikket. Hun forsvant fort, med den unnskyldningen at hun ikke ville at vannet skulle bli kaldt. Jenny gikk også, etter å ha sagt at hun var klar for en lang hvil.

Så snart vi var alene, satte Tomas seg ved siden av meg, tydelig irritert.

– Jeg har aldri før sett deg være så opptatt av støvlene dine, Antonio.

Jeg holdt frem pinnen mot ham. – Jeg kan ta dine etterpå. Jeg er nesten ferdig med mine.

Han ignorerte tilbudet og gransket meg nøye, som om han forsøkte å lese tankene mine. Da han snakket, hørte jeg den altfor velkjente tonen av oppgitthet i stemmen hans. – Du trenger ikke være bekymret for meg, Antonio. Hvis hun ikke gjengjelder kjærligheten min, vet jeg hva jeg må gjøre.

Jeg kastet pinnen på bakken.

– Du oppfører deg som en tulling! Ingen kvinne er verdt din forstand, og enda mindre ditt liv.

– Hvorfor ikke? spurte han. – Forteller ikke bibelen oss at menn må forlate sine foreldre, og klynge seg til sine hustruer og elske dem høyere enn sine egne liv? Jeg møter gladelig døden hvis Rosa på den måten forstår hvor høyt jeg elsker henne.

Jeg visste ikke hvordan jeg skulle svare denne merkelige og forandrede Tomas. Jeg ville gripe tak i skuldrene hans og riste ham til fornuft. For noen måneder siden ville han ha reagert med latter og et lekent dytt. Nå tvilte jeg ikke på at han ville se på det som et angrep og gå løs på meg som et såret dyr.

Derfor var jeg forsiktig da jeg igjen snakket. – Kanskje det er lurere å vente til du kommer til Santiago. Der tror jeg vi alle vil finne styrke til å akseptere det vi må. Og vi kan fortsette våre liv med fornyet håp.

Tomas snudde seg mot meg, og uttrykket hans var mer besluttsomt enn jeg noen gang hadde sett før. – Det vil kanskje være nok for deg, Antonio. Men for meg finnes det ikke lenger håp eller troløshet, elendighet eller glede. Bare Rosa finnes.

23

I over to uker unngikk Jamilet å se på merket. Når hun badet, strøk hun ikke hendene over skuldrene og nedover baksiden av lårene, slik hun vanligvis gjorde. I stedet foretrakk hun å forestille seg at Eddie rørte den normale, glatte huden på halsen og brystene hennes, mens hun lurte på om ekte kjærlighet var sterk nok til å få mirakler til å skje. Hver kveld når hun forberedte seg på å treffe Eddie, overbeviste hun seg selv om at verden var full av mirakler – at de var like tallrike som stjerner.

De hadde truffet hverandre i parken hver onsdag kveld etter at Carmen og Louis var gått ut. En gang tok Eddie henne med til morens grav og fortalte at han ikke hadde tatt noen andre med seg dit. Ofte gikk de hånd i hånd som de hadde gjort den første kvelden, men disse begivenhetene var like flyktige som de var fulle av ømhet. Eddie ville brått slippe taket i Jamilets hånd etter å ha holdt den litt lenger enn før. Jamilet visste at det uunngåelige kom til å skje.

Forrige gang hadde det vært en spesielt varm kveld, og da de gikk tilbake til treet, hadde Eddie spurt henne:
– Hvorfor bruker du alltid lange ermer og dekker deg til på den måten?

Jamilet burde ha vært godt forberedt. Men med alle de mulige scenene hun hadde spilt om og om igjen i hodet, med alle strategiene hun hadde funnet på for å avvise ham

294

forsiktig, uten å skremme ham helt, hadde aldri muligheten for at han skulle begynne med et så enkelt spørsmål, falt henne inn. De forskjellige måtene hun kunne svare på, tumlet rundt i hodet hennes. Det var så mange dårlige løgner å velge mellom, og alle virket like dumme. Hun trakk pusten dypt og tok sjansen på den første tanken som falt henne inn. – Tanten min vil ikke at jeg skal få barn akkurat nå, brast det ut av henne.

Hun var ganske sjokkert over sin egen uttalelse, og totalt usikker på hvor den ville føre hen. Likevel snublet hun videre.

– Hun *tvinger* meg til å gå kledd på denne måten for å holde guttene unna.

Jamilet lot det være med det, sikker på at løgnen hennes var absurd nok til å være morsom.

Men Eddie lo ikke. I stedet virket han forvirret, til og med litt irritert. – Med de vanvittige antrekkene hun selv bruker? spurte han. – Hvorfor skulle hun bry seg om at du viser litt hud?

Jamilet trakk på skuldrene og klarte å presse frem litt irritasjon selv. – Jeg vet det, det samme sier jeg, men så lenge jeg bor i hennes hus, må jeg gjøre som hun sier.

– Ingen av jentene jeg kjenner, ville brydd seg om hva andre synes, de ville bare kledd seg som de selv ville. Men jeg antar du er annerledes … ikke som en normal jente.

Og det var den frasen som plaget Jamilet mest. *Ikke som en normal jente.*

Vårens milde temperaturer gled over i nådeløs sommervarme, og til tider var señor Peregrinos rom i femte etasje uutholdelig varmt. Noen dager virket det nesten som om det dampet fra gulvet, og vannet i kaldtvannskranen var varmt uansett hvor lenge Jamilet lot det renne. Hun lurte på hvordan señor Peregrino klarte å konsentrere seg så intenst om brevene sine, når hun selv knapt klarte å tenke. Hun tok en pause fra lesingen, åpnet vinduene så langt det gikk, og stirret ut i den stille ettermiddagsdisen. Selv fuglene hvilte seg, og den eneste lyden var trafikkduren, så langt unna at den bare ble enda et lag i stillheten. Av og til hørtes plingingen fra en iskrembil, men den kom aldri opp til innkjørselen som førte til sykehuset. Hadde den gjort det, ville Jamilet sprunget ned trappene og kjøpt iskrem til dem begge.

– Du dagdrømmer, sa señor Peregrino. – Eller kanskje du koser deg med en av fortellingene du dikter opp.

– Jeg tenker bare på hvor deilig det ville vært med en iskrem akkurat nå.

Han nikket og tørket pannen med lommetørkleet. – Jeg tror dette må være den varmeste dagen hittil i år, men det kommer til å bli enda varmere, er jeg redd.

– Hvordan orker du, señor? Hvorfor går vi ikke ned i hagen og nyter brisen? Vi kan lese der nede.

Han vendte tilbake til papirene sine. – Gå, du. Jeg venter på deg her.

Jamilets fysiske ubehag fikk henne til å være direkte.

– Du får lov til å gå ut, señor. Søster B. fortalte meg det selv, og hun styrer hele sykehuset. Hvorfor forlater du aldri rommet ditt, eller går tur i parken som de andre pasientene?

Señor Peregrino så bort, øynene mørknet, som av en underlig og bitter tanke. – Fordi jeg ikke er som de andre pasientene, det må du aldri innbille deg! Og en ting til, din søster B., som du kaller henne, styrer ikke meg! Jeg forlater rommet mitt når tiden er inne, og ikke når du eller søster B. eller noen andre synes jeg skal gjøre det.

Jamilet ante ikke hvordan hun skulle reagere når han snakket fra det hemmelige hatet som fylte hjertet hans. Så hun sa ingenting, men da hun våget å se på ham, så hun at munnen hans strammet seg i den velkjente sta minen. Hun forestilte seg at hvis han plutselig skulle smile nå, ville nesen, øynene og ørene falle av ansiktet hans. Men til hennes overraskelse forsvant det sure humøret hans fort. En time eller så senere inviterte han henne til å lytte til historien hans til den verste heten var forbi. Ansiktet han strålte av stille glans, og det virket som om de harde nedoverlinjene i ansiktet hans løftet seg som døende greiner som plutselig våkner til en ny dag.

– Jeg er redd, hvisket Rosa til meg tidlig en morgen i spisesalen like før vi skulle til å gå. – Men jeg vet ikke nøyaktig hva jeg er redd for.

Jeg forsøkte å forstå hva hun mente og finne kjernen i denne frykten, men tankene mine var forvirret av lengselen etter henne, og mitt overveldende ønske om å beskytte henne og spare henne for smerte.

– Ta det med ro, min elskede, sa jeg og strøk henne over hånden. – Jeg skal ikke la noe skje med deg.

Vi hørte det gikk i dørklinken, og hånden min forsvant fort fra hennes. Tomas kom inn, ansiktet hans var preget av manglende søvn, og av bekymring. Men han sugde til seg synet av Rosa ved frokosten som han gjorde hver morgen, og fant styrke til å bære ryggsekken sammen med resten av sin byrde. Han hadde spist svært lite i flere dager, og hver natt hørte jeg lydene fra de plagsomme drømmene hans. Jeg hadde forsøkt å vekke ham et par ganger, men det var ikke lenger mulig for meg å berolige ham.

Jenny slo seg sammen med oss litt senere, med sin sedvanlige energi. Hun snakket om planene sine for dagen, hvor langt hun ønsket å gå, hvilket mål det etter hennes mening var lurt at vi satte oss for dagens vandring, og de beste stedene å hvile underveis.

– Jenny har hjerte som en løve og er like smart som en rev. Jeg skulle ønske jeg var mer som henne, Antonio, hadde Rosa sagt til meg en dag.

– Å, nei, ikke det, sa jeg og overdrev min pine i håp om å høre den dyrebare latteren hennes. – Det er som å si at du vil male en bart på Mona Lisa, eller sette falkevinger på en gris for å få den til å fly.

Men Rosas øyne skinte ved tanken på å bli mer som Jenny. Dette forunderlige ønsket overskygget hennes sans for min humor, er jeg redd.

I vest fikk vi vårt første glimt av de ville gjelene i Galicia, og forventningen steg hos pilegrimene da vi nærmet oss målet som nå lå bare en uke eller to unna. I hver eneste landsby der pilegrimene møttes underveis, gikk praten livlig, og ordene på leppene til hver eneste pilegrim dreide seg om prakten i Santiagos katedral og de mange miraklene som ble tillagt helgenen. Siden jeg hadde fått mitt mirakel, ba jeg nå bare for Tomas. Han gikk foran de andre, og snudde seg av og til for å forsikre seg om at Rosa var der. Hun gikk som regel sammen med Jenny. Vi passet på å aldri gå sammen.

Uansett hvor mye jeg så frem til å forenes med Rosa, og til å ta henne med hjem som min brud, ble jeg fylt av en merkelig tristhet da jeg innså at eventyret vårt nesten var over. Ute på veien hadde hjertet og sinnet mitt funnet en rolig rytme sammen med mitt jevne trav. Livets irrelevante forstyrrelser var borte. Vi hadde alt vi trengte, og hvert eneste øyeblikk var fullstendig i nåtiden. Vi var bare opptatt av å bli kjent med oss selv og våre reisefeller. Jeg visste at dette ville forandre seg når vi vendte tilbake til virkeligheten. Selv sammen med Rosa ville det bli annerledes.

Jeg gikk litt fortere, og nådde igjen Tomas. Han mumlet for seg selv, og øynene hans var halvveis lukket. Jeg lurte på hvorfor han ikke snublet, men føttene hans var stødige og sikre på veien. Han merket at jeg gikk ved siden av ham. Han løftet hodet og trakk bort hetten, men smilte ikke vennlig, slik han pleide å gjøre før vi begynte på reisen. Han bare stirret på meg med tomme øyne.

– Du ser trett ut i dag, min venn, sa jeg og følte meg skyldbetynget for den litt skjødesløse tilnærmingen, siden hjertet mitt var tungt av den kunnskapen jeg visste ventet på ham.

– Og du virker full av liv, som om du både er ved begynnelsen av reisen og nærmer deg slutten.

Redd for at rødmen i ansiktet skulle røpe meg, snublet jeg over en løs stein. – Det er vel forventningen over å få se katedralen som gir meg fornyet kraft og hjelper meg til å tenke på noe annet enn de verkende føttene mine.

Brisen fra fjellene økte plutselig i styrke og fikk oss til å trekke hettene over hodene. Rosa og Jenny gikk fortsatt arm i arm bak oss, med skjerfene godt pakket rundt seg mot kulden. Vinden begynte å ruske i trærne, og vi hørte kyr som rautet mens de søkte ly. Jeg fikk øye på et skur, heldigvis tomt, og pekte mot det, overbevist om at stormen ville være over oss i løpet av noen sekunder.

Vi trykket oss sammen under det nødtørftige, halmdekkede halvtaket og betraktet dramaet som utviklet seg. Himmelen ble skremmende mørkegrå og frådet som et rasende hav over hodene våre mens vinden ulte. Tordenen rullet over himmelen med et skrallende brøl, og fikk hvert eneste vesen og selv steinene til å skjelve. Vi ble ett med frosker og fugler, og insekter som stupte i skjul under føttene våre. Luften var gjennomsyret av en isnende kulde, like solid som fjellene i det fjerne, og vi kjente presset mot brystkassen. Snart hamret regnet i bakken i tykke lag av is og frost. Det dundret mot halmtaket over oss og maltrakterte bladverket rundt oss.

Jeg flyttet meg nærmere Rosa, som stirret ut på stormen med øyne som himmelske glør. Kulden forlot meg øyeblikkelig da jeg så henne, og hodet mitt svømte i ekstase over alt som er vakkert og godt her i livet. Forsiktig, slik at Jenny og Tomas ikke skulle se meg, søkte jeg hånden hennes under dekke av alle kappene og ryggsekkene våre, og våre fingre omfavnet hverandre mens stormen raste. Hjertet mitt hamret høyere enn tordenen over oss da hun kjærtegnet håndflaten min; strøk hver finger med utsøkt ømhet. Jeg gjengjeldte gesten, og tok meg god tid til å utforske hver myke finger fra rot til fingertupp. Kjærtegnene mine ble bare avbrutt av en ring på hennes tredje finger. Da Tomas grøsset ved siden av meg mens han lot rosenkransen gli mellom fingrene og bønnfalt Gud om å spare oss for dommedag, svettet jeg av lidenskap.

Jeg kunne ha løpt skrikende ut i stormen for å avkjøle meg, men kulset i stedet. Jeg trakk til meg hånden av frykt for å miste fatningen helt og dermed avsløre hemmeligheten vår.

Da den verste stormen var over, var Jenny den første som snakket.

– Jeg er frossen til margen, mumlet hun litt åndeløst.
– Jeg trenger noe varmt i magen før jeg fortsetter.
– Det ligger en landsby ved foten av denne åsen, sa jeg.

Tomas stakk rosenkransen i skinnpungen og var den første som forlot leskuret for å se hvor sterk vinden var. Den hadde roet seg til en lav brumming, og regnet kom som små byger rundt oss. Han stilte seg midt i veien og rakte ut hånden som en toreador som utfordrer en okse. Han skottet på Rosa og var ganske fornøyd da han oppdaget at hun så på ham med en viss interesse.

– Det er trygt, erklærte han, som om han og stormen var nære venner. – Men jeg må be deg om å se deg for hvor du går. Bakken er glatt av gjørme og sølepytter. Følg meg, Rosa, jeg skal vise deg hvor den beste stien er.

Vi andre våget oss ut av leskuret som om vi hadde ligget i hi hele vinteren. Musklene mine var stive, men jeg følte meg født på ny. Rosas kinn strålte, og leppene hennes krøllet seg i et lite smil da hun så Tomas vandre langs stien og hoppe over vannpytter. Jeg må innrømme at jeg følte et lite stikk av sjalusi da jeg så hvordan han moret henne, men jeg trøstet meg raskt ved å minne meg selv om at følelsene hennes for meg stakk dypere enn morskap.

Jenny ristet på seg fra topp til tå med samme begeistring som en som kaster seg ut i vårrengjøring. – Jeg finner veien selv, sa hun med et lite nikk som antydet at hun var støtt av Tomas' forglemmelse.

– Selvfølgelig skal jeg hjelpe deg også, sa han, litt flau.

Han holdt frem hånden til henne for syns skyld, men hun viftet den bort og fortsatte å rette på sjalet sitt med overdreven omhu.

– Vi damer kan ta vare på oss selv, vi. Ikke sant, Rosa? sa hun og strakte ut armen så de kunne gå sammen slik de hadde gjort før stormen kom. – Kanskje dere gutter kan gå i forveien og finne en ordentlig kafé hvor vi kan gjenvinne vår menneskelighet?

– Jeg tror det er lurere hvis vi holder sammen, sa Rosa og klappet Jennys arm på en varm og vennlig måte.

Gnistene fløy bak Jennys gulgrønne øyne. – Tullprat, sa hun og uttalte hvert ord hardt mot tennene, som om hun ville ha spyttet hvis hun ikke hadde vært en dame. – Vi klarer oss fint. Jeg kan beskytte deg bedre enn noen av disse to, sa hun og rødmet.

Hun frådet i disen, og det virket som om hun ble oransje mot det grønne i den mørke engen. Brått fikk et skarpt glimt meg til å se på hendene hennes, og knærne mine sviktet som om jeg var blitt sparket av en hest. Jenny hadde en ring på tredje finger – to gylne slanger som snodde seg om hverandre, kronet med et par vinger. Det var utvilsomt den ringen jeg hadde rørt ved bare noen øyeblikk før. Rosa bar ingen ringer.

Jeg kjente Jennys olme blikk i ryggen, som et spyd som stakk og dyttet meg hele veien ned bakken til landsbyen.

Da vi kom frem, satte jeg meg et stykke unna de andre. Tomas kom bort til meg med et krus varm sider. – Plager kulden deg? spurte han, oppriktig bekymret.

Han hørtes nesten ut som den gamle Tomas, og jeg ble uventet trøstet. Et øyeblikk ønsket jeg at vi var tilbake i vårt gamle liv; jeg ønsket alt annet enn å føle meg som en dum gutt som var blitt forført av sin egen skygge i fullt dagslys.

– Jeg har det bra, sa jeg og tok imot sideren.

Jeg tvang meg selv til å drikke. Jeg så meg tilbake for å finne Rosa, men blikket mitt falt på Jenny i stedet. Hun hadde slengt seg ned i en stol med sjalet kastet over skuldrene, noe som avslørte det trange, fuktige kjolelivet som klistret seg til overkroppen hennes. Hun oppdaget at jeg så på henne, og leste uttrykket mitt på samme måte som en som forsker i menneskehetens groveste tanker. Ansiktet hennes hadde vært slapt og trett for et øyeblikk siden, nå strammet det seg av glede, og hun smilte til meg.

Jeg snudde meg og snuste på sideren i håp om at jeg skulle finne igjen vettet mitt, men selv etter flere kopper sider og et måltid greide jeg ikke å lukte annet enn henne.

24

Bortsett fra den lille lampen som ga fra seg en kjegle av lys over hjørnet av skrivebordet, var søster B.'s kontor mørkt. Hun forsøkte å reise seg da Jamilet kom inn, ombestemte seg og sank ned de få tommene hun hadde klart å heve seg fra stolen. Jamilet hadde ikke sett henne på flere uker, og selv i halvmørket som omga dem, var forfallet slående. Den hvite uniformen, som før hadde sittet stramt over magen hennes, bulte nå ut og presset mot hver eneste knapp som desperat klynget seg fast. Kjøttet rundt ansiktet hennes hadde enkelte steder blitt mer kompakt og andre steder løsere, noe som fikk ansiktet hennes til å se ut som om det var i ferd med å smelte.

Hun gjorde tegn til at Jamilet skulle sette seg på den andre siden av bordet, og festet de merkelige, grå øynene sine på henne. Hun gjorde et forsøk på å presse frem et svakt smil, noe som ikke akkurat forbedret utseendet hennes. – Det er en stund siden vi har hatt anledning til å snakke, sa hun. – Tiden har gått raskt, og jeg er imponert over hvor lenge du har holdt ut, mye lenger enn de andre. Jeg forsøker å finne ut hvorfor.

Jamilet senket blikket. – Jeg gjør jobben min, mumlet hun.

– De andre gjorde også jobben sin, sa søster B.

Hun løftet nesen, som om hun snuste i luften etter et spor.

– De hadde også bedre skussmål.

De stirret på hverandre så lenge at det ble ubehagelig, men Jamilet trodde at hun selv var den som følte det verst.

Svetten i håndflatene begynte å trenge gjennom det grove stoffet i skjørtet og gjorde lårene fuktige.

– Han virker ikke så sint lenger, synes jeg, sa Jamilet, ivrig etter å bryte stillheten.

– Han har vært sint siden han kom hit, sa søster B., men tonen myknet. – Kanskje, sa hun med et vennlig, nesten ydmykt nikk, – kanskje du har oppdaget noe de andre ikke har visst, noe som hjelper ham til å roe seg ned. Jeg vil bli svært takknemlig om du forteller meg hva det er.

– Kanskje det er fordi jeg hører på historien hans, sa Jamilet. – Jeg vet at det ikke er meningen at jeg skal engasjere meg i unødvendige samtaler, men ...

Søster B. lente seg over skrivebordet med runde øyne og åpen munn. – Fortell meg om historien hans.

Jamilet forsøkte å huske om señor Peregrino noen gang hadde bedt henne holde historien hans hemmelig, men hun var nesten sikker på at han ikke hadde gjort det. – I historien er han en ung mann på reise til et legendarisk sted som heter Santiago. På veien dit treffer han en vakker kvinne som heter Rosa. Men jeg tror ikke noen kvinne kan være så vakker som han beskriver henne. Jeg tror han later som noen ganger, og jeg har sagt det til ham, men da ble han så sint for at jeg sa det at han nesten sluttet ...

– Jeg er ikke interessert i din mening om historien, Monica, bare i historien i seg selv.

Huden rundt søster B.'s munn tvang frem et raskt smil. – Vær så snill, fortsett.

– Han har også en venn, Tomas, som var forelsket i Rosa.

– Hva heter den unge mannen?

– Antonio, svarte Jamilet raskt.

– Denne Antonio, var han også forelsket i Rosa?

Jamilet nikket entusiastisk. – Ja, men først visste han ikke om det var en besettelse eller kjærlighet. Og så er det Jenny. For det meste syntes han at hun var irriterende.

Søster B. fortsatte å stirre på arbeidstakeren sin, og en merkelig glød la seg over blikket hennes. – Fortsett, mumlet hun.

– Mens de gikk til Santiago, fortalte verken Tomas eller Antonio hva de følte for henne, før Rosa en dag sa til Antonio at hun elsket ham. De planla å gifte seg når de kom frem til katedralen. Og det er alt jeg husker, avsluttet Jamilet, skremt av den merkelige effekten avsløringen hadde på sjefen hennes.

Søster B. hadde lukket øynene mens Jamilet snakket, som om hun forsøkte å stenge ute det hun hørte. Hendene hadde knyttet seg til stramme knyttnever. Da Jamilet stanset, renset søster B. stemmen og skalv i et forsøk på å samle seg, men på en måte virket hun forandret; svakere enn før. Da hun snakket igjen, var hun andpusten. – Du må ikke oppmuntre pasienten i disse vrangforestillingene om innbilte personer, han blir bare sykere av det.

– Men han blir roligere når han forteller meg historien sin. Det er derfor det går så bra med ham.

Da hun så det fæle uttrykket som forvrengte søster B.'s ansikt, stanset Jamilet enda en gang. Den andre brast i en kynisk latter.

– En ung pike på knappe tjue år forstår smerten til en gammel mann som ikke har satt foten utenfor døren sin på mange år, og ikke engang tåler lyden av sitt eget navn? Han har nektet å ta imot hjelp av velutdannede psykiatere siden han kom hit. Hvis han ikke kastet bort tid på å prate med deg, ville han kanskje snakke med noen som virkelig kan hjelpe ham.

Jamilet ventet et øyeblikk eller to for å finne igjen stemmen. – Jeg bør nok gå opp nå, sa hun.

Hun reiste seg og gikk flere skritt mot døren. – Han blir opprørt hvis jeg er sen.

– Ja, gjør det. Og du kan fortelle pasienten at jeg kommer til å overføre deg til annet arbeid med øyeblikkelig virkning fordi du har brutt instruksene dine. Jeg tviler ikke på at ditt nærvær er svært forstyrrende for ham.

Jamilet kastet ikke bort tiden med å vente på heisen. Hun styrtet opp til femte etasje uten å stanse. Hun var andpusten da hun banket på señor Peregrinos dør, og da hun kom inn, fant hun ham fortsatt til sengs, hvor han leste et av de mange brevene sine. Hun gikk nærmere sengekanten og stilte seg med hendene foldet foran seg, som om hun sto i engstelig bønn.

– Señor. Noe forferdelig har skjedd, sa hun.

Han kikket opp fra lesingen og la merke til det blussende ansiktet og at frokostbrettet manglet. – Ikke fortell meg at de har svidd eggene mine igjen? Hurra for deg, som ikke kastet bort tid på å bringe dem hit.

– Señor. Dette har ingenting med eggene dine å gjøre. Dette er mye mer alvorlig. Søster B. vil overføre meg til annet arbeid. I dag, kanskje allerede om fem minutter.

Han rynket pannen litt før han viftet det hele bort.

– Nonsens.

– Hun sa det selv, señor. Akkurat nå.

Han begynte å brette sammen brevene som lå utover sengen.

– Hvorfor skulle hun gjøre noe så dumt, når du er den eneste jeg har tolerert på mange år?

Jamilet ble varm i ansiktet. – Hun er sint, señor, og hun oppfører seg merkelig.

Señor Peregrino var uberørt. – Ja. Noen ganger gjør hun det.

Jamilet senket hodet og begynte å gni hendene mot hverandre.

– Jeg beklager, sa hun. – Jeg fortalte henne om historien din, señor. Hun ville vite hvorfor det går bedre med deg. Jeg fortalte henne om Rosa, og Tomas og Jenny, og om vandringen din til Santiago.

Jamilet skottet opp og oppdaget at det alvorlige ansiktet hans ikke hadde mørknet som hun fryktet. – Hun ble opprørt og ba meg om å ikke oppmuntre dine ... dine ...

– Villfarelser?

– Ja. Hun fortalte meg at jeg hadde brutt instruksene mine, og at hun skulle sette meg til annet arbeid øyeblikkelig.

Señor Peregrino lente seg tilbake, og Jamilet la merke til et muntert glimt i blikket hans. – Du er ikke sint på meg? spurte hun.

Han trakk på skuldrene. – Ikke det minste, men jeg tror du skal unngå å fortelle henne mer fra historien min, hvis du kan.

– Jeg forstår ikke, señor. Hvorfor ble hun så opprørt?

Han trakk på skuldrene og fortsatte med å rydde i brevene sine. – Du vil snart få vite årsaken til det, og til mange andre ting også. Og du trenger ikke være redd, Jamilet. Søster B. våger ikke å sette deg til annet arbeid uten å snakke med meg først.

Han sa det med en slik autoritet at Jamilet for øyeblikket ikke tvilte på at det var sant. Hun følte seg rolig nok til å gå ned til kjøkkenet og gjenoppta pliktene sine.

Da hun kom tilbake med frokostbrettet hans, hadde señor Peregrino allerede dusjet og skiftet. Han ordnet øyeblikkelig kaffe, og ba Jamilet sette seg. Han kremtet og begynte å snakke med fornyet energi. Jamilet hadde en mistanke om at den anstrengte tonen i stemmen hans hadde lite å gjøre med samtalen tidligere, og alt å gjøre med det hun skulle få høre.

Vi var straks fremme ved målet for reisen vår. Kvinnen jeg tilba, hadde erklært sin kjærlighet til meg, og sitt ønske om å tilbringe resten av livet ved min side. Vår kjærlighet var sjelfull, ren og full av hellig viten om at det var Guds vilje at vi skulle være sammen. I mine øyne var hun fullkommen, både i kropp og sjel, og en fantastisk fremtid ventet på oss. Alt burde ha vært bra, men det var ikke det.

Siden vårt uheldige møte under stormen hadde Jenny blitt et monster. Jeg vet ikke hvordan hun tolket hendelsen, men jeg hadde mistanke om at en ærlig forklaring ville betydd svært lite for henne akkurat da. Hun benyttet enhver anledning til å være nær meg og smigre meg med sine ustanselige tilnærmelser. Hver gang jeg så opp, var hun der. Hun pyntet seg til ære for meg, eller smilte på den overbærende måten sin. Det var tydelig at tiltrekningen hun hadde følt til meg, var gått over i besettelse. Jeg kunne lese det i blikket hennes, og jeg var redd for hva denne følelsen kunne utvikle seg til hos en kvinne som Jenny. På enkelte måter var jeg reddere for henne enn jeg noen gang hadde vært for Andres.

Rosa la merke til Jennys oppførsel og min økende engstelse. Hun spurte meg om det mens vi hvilte ved en liten elv. Øynene hennes var mørkere og grønnere enn noen av de kjølige skyggene som omringet oss. – Tviler du nå på at Jenny er forelsket i deg?

Jeg vred meg løs fra mine plagsomme tanker for å finne ut hvor reisekameratene våre befant seg. Tomas fylte vannflasken sin i elven, og Jenny plukket bær i et kratt. Det var trygt å snakke åpent. – Hun er en dum kvinne, men jeg tror ikke vi skal vente med å fortelle henne og Tomas om oss. Jeg tror vi bør fortelle dem det nå.

Hun gransket ansiktet mitt. – Hvorfor det? Jeg er ikke sjalu, Antonio. Jeg har tro på at du aldri ville gjøre noe som kan sette vår kjærlighet i fare.

Hvordan kunne jeg fortelle henne at jeg hadde kjærtegnet Jennys hånd under stormen og trodd det var hennes? Hvordan kunne jeg risikere å ødelegge den fullkomne tilliten hun hadde til meg?

– Jeg vil at alle skal vite hvor mye jeg elsker deg, det er alt, sa jeg.

Da hun hørte dette, smilte Rosa søtt. – Det er ikke så

lenge igjen å vente, min kjære. Vi er i Santiago om noen dager hvis været holder seg. Vær så snill, jeg ber deg være tålmodig.

Ved solnedgang kom vi frem til Ponferrada, en travel markedsby som blomstret der hvor to store elver krysset hverandre. Den lokale presten, irritert over å bli forstyrret i middagen, viste oss vei til det enkle losjiet vårt like ved kirken. Vi ble vist inn i en diger sal med en stor peis som alltid sto klar for pilegrimer. Vi var takknemlige over å ha den for oss selv, og for overfloden av vedkubber like ved døren. Vi kjøpte skinke fra slakteren, og avsluttet dagen med et måltid skinke og brød, og mer enn noen få glass lokal vin. Tomas var usedvanlig jovial denne kvelden, og gjorde et nummer ut av å fylle opp glassene våre når de bare var halvtomme, selv om jeg la merke til at han selv knapt drakk opp det første glasset sitt. Det spilte ingen rolle. Jeg tok imot den midlertidige flukten fra bekymringene mine og så frem til en rolig natts søvn.

Etter middag la vi teppene våre på gulvet. Tomas lot rosenkransen gli mellom fingrene mens han ba. Rosa og Jenny la sine tepper i den andre enden av rommet, nær varmen. Tomas vendte som alltid ansiktet mot Rosa, som en blomst som vender seg mot solen for å få næring og varme. Jeg lukket øynene og ventet på at søvnen skulle frigjøre meg fra kaoset i mitt indre, om så bare for noen få timer. Kanskje ville jeg få muligheten til å snakke med Rosa neste dag. Jeg ba om inspirasjon og mot til å fortelle henne hva som hadde skjedd mellom Jenny og meg under stormen. Jeg hadde overbevist meg selv om at det var gode sjanser for at hun ville forstå at det var en feiltagelse. Kanskje ville vi til og med kunne le hjertelig av det. Med denne trøstende tanken falt jeg i søvn.

Hvordan hun fant frem til meg midt på natten uten å vekke de andre, vet jeg ikke. Jeg drømte om min kjærlighet da armene hennes omfavnet meg under teppene, men da hun la hånden min på brystet sitt, tvilte jeg ikke på at det ikke lenger var en drøm. Jeg ville ha stønnet av ekstase, men jeg ble overveldet av en fysisk strøm som skar gjennom meg som et sverd, som om det snittet gjennom hele ryggraden min. Å holde min dyrebare Rosa i armene mine på denne måten, å elske henne som jeg gjorde, sprengte alle grenser for min fantasi. Hele kroppen min kjentes som om den ble slukt av begjær etter henne, og jeg klarte knapt å puste.

– Ro deg ned, Antonio, hvisket hun og klukket.

Det var da jeg åpnet øynene mine og festet dem på ansiktet hennes i mørket. Den bleknede gløden i smilet hennes, bredt og gult som øynene, var ikke til å ta feil av.

Så snart jeg hadde kommet meg over sjokket, fant jeg styrke nok til å frigjøre hånden min fra Jennys grep. – Gå tilbake til sengen din, hvisket jeg og følte meg som et blødende dyr fanget i en felle.

– Måten du kjærtegnet hånden min på under stormen, lot meg forstå at du elsker meg også, sa hun.

Hun tok hånden min igjen, men jeg vred den løs.

– Jeg elsker deg ikke, svarte jeg, desperat av bekymring for at vi kunne vekke de andre. – Jeg vil aldri elske deg.

Ansiktet hennes trakk seg sammen, og med lyset fra varmen som spilte over trekkene hennes, var hun styggere enn før. Så smilte hun og slikket leppene sine. – Hvorfor elsket du da med meg akkurat nå?

Jeg svarte ved å dytte henne bort så hun gled ned fra teppet mitt og over på det kalde gulvet. Hun forsøkte å vrikke seg tilbake ved siden av meg, men jeg holdt henne unna ved å sette foten mot magen hennes.

– Det er meningen at vi skal være sammen, Antonio. Det vet du like godt som meg, sa hun åndeløst, på grensen til gråt eller latter.

– Stille, kvinne. Du vekker de andre. Gå tilbake til sengen din.

Hun glattet på nattkjolen så godt hun kunne. – Du elsket med meg, Antonio, sa hun og senket stemmen til en hvisken. – Og du vil gjøre det igjen. Det er jeg sikker på.

Hun gled tilbake til sengen sin.

Jeg greide ikke å sove resten av natten. Neste morgen klarte jeg å presse ned litt frokost, og la merke til at Rosa virket uthvilt. Hun spiste godt mens hun lyttet intenst til Tomas' tale om tempelridderne som siden middelalderen hadde beskyttet pilegrimer på reisen til Santiago. Han snakket med slik autoritet om emnet at man skulle tro han var ridder selv. Men i stedet for å bli irritert, følte jeg bare takknemlighet fordi Rosa virket som om hun ikke ante hva som hadde skjedd natten før. Jeg ville gjøre alt som sto i min makt for at det skulle fortsette sånn. Jeg kunne ikke forestille meg at Rosa noen gang ville godta at jeg ble lurt til å tro det var henne jeg elsket med, ikke Jenny. Ingen kvinne kan forstå noe slikt, og jeg ville miste hennes kjær- lighet for alltid. Det var jeg helt sikker på.

Akkurat da dukket Jenny opp og satte seg ved siden av Rosa. Sammenlignet med Rosa så hun gusten og satt ut, som en squash for overmoden til å spises. Jeg følte meg plutselig kvalm, og skjøv bort resten av frokosten.

– Jeg er mer enn overtrett, erklærte Jenny og stappet munnen full av brød.

– Sov du dårlig? spurte Rosa.

– Å, jeg sov veldig godt, men jeg hadde en helt utrolig drøm, sa hun og blunket til meg. – Har du noen gang drømt noe som var så levende at du ikke var helt sikker på om det var en drøm?

Rosa nikket med et smil, og Tomas satte fra seg kaffe- koppen, tilsynelatende fascinert.

– Vel, la meg bare si en ting, fortsatte hun. – I natt hadde jeg en drøm som må ha blitt plantet av djevelen selv.

Før hun rakk å gjøre ferdig setningen, dyttet jeg keramikkpotten ved siden av albuen min ned fra bordet. Den havnet på flisegulvet, hvor den falt i tusen knas rundt føttene våre. Vi spratt opp sammen og ryddet gulvet på et blunk. Selv Jenny hjalp til. Da vi var ferdige, sto hun og vred på kluten hun hadde brukt, mens hun smilte hemmelighetsfullt.

– Det er sent, sa jeg. – Jeg foreslår at vi drar nå, ellers må vi spise lunsj her også.

Alle var enige, og begynte å forberede seg. Jenny stirret på meg og snakket med meg alene mens jeg pakket sekken.
– Har du ikke lyst til å høre om drømmen min, Antonio?

Jeg ignorerte henne, og konsentrerte meg om å knytte støvlene mine. Resten av reisen holdt jeg meg i nærheten av Rosa, uten å bry meg om at vår nærhet kunne vekke mistanke. Jeg var villig til å gjøre hva som helst for å hindre at Jenny snakket med Rosa før vi kom frem til Santiago og vi var gift.

Señor Peregrino fylte mer kaffe i koppen sin og tilbød Jamilet det samme. Hun ristet på hodet med ansiktet vendt ned.

– Du tar vanligvis en kopp til. Liker du den ikke? spurte han.

– Kaffen er god, señor.

Jamilet satte den tomme koppen på bordet. – Jeg liker bare ikke måten historien din utvikler seg på, det er alt.

Hun så utfordrende på ham. – Må livet alltid være så komplisert?

Señor Peregrino tenkte på det en stund. – Kanskje ikke, sa han og nikket sakte. – Men det ville ikke bli en særlig interessant historie hvis det ikke var det.

Han lente seg frem og fylte opp koppen hennes. – Og det ville også gjøre livet mye mindre interessant.

25

Hemmeligholdelse var i ferd med å bli like velkjent og bekvemt for Jamilet som et varmt teppe på en kjølig natt. Hun pakket seg inn i foldene og blomstret som en sommerfugl inni kokongen sin. Det virket ikke som om Eddie hadde noe imot det. Han forsto at på grunn av Carmens strenge holdning måtte møtene deres begrenses til de dagene hun og Louis gikk ut, og heldigvis hadde de vært ute oftere enn vanlig i det siste. Det var heller ingen tvil om at hemmeligholdelsen la et slør av mystikk over det allerede gåtefulle forholdet. Jamilet mistenkte at Eddie bare tenkte på henne som en spesiell venn som hjalp ham gjennom en vanskelig periode. De var venner som av og til tilbrakte tid sammen i parken, der Eddie snakket og Jamilet lyttet mens hun trofast svarte i overensstemmelse med det hun visste ville trøste ham.

– Masser av gutter gråter, Eddie, kunne hun si. – Gutter er tøffe på utsiden og myke inni, og jenter er stikk motsatt.

Eller: – Det er ok å være redd. Hvordan skal du ellers vite når du er modig?

Hun visste ikke hvor denne visdommen kom fra, eller hvordan hun klarte å mane den frem, men lengselen etter å være det som Eddie trengte, kalte frem tanker fra underbevisstheten med samme desperasjon som hos en gruvearbeider som har valgt mellom å grave frem diamanter eller bli forvist for alltid.

Men alt endret seg en ettermiddag da Eddie dukket opp i parken med en presang. Jamilet stakk hånden ned i plastposen han ga henne og trakk frem en bomullstopp. Det lyse stoffet kjentes som myk silke i hendene hennes. Toppen hadde tynne stropper og var i en dus gulfarge, som solen bak skyene. Pearly hadde en i alle regnbuens farger, og noen ganger, når hun rørte på seg på en bestemt måte, gled en stropp ned fra den glatte skulderen. Dette ga henne anledning til å rette på den om og om igjen, sånn at det virket som om hun kledde av og på seg foran Eddie og alle andre som tilfeldigvis så på.

– Liker du den? spurte Eddie. – Jeg kjøpte den til deg nede i byen.

– Du trengte ikke gi meg en presang.

Eddie lot som han ble fortørnet.

– Jeg kan hvis jeg vil.

Han strøk en hårlokk bort fra øynene hennes. – Ha den på for meg neste uke, ok?

Jamilet løftet mykheten til kinnet og trakk inn lukten av nytt tøy. I øyeblikket kunne hun glede seg over denne vakre gesten, denne gaven fra hjertet. Hun ville leke henrykt kjæreste, forventningsfull ved tanken på hvor nydelig hun ville se ut for ham når hun hadde den på seg. Denne dagen ville hun smile og friste ham med sin forførende kvinnelighet ved å drapere toppen over overkroppen og bue ryggen litt for å fremheve bysten. Alt dette klarte hun å få til før hun snakket.

– Hvorfor neste uke?

– Fordi jeg vil du skal treffe noen av vennene mine, sa han.

Jamilet kjente et stikk i magen ved tanken på å være sammen med Eddie i den virkelige verden, nesten som om hun faktisk var kjæresten hans. Men han ville at hun skulle se sånn ut. Langermede katolske skolejenteskjorter og marineblå skjørt til under knærne holdt ikke.

– Hva om Pearly finner det ut? spurte hun.

– Hun er kommet over meg nå, sa han.

Jamilet gransket Eddies ansikt. Den glatte pannen og de klare øynene som glitret av selvtillit og humor, de fyldige leppene som krøllet seg i et smil så sjarmerende at det kunne svimeslå deg hvis du ikke var forberedt på det. Hver gang han sendte et av de gnistrende smilene mot henne, famlet hun etter ord og klarte knapt å sette dem sammen på en fornuftig måte. Hun kunne tilbe ham i det uendelige.

– Du er en søt, liten jente, er du ikke? sa han og lente seg frem for å kysse henne.

– Jeg tror ikke det, sa Jamilet.

Han stanset. Leppene var nær nok til å stryke over hennes.

– Du tror ikke hva? spurte han.

– Jeg tror ikke hun har kommet over deg.

Jamilet svevde utenfor seg selv. Kroppen kjentes fremmed, som om armene og beina beveget seg som fangarmer i alle retninger på en gang. Hver eneste celle var et hologram som gjenspeilte de uendelige mulighetene født av fantasien hennes. Et underlig mot fylte henne, og utslettet alle velkjente redsler og omringet alt hun visste var virkelig. Var det kjærlighet som førte til dette? Hun hadde alltid hørt at kjærlighet var den sterkeste kraften i verden. At den kunne flytte fjell. Når den var ren, kunne den overvinne selv døden. I sin enklere form var den magien som sløret blikket og endret tings fysiske form, glattet ut de harde kantene av misdannelsen hennes til den falmet til nesten ingenting. Når kjærlighet fantes, ville sinnet bare se det som hjertet tillot.

Og kjærlighet krevde ærlighet, uansett hva det kostet, ellers ville den visne og dø. Et håpefullt frø kunne kanskje stikke sine tandre skudd over bakken og prise gleden over å ha kommet til overflaten, men så snart den nådeløse solen fant det, ville døden komme fort hvis frøet ikke fikk vann. Jamilet visste at hvis ekte kjærliget skulle vokse mellom dem, måtte hun vise merket til Eddie.

Hun trakk toppen han ga henne over hodet, og dro den ned. Kvelden var varm og behagelig. Bare gamle damer brukte gensere på kvelder som dette, og selv de hadde dem egentlig ikke på seg, men holdt dem pent foldet over en arm i tilfelle det ble kjølig. Jamilets nyvaskede, marineblå genser lå på sengen hennes. Selv om hun aktet å vise Eddie merket denne dagen, så hun ingen grunn å gjøre avsløringen vulgær og unødvendig sjokkerende. Situasjoner som dette måtte takles med finfølelse, slik at sinnet langsomt kunne fordøye det blikket hadde vanskelig for å forstå.

Jamilet hadde ikke sett på merket på flere uker. Hun hadde sluttet med det nattlige ritualet så snart møtene med Eddie ble hyppigere. Så lyst var humøret hennes blitt, og så fullstendig absorbert av utviklingen i forholdet deres hadde hun vært at hun hadde glemt merket fullstendig. Hun overbeviste seg selv om at drømmer kunne slå seg sammen med andre drømmer og oppmuntre hverandre som gode venner. Hvis drømmen om å fange Eddies kjærlighet var i ferd med å gå i oppfyllelse, var det ikke da mulig at merket kunne miste sin kraft? Kanskje det ikke var viktig, akkurat som tía Carmen påsto? Kanskje var det morens smittsomme bekymring som hadde forsterket lidelsene hennes i alle disse årene, mens merket ikke var annet enn en flekk, en skygge – en illusjon?

Carmen og Louis hadde gått ut for å spise middag på et fint sted hvor Carmen sa de serverte vann i vinglass, og du kunne be om å få ølet servert på samme måten, sånn at hvis du drakk øl, så du ut som om du passet inn. Etter middag skulle de på kino, noe som betydde at Jamilet og Eddie hadde masser av tid. Planen var å treffes i parken som vanlig, og deretter gå til Eddies hus hvor en flokk venner ventet. Jamilet planla å vise ham merket når de var alene i parken. Uansett hva han sa, ville hun insistere på å ha på genseren når de var sammen med vennene hans, siden vennene ikke lå under for kjærlighetens beruselse og ville se på merket med andre øyne enn Eddie.

Da Jamilet kom inn mellom trærne, oppdaget hun at Eddie satt på benken deres og trakk i en løs tråd i sømmen på jeansen sin. Hun stanset et øyeblikk for å beundre ham; de brede skuldrene hans og det mørke, skinnende håret. Da han så henne dukke frem fra skyggene, reiste han seg langsomt for å se på henne også. Det svake skumringslyset fikk alt til å se sølvaktig og kornete ut, som et gammelt svarthvitt fotografi tatt i regnvær. Jamilet kjente merket pulsere under genseren, som om det visste at friheten var nær, og at med frihet kom den legende følelsen av frisk luft fylt av vitner: fuglene, ekornene, trærne og alt annet i verden. Inkludert Eddie, selvfølgelig.

Jamilet snublet i en trerot da hun nærmet seg, og Eddie spøkte med at hun hadde begynt festen tidlig sammen med tanten. Vanligvis ville hun ha ledd sammen med ham, men hun klarte ikke å smile, så opptatt var hun av å holde seg til planen. Hun hadde øvd på ordene hun skulle si minst femti ganger foran speilet, hadde lagt hodet på skrå den ene og den andre veien, bestemt seg for hvordan hun skulle holde hendene og når hun skulle ta av genseren. Det var like nøye koreografert som om det var innøvd med manus, og hun kunne ikke la ham distrahere henne som han alltid gjorde.

– Du har den på deg, sa han fornøyd. – Men hvorfor har du genser? Det er 35 grader ute.

Eddie hadde på seg den mannlige versjonen av Jamilets trøye, ren og hvit mot den brede brystkassen.

Jamilet drakk inn synet av ham og glemte øyeblikkelig replikkene sine. Hun burde ha snakket allerede, og beskrevet den dumme frykten til de underutviklede landsbyboerne som trodde hun var djevelen. Hun måtte begynne med begynnelsen, for selv om hun visste alt om Eddies barndom, visste han nesten ingenting om hennes. Hun regnet med at det ville ta nesten en halvtime uten spørsmål og sidespor før avsløringen. Innen den tid ville skumringen ha mørknet til en skyggeaktig gråfarge, noe som var nøyaktig det hun ønsket; at han skulle få se misdannelsen hennes i det mest barmhjertige lyset. Gradvis ville han få se mer og mer av den, inntil avsløringen var komplett.

Han gikk frem og la en hånd på skulderen hennes, men det ble fort innlysende at han ikke hadde til hensikt å hilse eller gi henne et kyss, men å ta fra henne genseren. Jamilet slo bort hånden hans uten å tenke, men det var ikke en leken gest, og Eddie reagerte. Han så overrasket ut, men ikke så overrasket som Jamilet. Hun var sikker på at hun aldri hadde beveget seg så raskt i sitt liv. Hun tok et skritt tilbake og forsøkte å huske, men klarte ikke å mane frem ordene når han så på henne med de store, sårede øynene. Å ja, hun skulle begynne med å fortelle ham om den dagen barna kastet steiner på henne. Han ville bli rørt og trist over å høre det. Hans beskytterinstinkt ville blusse opp, rede til å forsvare henne, mens han tenkte på hva slags ondskapsfulle tanker som kunne føre til en så grusom handling mot hans elskede. Hun ville spørre ham om han hadde sett et fødselsmerke før, og det ville lede henne frem til konsultasjonen med doktor Martinez og den egentlige årsaken til at hun dro nordover.

– Hva feiler det deg? spurte Eddie. – Jeg ville bare se hvordan du ser ut uten genseren.

– Ikke ennå, stammet Jamilet. – Jeg må forklare noe først.

– Du ser veldig søt ut, sa han og smilte bredere. – Til og med søtere enn jeg trodde.

Han gikk nærmere. – Jeg skal vedde på at du har flotte bein også, men vi tar et skritt av gangen.

– Det er litt vanskelig å forklare, stammet Jamilet og kjente tankene løse seg opp i varmen.

– Forklare hva?

Han strøk henne over kinnet og bøyde seg ned for å se henne inn i ansiktet. – Hvorfor har du tårer i øynene?

Jamilet unngikk blikket hans, knærne ble svake og ustø. Hun klemte genseren rundt seg med begge hender da det gikk opp for henne hva hun var i ferd med å gjøre. Var hun gal? Hva slags vanvidd kunne få henne til å tro at Eddie ville reagere annerledes på merket enn andre? Det var avskyelig, og det fantes ingen kjærlighet i verden som kunne overkomme det. Hennes egen mor hadde ikke klart å takle det, og forsøket på å kjempe mot det, hadde tatt livet av henne.

Hun skottet på Eddie. Han virket usikker på om han skulle smile eller rynke pannen, og det rykket i det venstre øyebrynet hans mens han vaklet mellom de to alternativene.

– Jeg tror jeg må hjem, mumlet Jamilet.

– Hvorfor det?

– Jeg tror bare jeg må …

– Er det tanten din?

Jamilet ristet på hodet. – Jeg vet ikke. Jeg må gå.

Hun snudde seg og begynte å gå raskt mot trærne. Hun var bare noen meter unna da hun hørte at han kom løpende. Han stanset henne med en fast hånd på skulderen hennes. De sto sammen på en solflekk i gresset mens hun trakk genseren tettere rundt seg.

Eddie tok tak i skuldrene hennes og ristet henne forsiktig.

– Snakk til meg, for pokker. Ikke bare gå.

– Du kommer ikke til å forstå, sa Jamilet stille.

– Hvordan vet du det, når du ikke gir meg en sjanse?

– Fordi ingen andre enn tía Carmen forstår. Hun er den eneste som ikke er redd.

– Redd for hva?

Det var som om en annen stemme svarte, og hun hørte ekkoet fra den stemmen komme langt borte fra, og ordene lød messende.

– Hvorfor jeg alltid har lange ermer, sa hun. – Hvorfor jeg ikke er som andre jenter.

Eddie stakk hendene i lommene. – Ok. Hvorfor?

Hun var like ved kanten, en fot hang over tomrommet mellom hvem hun var og hvem hun kunne være, og hun sto slik i flere sekunder. Plutselig kjente hun at kroppen hennes rev seg løs. Hver eneste bit av henne smeltet til ingenting mens hun lurte på om hun skulle ta steget over, men håpet om et bedre liv klarte ikke å sette henne sammen igjen, og hun nølte. Beina ble tunge, og tyngden steg til lungene og gjorde det vanskelig å puste. Eddie sa noe, stilte henne bekymrede spørsmål, men han var fortsatt på den andre siden, og hun lyttet ikke så intenst mer. Hun forsøkte ikke lenger å tilpasse sinnet og sjelen sin til ham slik at han kunne bade i hennes tilbedelse. Han savnet sikkert følelsen og lurte på hva som var galt.

Uten et ord snurret hun rundt og begynte å løpe rett mot trærne. Føttene hamret i bakken med utrolig fart, genseren svevde bak henne som en kappe i vinden, og håret dasket mot ansiktet hennes så hun nesten ble blindet. Hun tenkte ikke på Eddie, hun klarte bare å løpe så langt bort fra kanten som mulig, hun løp slik hun burde ha gjort for mange år siden, så steinene ikke hadde truffet henne. Men før hun rakk frem til gaten, lå Eddie oppå henne, og de rullet rundt hverandre i gresset. Han snakket rasende til henne, ba henne om å ikke stikke av som en gal hund. Han holdt henne nede med en hånd på hver side av hodet hennes og satte seg overskrevs på henne. Han peste og rødmet, og den perfekte, hvite T-skjorten hans var blitt skitten foran.

– Skal si du kan løpe fort, jente, sa han.

Ansiktet hans kom nærmere, som om han skulle kysse henne.

– Hva kan det være som er så ille at det får deg til å løpe sånn?

Han forventet ikke et svar, så forvirret var han over forandringen hennes. Hun så skremmende vakker ut, som en skjør fugl, lett å skremme til underkastelse, men hvis han slapp taket i ett sekund, ville hun forsvinne igjen.

Jamilet beveget hodet fra side til side. Hun så forbi ham mot himmelen mens hun forsøkte å finne de riktige ordene. Hun hadde aldri snakket med noen om merket som ikke visste om det fra før. Å avsløre det for uinnvidde var som å forsøke å beskrive kjærlighet med tre eller fire ord. Merket lå utenfor hennes fatteevne, og likevel var det essensen i hvem hun var, og grunnen til at hun var som hun var.

Men da hun fokuserte på ansiktet hans igjen, stirret han på buen i nakken hennes under den ene skulderstroppen. I løpet av slåsskampen deres hadde klærne hennes sklidd til side, og han så kantene av merket selv, som tynne fingre som krøllet seg rundt halsen hennes. Han reiste seg, men satt fortsatt overskrevs på henne. Blikket hans var festet på merket.

– Hva har du på halsen din? spurte han, bekymret for at han kunne ha skadet henne.

Han løsnet grepet om håndleddene hennes, og hun rev armene til seg. I en enkel, myk bevegelse hadde hun skjøvet ham av seg. Han havnet på ryggen. Hun kom seg på beina på et blunk, men før hun rakk å ta et skritt, hadde Eddie grepet tak i foten hennes. Hun mistet balansen og falt hardt på magen. Han satte seg oppå henne igjen. Hun kjente genseren forsvinne og den nye toppen bli trukket opp slik at det meste av merket var synlig. Hendene hennes krafset i jorden mens hun ventet. Lukten av jord og den friske lukten mot huden skapte en slik følelse av fred at hun lurte på om hun var døende. Hun lukket øynene, som om hun ville gi døden beskjed om at hun hadde akseptert den.

Hun forestilte seg ansiktet hans, med runde, sjokkerte øyne og munnen halvåpen av sjokk. Han hadde mistet taleevnen, virket det som, men hun følte seg likevel bedre. Dette hadde hun overlevd før. Hun visste hva som kom. Scenen ville utspille seg som den hadde gjort så mange ganger før.

– Det er et fødselsmerke, sa hun og spyttet ut jord mens hun snakket. – Og det gjør ikke vondt.

Han pustet hardt, som om han ikke hadde vett til å se bort. Hun lurte på om hun skulle advare ham om at jo lenger han så på merket, jo verre ble det, men hun tidde. Det var nesten over.

– Hvorfor fortalte du meg ikke om det? spurte han til slutt, men han hørtes annerledes ut, som om han var blitt ydmyket av noe han ikke forsto.

– Jeg forteller det aldri til noen, svarte Jamilet.

Hun kjente vekten hans bli løftet av henne, og han reiste seg. Hun reiste seg også, og børstet jord av buksene, magen, armene og håret før hun ristet seg godt.

Eddie så på henne, overrasket over at hun kunne røre seg normalt etter det han hadde sett.

– Er det … jeg mener, kan du bli kvitt det?

Jamilet kjente seg merkelig sterk da hun så overraskelsen og frykten i blikket hans. Hun kunne fortalt ham om planene om å finne en lege, og stabelen med penger hun hadde på rommet sitt, men hun ville høres ut som et dumt barn som erklærer at hun en dag skal bli en berømt filmstjerne.

– Det er ikke noe jeg kan gjøre, sa hun, og da hun hørte seg selv si disse ordene, aksepterte hun sannheten for første gang i sitt liv.

Bestemoren hadde visst det. Tanten hadde forsøkt å fortelle henne det på sin måte, og selv doktor Martinez hadde visst det, men det var først da hun så inn i Eddies synkende ansikt at hun visste hun måtte leve med merket til sin dødsdag.

Ingen av dem gjorde noe forsøk på å gå, selv om det nesten var mørkt. Eddie begynte å se seg om og stampe med føttene som en rastløs hest. Hun sto stille.

– Vil du jeg skal følge deg hjem? spurte han.

Ømheten i blikket hans kjempet mot ønsket om å styrte av gårde og komme seg så langt vekk fra henne som han kunne. Hun visste det like godt som hun visste at hun bare kunne holde ham et øyeblikk eller to i denne urolige transen av motvilje og medlidenhet.

– Jeg kjenner veien, sa hun, og så lot hun ham gå.

Senere den kvelden, da hun lå utslitt i sengen sin, bestemte Jamilet seg for at det var godt å hate. Følelsene stuet seg sammen inni henne og fikk henne til å føle seg massiv og sterk, ikke lenger som det spinkle vesenet hun hadde oppfattet seg selv som, og som kunne forsvinne med vinden eller bli skaket av et hosteanfall. Mens hun tenkte på det, hatet hun sin egen dumme svakhet også, og den feige måten hun var enig med alle på hele tiden. Denne feigheten som ga seg ut for å være vennlighet, gjorde henne kvalm. Hun hatet hvor hun kom fra og hvem hun var, og det faktum at livet hennes var lite nok til å få plass i en skoeske. Hun ble dysset i søvn av den flintharde beslutningen om å hate. Kanskje hat ville gi henne litt kjøtt på beina.

26

Med frokostbrettet høyt hevet banket Jamilet én gang, og åpnet døren før hun fikk señor Peregrinos tillatelse til å komme inn. Han lå fortsatt i sengen, noe som ikke var overraskende, siden hun kom tidligere enn vanlig. Han foretrakk å spise frokost etter dusjen, men Jamilet hadde bestemt seg for at det var urimelig av ham å forvente at hun først skulle komme opp til femte etasje, så gå ned og opp igjen, bare fordi han likte kaffen sin varm nok til å skålde fjærene av en kylling. Han fikk bare finne seg i kaffe som i det minste var varm nok til å løse opp en teskje eller to med sukker.

Hun satte brettet på skrivebordet med et dunk og snudde seg for å se om lyden hadde forstyrret ham. Han hadde ikke rørt seg. Hun løftet brettet, satte det ned igjen og slapp teskjeen ned i koppen, men det var likevel ikke tegn til at han hadde hørt henne. Hun gikk inn på badet. Señor Peregrino ba henne alltid vaske badet *etter* at han hadde dusjet, siden dampen førte til mugg, som han ikke kunne fordra. Men Jamilet bestemte seg for å ta badet mens han sov. Hvorfor vente til senere, når varmen ville være mye verre?

Hun hadde allerede begynt å tørke av dusjkabinettet da hun hørte at han ropte på henne. Stemmen hans var forvirret og fortsatt rusten av søvn. Jamilet gikk raskt bort til sengen, med haken løftet og klare øyne. – Ja, señor? sa hun og sto nesten i givakt.

– Hva gjør du her så tidlig? spurte han mens han satte seg opp mot putene. Håret sto rett til værs som en enorm, hvit flamme.

– Jeg gjør jobben min, señor. Det bør være innlysende.

Hun skottet på ham for å se om hennes korte svar hadde medført et tilstrekkelig sjokk, og så raskt bort før hun rakk å nyte synet.

– Unnskyld mitt dumme hode, svarte han.

Jamilet skjøv skuldrene tilbake. – Jeg har bestemt at det er mye lettere for meg å hente frokosten først, i stedet for å vente til du har dusjet. Det sparer meg for å løpe opp og ned trappene. Jeg *hater* det.

Señor Peregrino krympet seg ved ordet «hater», ikke bare fordi hun aldri hadde brukt det før, men på grunn av måten hun sa det på, som om hun ikke snakket, men spyttet. Han satte seg bedre til rette for å kunne se henne bedre. – Du ser ikke ut som deg selv i dag, sa han og myste. – Har du klippet håret?

– Jeg liker det kort. Det er lettere for meg.

– Snu deg, kommanderte han.

Hun nølte, men gjorde som hun fikk beskjed om. – Det ser ut som om du har klippet det av uten å se, som om du har gjort det i mørket.

Jamilet hang med hodet og sa ingenting. Señor Peregrino sto opp og hentet frokostbrettet selv. I øyekroken kunne hun se de nakne føttene hans subbe over gulvet og tilbake igjen. Hun hørte at han gjorde klar kaffen, og den skrapende lyden av smørkniven over toasten. – Jeg vet hva du gjør, sa han. – Du straffer deg selv i håp om at grusomhet mot deg selv vil inspirere deg på ett eller annet vis, og ta motet fra resten av verden.

– Jeg vet ikke hva du snakker om, señor.

– Å jo da, det gjør du, min kjære.

Han tok en bit av toasten, svelget og snakket før han rakk å svelge helt, noe som fikk ham til å hoste litt. – Bare hjertesaker kan føre til slikt drama. Jeg vil driste meg til å gjette at den unge mannen du tok imot en hoven kjeve for, er årsaken til dette.

Hun sukket, og kjente seg uventet lettet. – Jeg har bestemt meg for å hate ham, señor.

– Har du det? Vel, du burde vite nå at du ikke kan velge å hate noen, ikke mer enn du kan velge å elske noen.

Jamilet snurret brått rundt med knyttnevene langs siden.

– Å jo da, det kan du, señor. Akkurat som jeg kan velge å stå opp ved daggry selv om både kropp og sinn ber meg sove videre. Det tar ikke lang tid før jeg ikke er trett lenger, og jeg tenker ikke engang på å legge meg igjen. På samme måte kan jeg velge om jeg vil elske eller hate.

– Kanskje.

Señor Peregrino nippet til kaffen. – Men du må lure deg selv til å tro at din egen vilje er det eneste som bestemmer over virkeligheten, mer enn erfaring, mer enn selv det villeste håp i hjertet ditt. Du må fornekte hjerte, sinn og kropp på en gang.

Jamilet strakte ut hånden for å kjenne på stubbene i nakken. Hun hadde klippet håret så kort at hun måtte brette opp kraven for ikke å avsløre merket.

– Sett deg ned og drikk litt kaffe med meg, sa señor Peregrino.

Hun satte seg og tok imot koppen, tillot varmen å trekke inn i fingrene og håndflatene, helt opp til armene, til skuldrene var like runde og dorske som hun følte seg.

– Jeg skal fortsette historien min etter frokost, men først må du skjønne at selv om jeg lett kan forstå hva som skjer i et knust hjerte, vil jeg ikke tolerere mangel på respekt. Er det klart?

– Ja, señor.

Etter at de hadde delt en frokost bestående av kaffe og toast med syltetøy, fortsatte han historien.

Helt siden vi begynte reisen vår, hadde jeg drømt om dette frodige og mystiske landet hvor gresset vokste like høyt og grønt som havet utenfor. Apostelens lik hadde mirakuløst dukket opp på kysten av Galicia hundrevis av år tidligere. Jeg sang for det storslagne som lå foran oss, sammensmeltingen av jord og himmel, dekket av en tåke som gjorde horisonten uklar. Bortenfor tåken et sted var den store Santiagokatedralen, og hva som ventet oss etter at vi hadde besøkt den, kunne jeg bare undre meg over.

Den morgenen sto vi på Monte de Gozo og så katedralspirene som virket som om de fløt i det fjerne. Solen var allerede i ferd med å stige på den bleke himmelen. Skjult bak et slør av skyer virket solen som et spøkelse, fornøyd med å glimte til iblant, selv om den ikke ble feiret på samme måte som i andre regioner av Spania hvor solen styrer været eneveldig. I denne delen av verden må gylne tråder letes frem mellom sprekker i steiner og trær, skjønnheten snor seg rundt hjertet og samler seg i små lommer i sjelen. På dette stedet, i århundrer kjent som verdens ende, kan et feilsteg sende deg ned i avgrunnen.

Det var vanskelig for meg å akseptere at reisen vår snart var over. Santiago hadde vokst til mye mer enn en skjebne i hodet mitt, den var høydepunktet av alt hva det betydde å være menneskelig, og jeg fryktet at min sjel, knapt nok en hvisken på jorden, ville fordampe og forsvinne når skyene bestemte seg for å drive bort.

Vi fire gikk sammen nedover fjellet mot byen, og for første gang hørte jeg Rosa synge, den myke stemmen hennes spredte seg som tåke. Jeg sluttet meg til henne, og sammen fløt sangen vår over fjellene. Hjertet mitt rant over av den lykkelige erkjennelsen av at jeg levde ut min skjebne – å elske denne utrolige kvinnen til den dagen jeg døde, å oppdra våre barn sammen med henne og fortape meg i vårt forhold for alltid.

Jeg kjente en hånd gli inn i min. Uten å bry oss om at Tomas og Jenny så på, gikk vi sammen mot katedralen, som om det var vår bryllupsdag. Jeg snudde meg for å se på Rosas ansikt. Hun strålte i det milde morgenlyset. Hun hadde kastet av seg hetten, og duggen i håret glitret som tusen diamanter. Ingen av oss våget å se tilbake på våre følgesvenner, men jeg kjente bitterheten deres i ryggen. Mørkere enn skyene over oss, en skuffelse like stor som vår glede.

Vi mistet katedralen av syne en kort stund da vi gikk gjennom den trange labyrinten av smale gater som omringet den gamle byen, men brått befant vi oss på hovedtorget. Katedralen i Santiago strakte seg mot himmelen i all sin storslagenhet. Den var mer storslått enn jeg hadde forestilt meg, den mørkegrå steinen i fasaden virket som om den pustet av liv fra utallige troende pilegrimer som hadde bedt ved muren i årenes løp. Og på toppen av det høyeste tårnet sto statuen av apostelen Santiago med sin pilegrimsstav og bredbremmede hatt. Han tok imot alle, som han selv var blitt tatt imot – en modig og vandrende sjel, et Guds barn, en pilegrim.

Rosa og jeg gikk inn hovedinngangen til helligdommen. Vi følte oss som to dråper i en uendelig elv av liv. Da vi kom inn, fant vi vår plass i køen sammen med hundrevis av andre pilegrimer slik at vi kunne få se Santiagos krypt med egne øyne, røre ved kappen hans og omfavne ham, og dermed offisielt avslutte pilegrimsreisen vår. Etter det aktet vi å finne en prest som kunne vie oss, om nødvendig der og da. Vi brydde oss ikke om å riste av oss veistøvet, vi var desperate etter å fullføre det vi visste var vår skjebne. Mens jeg lyttet til de hviskende bønnene og gråten fra pilegrimene rundt oss, forsto jeg at med Rosa ved min side var jeg så nær Gud som jeg noen gang kunne være. Overveldet av følelser tok jeg ansiktet hennes i hendene mine og kysset henne med samme hellige ømhet som gjerne er reservert for en helgen. Jeg kysset henne igjen for å vise at jeg var en mann som elsket henne med hele min sjel. Og jeg kysset henne for tredje gang fordi smaken av leppene hennes var så utsøkt.

Sammen klatret vi opp trappene som førte til krypten til vår helgen. Hvis øyeblikk i livet henger som perler på en snor langs lenken i vår eksistens, var dette den mest kostbare juvelen av alle.

– Vi må takke Santiago, sa Rosa. – Vi må takke ham som pilegrimer, og som to mennesker som snart vil bli mann og hustru.

– Ja, sa jeg entusiastisk. – Vi må be ham velsigne ekteskapet vårt og de mange barna vi skal få, og barnebarna og barnebarnsbarna.

Jeg hadde alle intensjoner om å sette i gang akkurat den delen av planen så snart som mulig.

Da vi kom inn i krypten, måtte vi myse mot det utrolige lyset – de forseggjorte utskjæringene som omkranset oss fra gulv til tak fylte oss med ærefrykt, og den gylne statuen av Santiago var den meste praktfulle av alt. Han vendte seg mot menigheten med ryggen mot oss. Vi omfavnet ham sammen, og våre bønner fløy gjennom katedralen, ut av de fargede vindusglassene, over de mosedekte steinene og forbi de tette skyene, og forsvant opp i himmelen mot Guds øre.

Det var vanskelig å finne en prest som ville møte oss, siden de var travelt opptatt med sine offisielle plikter, som var ekstra krevende på en søndag. Det ble holdt en pilegrimsmesse hver dag, men på søndagene krevde seremonien

Botafumerioen, en enorm røkelsesgryte som svingte fra takbjelkene under messen. Dette var ikke bare av religiøse hensyn, selv om det var slik det var blitt begrunnet opp gjennom århundrene, for lukten av røyk dekket også effektivt over stanken av de mange som ikke hadde sett såpe og vann på flere måneder.

Til slutt støtte vi på en prest som akkurat forlot skriftestolen. Utmattet av den ubrutte flommen av synder han hadde gitt syndsforlatelse for, forsøkte han å unngå oss så godt han kunne, men det var Rosa som fanget ham med sin henrivende bønn. Han stirret ærbødig på ansiktet hennes mens hun snakket, og jeg forestilte meg at han revurderte kyskhetsløftet sitt, men han sa seg villig til å vie oss neste morgen klokken elleve mot et lite honorar. Jeg husker hvordan han kastet et kjapt blikk på midjen hennes da vi gikk, for å se om hun var gravid.

Vi ble værende under messen, og så på mens Botafumerioen svingte fra takbjelkene og fylte midtskipet med aromatisk røyk. Uansett hvor mye jeg forsøkte å holde blikket festet på alteret, klarte jeg ikke å la være å snu meg og undre meg over kvinnen ved siden av meg, som snart ville bli min kone. Når alt kom til alt, hadde vi ikke sagt mange ord til hverandre, likevel følte jeg at hun var en del av min sjel. Mens de andre pilegrimene ba Gud om å tilgi dem for sine synder så de kunne vende hjem i trygg forvissning om at det fantes en plass i himmelen for dem, takket jeg Gud for den himmelen jeg allerede hadde funnet, og for den vidunderlige velsignelsen Rosas kjærlighet var. – Jeg skal være god mot henne, Gud, sverget jeg. – Jeg skal beskytte henne mot alt vondt og trofast sørge for våre barn.

Messen endte med salmesang fra hele verden. Det var stemmer som sang på fransk, italiensk, gresk og engelsk mens alle vendte ansiktet mot alteret og lovpriste apostelen Santiago.

330

Deretter fulgte vi etter hverandre ut på torget, hvor vi ble badet i et strålende, gyllent lys. Solen hadde bestemt seg for å vise seg, som om den ble lokket av den henførte sangen som brøt ut blant pilegrimene. Vi ble fanget av folkemengdens fryd, vi lo og sang sammen med dem og delte til og med en slurk eller to med vin fra en annen pilegrims vinsekk. Det var da jeg oppdaget Tomas i døråpningen til herberget. Han stirret på oss som om vi var de eneste menneskene på torget. Rosa oppdaget ham også, men Jenny var ikke å se. Jeg hadde mistanke om at hun lå og hvilte seg inne, siden hun hadde klaget over magesmerter de siste dagene.

Jeg ba Rosa også gå inn, så jeg kunne snakke med Tomas alene. Under messen hadde jeg bestemt meg for at jeg ville fortelle Tomas om planene om å gifte meg med Rosa, og ikke vente til etter seremonien som vi hadde planlagt. Jeg ville be ham være vitne for oss. Dette håpet jeg ville være et skritt på veien mot å redde forholdet vårt.

Det var første gang Rosa gikk forbi Tomas uten å trekke til seg blikket hans, eller få et smil. Øynene hans stirret alvorlig på meg.

Jeg trakk pusten, rettet opp skuldrene og samlet mot til det jeg måtte gjøre. – Jeg har ikke vært ærlig mot deg, min venn.

Han lot meg ikke fullføre.

– Jeg anså deg en gang for å være den edleste mannen jeg kjente. Nå lurer jeg på om du ikke er djevelen selv, sa han.

– På grunn av Rosa?

Jeg la en hånd på skulderen hans.

Han ristet den av seg. – Dette har ingenting med Rosa å gjøre, stakkars, uskyldige pike. Selv om jeg ikke ville innse det, forstår jeg nå at hun var ganske forelsket i deg.

– Og jeg i henne. Derfor vil jeg du skal vite at vi har planer om å gifte oss i morgen tidlig. Jeg vil at du skal stå ved min side, Tomas.

Selv om øynene hans hadde hvilt på meg hele tiden, virket det likevel som om han så meg for første gang da han snakket igjen.

– Antonio, Jenny er gravid. Jeg var nettopp til stede da legen undersøkte henne.

Jeg vaklet, og følte at jeg holdt på å falle sammen. – Det er ikke mulig, mumlet jeg.

Tomas kom nærmere. – Hun sier at for en stund tilbake lå hun med deg om natten mens vi andre sov. Hun sier at barnet er ditt, men kanskje hun tar feil.

Jeg tilsto, ulykkelig som et barn. – Det er sant at hun kom til meg den natten, men jeg var forvirret og halvveis i søvne. Jeg trodde det var Rosa ...

Tomas la en hånd på armen min, han hadde hørt nok. – Legen sier at hun er mindre enn fire uker på vei, men at symptomene ikke er til å ta feil av.

Han begynte å snakke om den hederlige løsningen på problemet. Stemmen hans var rolig og bestemt som alltid. Jeg følte smerten gå over i en skjelvende tilstand av sjokk. Som en kristen mann var min eneste mulighet å glemme Rosa og gifte meg med Jenny i stedet. Med tiden ville jeg lære meg å elske henne, sa han, og Guds velsignelse ville være vår. Hvis jeg vurderte en annen handlemåte, ville jeg garantert bli fordømt, både i dette livet og i det evige livet som følger etter.

Jeg lyttet til Tomas og slapp den hellige visdommen hans inn i hjertet mitt, som det eneste alternativet til den ytterste fortvilelse. Jeg klynget meg til ham som aldri før.

Han tok meg med til et rom han hadde skaffet oss i enden av herberget, borte fra sykestuen hvor Jenny var. Han passet på meg hele ettermiddagen, som om han var bekymret for at jeg skulle hoppe ut av nærmeste vindu.

Senere den kvelden hørte jeg lyden av middagsklokken runge gjennom steinkorridorene. Det var velkjent at måltidene som pilegrimene fikk på dette herberget, var de beste på hele veien. Rikelig med ferskt kjøtt og grønnsaker og god vin, tilberedt av dem som hadde funnet styrke og inspirasjon til å fullføre reisen. Likevel var jeg lammet, og ute av stand til å kvitte meg med den numne følelsen som hadde et grep om hjernen og hver eneste celle i kroppen min. Hele ettermiddagen hvisket jeg ordene Tomas hadde sagt tidligere, skrekkslagen, som om jeg var trollbundet av makten de hadde over livet mitt, drømmene mine og alt jeg var. «Jenny er gravid,» mumlet jeg om og om igjen, som en galning. Og så de neste ordene som underskrev dødsdommen min: «Og barnet er ditt.»

Jeg kunne levende forestille meg scenen som utspilte seg i dette øyeblikket mens jeg tenkte over min undergang. Jenny, hvilende i sykesengen med en arm over pannen, de tynne, fargeløse leppene beveget seg knapt mens de formet ordene som fordømte meg. Og der satt Rosa, med hendene pent foldet i fanget, ansiktsuttrykket stoisk og rolig som alltid, selv om hjertet hennes brast mens hun lyttet til Jennys historie. Likevel var jeg sikker på at hun ikke ville si noe til Jenny om våre ekteskapsplaner.

Tomas ristet meg forsiktig mens han snakket til meg.

– Antonio, vi må spise. Uansett hva som skjer, må du spise.

– Hvordan kunne dette skje, Tomas?

– Du må gjøre det som er riktig, hvisket han. – Det er alt som spiller noen rolle nå.

Jeg lot ham ta meg i hånden, og vi begynte vår kraftløse marsj til spisesalen. Jeg hadde aldri kjent meg så nær Tomas før, og det virket som om han følte det på samme måte. Det uhyrlige i min situasjon hadde overskygget hans egen skuffelse da han aksepterte at Rosa aldri ville bli hans.

Spisesalen var overveldende stor og elegant. Fargerike gobeliner dekket steinveggene fra gulv til tak, og mange langbord sto mot hverandre. Oppå bordene sto store boller fylt med velduftende stuinger, sammen med fjell av brød fra ovnen, som fortsatt dampet. Rommet strømmet over av gleden fra takknemlige pilegrimer. Selv om to menn satt i et hjørne og spilte gitar og fløyte, var det umulig å høre musikken over klinkingen av glass og tusen ivrige stemmer som fortalte historier om miraklene som hadde funnet sted på veien.

Tomas trakk meg mot et av bordene og tvang meg til å sitte. Han skaffet meg en tallerken med mat, og jeg forsøkte å spise, men syntes maten var motbydelig og den festlige atmosfæren uutholdelig. Jeg spyttet ut kjøttet jeg hadde tygget, og stormet ut av rommet. Farten jeg holdt, førte til flere kollisjoner med forbausede pilegrimer, som visste bedre enn å starte en krangel da de oppdaget avskyen i ansiktet mitt. På rommet mitt falt jeg sammen på teppet igjen. Hodet mitt var som en gammel klut som var brukt litt for ofte, likevel insisterte jeg på å vri ut skittenvannet om og om igjen. Jeg tumlet med fluktplaner. Herregud, jeg hadde rømt alle disse månedene på veien, rømt fra prestelivet, men nå, hvor skulle jeg ta veien? Jeg følte en brå kulde krype oppover ryggraden mens jeg vurderte mulighetene. Jenny hadde vært under et enormt press, og jeg så henne for meg mens hun klemte hendene mot magen og munnen vred seg i smerte. Jeg forestilte meg fosteret som en ball av smeltende voks, med knopper til armer og bein, som gled for tidlig inn i verden, ute av stand til å trekke sitt første åndedrag. Med denne grusomme bønnen på leppene falt jeg i søvn som om jeg falt i døden.

Rommet var nesten mørkt da jeg hørte døren gå opp. Rosa sto på terskelen i en søyle av lys, som om hun ikke tilhørte denne verden. Hun skottet over skulderen sin for å være sikker på at gangen var tom, før hun kom inn og låste døren etter seg.

– Antonio, hvisket hun, åndeløs av engstelse. – Jeg måtte treffe deg alene. Tomas vet ikke at jeg er her.

Jeg klamret meg til puten min og snakket som et barn. – Du må tro meg når jeg sier at jeg ikke ...

Hun knelte ved siden av meg og la fingrene på leppene mine.

– Jeg kom ikke hit for å få tilståelser eller forklaringer, Antonio.

– Hvorfor er du her da?

Blikket hennes ble mer intenst, like brennende som ild, men hun snakket ikke. Hun virket som en engel, som en villfaren engel. Og nå var hun her og fant ly i det styggeste hjørnet av jorden, og gjorde det til det vakreste stedet på jord bare ved sitt nærvær.

– Jeg har reddet deg en gang før, og jeg er kommet for å redde deg igjen, sa hun.

– Den eneste måten du kan redde meg på, er å dra med meg nå, i dette øyeblikket, sa jeg. – Vi sniker oss unna og ser oss aldri tilbake.

– Og hva med Jenny og barnet hun venter?

Det virket umulig, likevel hadde jeg ikke styrke til å fornekte det lenger. – Jeg elsker henne ikke, sa jeg tonløst.

Hun snakket som om hun var i transe. – Jeg kan ikke skylde på Jenny. Hvis jeg hadde hatt mot nok, ville jeg ha kommet til sengen din selv. Jeg har ofte ligget våken og lurt på hvordan det ville bli, og jeg har hatt stor glede av å forestille meg det.

– Ikke torturer meg med slike ord, Rosa. Dra bort med meg nå, før det er for sent.

Jeg knelte foran henne som om hun var en helgen, presset hendene hennes mot pannen min og begynte å gråte. Hun reiste seg uten et ord. Mens jeg lå lammet av sorg foran føttene hennes, tok hun av seg skjørtet og lot det falle i en haug på gulvet. Et øyeblikk senere flagret blusen hennes mot gulvet, bare for å bli etterfulgt av undertøys-plagg, hvert av dem mindre enn det forrige, til hun sto naken foran meg.

Overveldet strakte jeg meg etter henne og trakk henne ned til meg. Vår fysiske kjærlighet var ekstase blandet med fortvilelse, hver bevegelse en underkastelse under en liden-skap som overgikk forståelsen, en fullbyrdelse av vår full-komne kjærlighet.

Fortsatt andpusten kledde hun raskt på seg og gjorde seg klar til å gå. Hun ble stående i døren. – Jeg ber deg bare om en ting, Antonio, og så vil alt bli tilgitt, sa hun. – Jeg ber deg gjøre det du i ditt hjerte vet er riktig. Da vil det være Guds vilje og ikke vårt valg, og til slutt vil vi få fred i sinnet, om ikke med hverandre.

Deretter forlot hun meg uten så mye som et farvelkyss.

Og slik var det at alt håpefullt og vakkert i livet forsvant med henne ut i den galiciske tåken.

Señor Peregrinos øyne var halvåpne, midt mellom søvn og våkenhet. Han hadde ikke snakket på flere minutter, men Jamilet var hypnotisert av det hun hadde hørt, og ventet mens hun så brystkassen hans heve og senke seg. Han ville gi etter for søvnen hvis hun ikke sa noe. – Hva skjedde så? spurte hun brått.

Øynene hans videt seg ut. – Jeg giftet meg med Jenny neste morgen, selvfølgelig, sa han.

– Det tror jeg ikke noe på, señor.

– Dagen etter kjøpte vi billetter til et skip som tok oss langt bort fra Santiago, fra Spania og alt jeg kjente, sa han med liv-løs stemme. – Vi bodde hos Jennys familie i Mexico i mange år, men etter hvert brakte forretningene våre oss hit til Los Angeles, hvor vi ble værende.

– Men hvordan kunne du velge Jenny når du elsket Rosa?

Han blunket langsomt. – Hvis du husker det, så var det Rosa som bønnfalt meg om å gjøre det jeg trodde var hederlig i Guds øyne. Jeg kunne ikke svikte kvinnen som bar mitt barn.

Han presset begge hendene mot øynene og ristet på hodet som om han fikk en brå hodepine. – I årenes løp har jeg klart å forlede meg selv til å tro at Rosa egentlig aldri eksisterte, og at den kjærligheten jeg følte for henne, ikke hadde vært noe annet enn en besettelse næret av ungdommelig begjær. Mitt sinn ble mer disiplinert, og jeg avfant meg med min skjebne med Jenny. Jeg lærte til og med å sette pris på hennes mange talenter. Hun var utvilsomt en svært dyktig kvinne, og fulgte sine interesser både akademisk og i forretningslivet. Og om ikke annet viste det seg at vi var gode samarbeidspartnere, og over tid lærte jeg å elske, om ikke kvinnen ved min side, så i det minste et liv viet til kapitaløkning, og den makten som følger med på kjøpet. Vi startet mange foretak i årenes løp, inkludert en kjede med sykehus og pleiehjem. Braewood sykehus er et av dem.

– Eier du dette sykehuset? spurte Jamilet sjokkert.

Señor Peregrino nikket som om han var skyldig.

– Og hva med barnet?

Señor Peregrino sukket. – Jenny og jeg fikk aldri barn. Hun mistet barnet hun bar under sjøreisen. Det var i hvert fall det jeg trodde til jeg fant disse.

Han åpnet skrivebordsskuffen og trakk ut brevene han pleide å granske, og la dem utover bordflaten. – Da jeg fant disse brevene, forandret alt seg.

– Hvorfor det, señor?

Han klukket, men det var bitterhet i latteren hans. – Svik avslører seg alltid på de mest lumske måter, min kjære. Det er en slange som bukter seg uoppdaget gjennom årene. Plutselig blir du klar over at den har ligget i sengen din hele tiden, rede til å sluke deg mens du sover.

Han snappet brevet som lå nærmest ham og viftet med det foran Jamilets øyne. – Disse ble skrevet for lenge siden, like etter at jeg forlot Spania, men jeg så dem ikke før for tre år siden. Jeg fant dem på loftet da jeg lette etter noen gamle golfkøller jeg skulle låne bort til en venn. Brevene lå i en skoeske som veltet da jeg lette. Jeg kan ikke fatte hvorfor Jenny ikke kastet dem. Men hun har aldri klart å holde på hemmeligheter. Jeg kjente øyeblikkelig igjen Tomas' håndskrift, og siden han sjelden svarte på mine mange brev opp gjennom årene, ble jeg sjokkert over å se hvor mange brev han hadde skrevet til Jenny. Og enda mer sjokkert ble jeg da jeg leste brevene.

Han kastet brevet han holdt, ned på skrivebordet sammen med de andre.

– Jeg oppdaget at et hemmelig forhold hadde oppstått mellom Jenny og Tomas under pilegrimsvandringen vår. Et forhold som sprang ut fra Tomas' besettelse av Rosa og Jennys besettelse av meg. Da Tomas og Jenny begynte å mistenke at det vokste frem kjærlighet mellom Rosa og meg, rottet de seg sammen ved å utnytte min totale mangel på kunnskap om kvinnelig biologi. Planen var ganske enkelt at Jenny skulle krype ned i min seng og forføre meg, og senere late som om hun var blitt gravid. De visste at dette ville ødelegge mitt forhold til Rosa og gjøre det umulig for oss å gifte oss.

Señor Peregrino la armene i kors, uventet triumferende.

– Det verken Tomas eller Jenny hadde regnet med, var at Rosa, og ikke Jenny, var skjebnebestemt til å bære frem mitt barn.

– Den natten Rosa kom til ditt rom ..., sa Jamilet undrende.

– Ja, og det jeg så oppdaget, ødela både mitt hjerte og min mentale helse. Tomas skrev til Jenny at Rosa var blitt fysisk svekket i de siste stadiene av svangerskapet, og at man ikke forventet at hun skulle overleve fødselen. Klar over sin tilstand bønnfalt hun Tomas om å kontakte meg, slik at barnet ikke ville vokse opp som foreldreløs. Tomas lot henne tro at han var i regelmessig kontakt med meg, når han egentlig brevvekslet med Jenny. Han trøstet Rosa med falske løgner om at Jenny og jeg ville oppdra barnet som vårt eget.

Señor Peregrino skalv da han fortsatte. – Bare noen få dager etter å ha født barnet vårt, døde hun i Tomas' armer.

Han sukket og trakk frem en liten skinninnbundet bibel fra skrivebordet. – Jeg vet ikke hva som skjedde etterpå, om barnet ble værende i Spania, eller om det ble sendt til Mexico slik Rosa ble lurt til å tro. Brevene avslørte ingenting om det. Da jeg konfronterte Jenny med dette, benektet hun alt og sa at jeg hadde misforstått brevene. Hun beskyldte meg til og med for å skrive dem selv for å torturere henne med smertefulle minner om fortiden. Hun ble enda en gang det monsteret jeg kjente henne som fra pilegrimsveien, og det vokste frem et slikt iskaldt hat mellom oss at jeg knapt kunne se ansiktet hennes uten å ønske å ødelegge henne.

– Den eneste følelsen som var sterkere hos meg, var ønsket om å finne barnet. Jeg sendte utallige forespørsler til myndighetene, både her og utenlands. Jeg skaffet meg venner i viktige posisjoner, og ba dem om å hjelpe meg. Jeg ansatte til og med en privat etterforsker, den dyreste jeg kunne oppdrive, men du aner ikke hvor vanskelig det er å finne et navnløst barn av en kvinne som døde for så lenge siden. Jeg visste ikke engang om barnet var en gutt eller pike.

– Da jeg ikke hadde annet valg enn å akseptere at jeg hadde mislykkes, begynte jeg å tvile. I mange uker snakket jeg ikke med noen, jeg nektet å spise, og sov knapt. Jeg klarte ikke engang å arbeide, det eneste som til nå hadde gitt mitt liv mening. Til slutt nektet jeg å sette foten uten-for min egen inngangsdør. Alle trodde jeg var blitt gal, og hvis jeg forsøkte å fortelle hva som hadde ført til galska-pen, var Jenny alltid der for å forklare at årene med hardt arbeid og stress hadde tatt knekken på meg. Det var ikke mulig å overbevise noen om sannheten; selv gode venner som en gang hadde kunnet hjelpe, begynte å tvile på meg. Ofte tok jeg dem i å utveksle medlidende blikk med Jenny. Jeg mistet alt håp, og det tok ikke lang tid før jeg sluttet å bry meg om noe.

– Og hva med Jenny, señor? Hva skjedde med henne? spurte Jamilet.

Hun husket plutselig hvor overbevist vaktmesteren hadde vært om at pasienten i fjerde etasje hadde hakket sin kone i småbiter.

– Drepte du henne, señor? Er det derfor du havnet her?

Señor Peregrino la bibelen ned i skuffen igjen, og slo hendene sammen. – Jeg kan ikke benekte at tanken har streifet meg et par ganger, men nei, jeg drepte ikke Jenny. Hun fortsetter å forfølge meg. Det er umulig for henne å la meg være i fred, selv nå som jeg lever som en eremitt.

– Men jeg er den eneste som kommer hit, señor.

– Ja, det er sant, men Jenny er ikke langt unna. Du for-står, min kjære, sa Señor Peregrino mens han samlet sam-men brevene og la dem i skuffen. – Jenny og søster B. er samme person.

27

Da Jamilet gikk gjennom porten neste morgen og fortsatte opp stien til sykehusets hovedinngang, hørte hun sangen igjen. Den danset gjennom luften og ble værende blant tretoppene. Hun stanset for å høre bedre, og for å beundre de mystiske tonene. Det var en gammel sang, likevel var den like kjent for henne som en vuggevise. Hun forsto ikke ordene i sangen, men melodien fant sin plass i sjelen hennes og skapte sin egen mening i utkanten av håpet og frykten i hjertet.

Jamilet kom inn på sykehuset som alltid, stemplet timekortet sitt og fortsatte opp de fem etasjene. Men nå som historien var over, følte hun det som om hun sto på terskelen til noe helt usedvanlig, og hun nølte da hun sto utenfor señor Peregrinos dør. Hun hadde nesten samme følelse som første gang hun traff ham. Hun banket på og gikk inn etter at han hadde sagt «Kom inn,» og fant ham i sengen. Øynene hans glitret, og et svakt smil spilte over leppene hans. Hun oppdaget den åpne kofferten på skrivebordet og de ryddige haugene med klær på stolen. Skoene hans sto på rekke mot veggen, og skuffene i kommoden var åpne og nesten tomme. Han la merke til forvirringen hennes.
– Uansett hvor langtekkelig oppholdet mitt har vært, virker det nå brått som om tiden har gått så fort. Tiden kan være like humørsyk som et bortskjemt barn, er jeg redd.

Jamilets ansikt var uttrykksløst. – Hvor skal du, señor?

Han blunket en gang. – Den utvalgte timen er kommet. Jeg skal til Spania, til Santiago de Compostella, som jeg har planlagt hele tiden.

Da hun hørte ordene hans, ble Jamilet uventet trist. Følelsen var så sterk at hun øyeblikkelig fant på en unnskyldning for å avbryte samtalen. I en halvveis forvirret tilstand begynte hun å utføre sine vanlige plikter på badet. Hun ville ikke at señor Peregrino skulle se tårene som dukket opp i øynene hennes hele tiden, og hun trengte litt tid til å samle seg. Hun gikk ned på kjøkkenet til vanlig tid for å hente frokosten hans. Da hun kom tilbake, følte hun seg bedre, men la merke til at señor Peregrino også hadde begynt å oppføre seg litt rart. Hun hadde aldri sett ham være så hemmelighetsfull. Han ba henne sitte ned og drikke litt kaffe med ham, siden disse stundene snart ville ta slutt. Men han sa det også på en rar måte, som om han kvalte en liten latter.

– Det ser ut som om du er nesten ferdig med å pakke, sa Jamilet mellom slurkene med kaffe. – Når drar du?

– I morgen kveld.

– Og hvordan er været i Santiago? spurte hun, og forsøkte å høres ubesværet ut, i håp om at det ville holde de sterke følelsene under kontroll.

– Du ville ikke spørre meg om det hvis du virkelig hadde lyttet til historien min, Jamilet.

Hun ble forvirret, og koppen skranglet mot tefatet. – Vel, jeg vet det er masse tåke og regn der, men det er jo sommer. Regner det om sommeren også?

– Kanskje, sa han og gransket henne nøye. – Men nok prat om været. Jeg er klar for frokosten min nå.

Han løftet armene. Jamilet hentet brettet og satte det forsiktig på fanget hans. Hun løftet lokket av tallerkenen, og satt i stolen mens han spiste. Han hadde ingen problemer med appetitten, og virket lite bekymret for eventyret som lå foran ham.

– Hvorfor reiser du nå, señor?

Han nikket og svelget. – Søndag er 25. juli, den helligste dagen i året i Santiago, og hvis jeg drar i morgen, rekker jeg det akkurat.

Da han var ferdig med frokosten, løftet han armene igjen så Jamilet kunne fjerne brettet. Han kastet til side sengetøyet og svingte beina ut av sengen. Føttene hans lette etter tøflene, men så ble han stille og festet blikket på Jamilets ansikt. – For noen måneder siden spurte du meg om historien min var sann eller oppdiktet. Husker du hva jeg sa til deg da?

Jamilet nikket. – Du sa at alt i livet er en illusjon, og at det vi velger å tro på, er den eneste sannheten.

– Det stemmer. Og nå må jeg spørre deg igjen. Tror du min historie er sann, eller er den en vrangforestilling?

Jamilet ble overrasket over spørsmålet, og lurte på hvorfor señor Peregrino, som var så sikker på sin egen sannhet, skulle bry seg om hva hun syntes. Hun måtte uansett innrømme at hun var blitt tiltrukket av historien hans helt fra begynnelsen, og av hans evner som forteller, men hun visste ikke nok om bedrageriets kunst til å være sikker på så mye mer. Trakk sannheten, selv i sin råeste form, deg til seg som varmen fra solen? Kunne sannheten påstå at den eksisterte, bare ved sitt blotte nærvær? Hun følte seg ute av stand til å svare på slike spørsmål, men visste at hun trodde på ham. Hun fant ikke ordene som kunne beskrive denne følelsen som var så essensiell for hele hennes vesen. Hun visste bare at hun trodde, på samme måte som hun trodde på blå himmel, selv om hun aldri tok på den og ikke kunne bevise for seg selv eller noen andre at hvelvingen av ingenting over hodet hennes virkelig var himmel og ikke en illusjon.

– Jeg tror at historien din er sann, señor, sa hun.

Han smilte av svaret hennes, og stirret like intenst på henne da han snakket igjen. – Jeg har ventet lenge nå på det riktige tidspunktet til å fortelle deg at for noen uker siden fikk jeg en åpenbaring. Den dukket opp i hodet mitt akkurat da søvnen var i ferd med å gripe meg, men den var så intens at jeg ikke klarte å lukke øynene på lang tid etterpå.

Han grøsset litt, som om noe av opplevelsen fortsatt hjemsøkte ham. – Jeg hørte en stemme, sterk som torden, og likevel myk nok til å fjerne all min frykt. Stemmen sa at selv om jeg aldri ville finne barnet jeg lette etter, trengte jeg ikke lenger å fortvile, for barnebarnet mitt hadde funnet meg i stedet.

Han slo hendene sammen. – Og du, min kjære, er det barnebarnet.

Jamilet reiste seg brått. – Señor!

Han reiste seg også, og subbet upåvirket til badet. – Det er bare rett og rimelig at du følger meg til Spania, så vi sammen kan vise vår takknemlighet overfor Santiago. Du trenger ikke å være redd for utgiftene eller andre detaljer, jeg har allerede ordnet det nødvendige.

– Dette er ikke en åpenbaring, señor. Du finner på alt sammen!

Han var nesten ved baderomsdøren da Jamilet løp foran ham og stengte veien. – Señor, jeg er ikke barnebarnet ditt, sa hun med armene stivt ned langs siden og nevene knyttet. – Jeg tror ikke på noen del av historien din – ikke i det hele tatt!

– Det kan godt være, men jeg er sikker på at jeg tror at du er mitt barnebarn, mer enn du tror at du ikke er det. Nå, hvis du kan være så vennlig å gå til side …

Han begynte å gå forbi henne, da Jamilet plumpet ut: – Min mor ble født i et bordell. Moren hennes var prostituert. Alle i landsbyen hjemme vet det. Hun solgte kroppen sin for penger, og døde sikkert av en forferdelig sykdom som kommer av å gjøre for mye av hva det nå var hun gjorde. Var Rosa prostituert, señor? Skal vi tro på det?

Det forskrekkede uttrykket i señor Peregrinos ansikt oppmuntret henne til å fortsette. – Og min mor var ikke det første barnet hennes. Tía Carmen kom først, og alle som ser henne, vet at verken du eller Rosa kan ha vært foreldrene hennes.

Señor Peregrino hang med hodet og virket forpint. Så løftet han langsomt blikket, og øynene glitret av ny besluttsomhet. – Jeg kan ikke ta hensyn til slike detaljer nå. Hvordan min datter havnet i et meksikansk bordell, vet jeg ikke. Kanskje var det der Jenny plasserte henne, Gud vet hva slags troløshet hun er i stand til. Eller kanskje det ikke er moren din vi skal se på, men faren din ...

– Han var en voldtektsmann og en fyllik, señor! Det sverger jeg på!

Señor Peregrino lukket døren uten et ord, og skrudde på kranene som pep og stønnet før de slapp frem en strøm av vann som druknet alle andre lyder.

Jamilet klemte ansiktet mot døren og ropte: – Jeg skal finne bevis, señor, og da vil du forstå at det er galskap, det du sier!

Hun lyttet et øyeblikk eller to med øret presset mot døren, men det kom ikke noe svar fra ham, bare lyden av dusjen. Noen få minutter etterpå hørte hun sang. Myk og drømmende, og likevel lys nok til å løfte den tyngste tåke.

Kledd i hvit linskjorte og mørke bukser ventet Señor Peregrino ved skrivebordet da Jamilet senere kom med lunsjbrettet. Han skjøv en konvolutt mot kanten av bordet og sa ingenting, men det var innlysende at han mente at hun skulle ta den.

Jamilet nærmet seg forsiktig. Etter at hun hadde overlatt ham til dusjen den morgenen, hadde hun trukket seg tilbake til kontoret i nærheten, hvor hun ba om at galskapen hans ville forsvinne, slik at når hun kom tilbake, ville alt være som normalt igjen. Men når hun tenkte på det faktum at señor Peregrino ønsket at hun skulle være barnebarnet hans, fordampet fornuften hennes av en uventet varme i hele magen. Det fikk henne til å føle det som om hun fløt ut av vinduet for å danse i tretoppene og nyte dette behagelige været, som ga henne nytt håp.

Det var i ettergløden av denne sinnstilstanden hun åpnet konvolutten. Der fant hun de gamle papirene sine, akkurat som hun husket dem; fødselsattesten og identitetskortet som Carmen hadde kjøpt til henne i sentrum. Men det var noe mer der, og det var dette hun gransket nøyere. Det var et annet kort med ni tall trykket på forsiden, slik som det Carmen hadde gitt henne, men dette bar hennes eget navn.

Señor Peregrino lente seg tilbake i stolen med armene over brystet, temmelig fornøyd med seg selv. – Jeg har venner som arbeider for immigrasjonsmyndighetene, og jeg har nok penger til å være dristig når det gjelder de tjenestene jeg ber om, sa han skjelmsk.

– Jeg forstår ikke, señor.

Han åpnet armene og lente seg fremover i stolen. – Du kan kaste det falske identitetskortet du fikk av tanten din. Dette er lovlig – ekte.

– Hvorfor gjorde du dette, señor? spurte Jamilet overveldet.

Øynene hans vandret mot taket, og han klødde seg på haken mens han tenkte på det. – Jeg stilte meg selv det samme spørsmålet for mange måneder siden da jeg satte i gang hele prosessen. Jeg kjente ikke svarene den gangen, men om ikke annet, så har jeg lært at en klok mann adlyder hjertets befalinger, sa han nesten glad. – Det er ganske

vanskelig å reise utenlands uten ordentlige identifikasjons-
papirer, i hvert fall med fly.

Jamilet stirret på de nye dokumentene, og tillot seg selv
å nyte åpenbaringen hun hadde kjempet mot hele morge-
nen. Hun er om bord i et fly på vei til Spania, med señor
Peregrino sittende ved siden av seg. Mens flyet glir over
Atlanterhavet, kikker de glade ut av de små vinduene, og
ser skyene drive forbi mens de nipper til kaffe og deler his-
torier.

Jamilet ristet brått tåken ut av hodet, og stakk doku-
mentene ned i konvolutten igjen. – Señor, jeg liker ikke å
skuffe deg, men jeg kan ikke tvinge meg til å tro på noe jeg
vet ikke er sant. Vi vet begge at jeg ikke er ditt *ekte* barne-
barn. Kanskje du bare bestemte deg for at du trengte et
mirakel, og at dette er det mirakelet.

Ansiktet hans stivnet. – Det er et mirakel, Jamilet. Tro
ikke noe annet.

– Hvordan er det mulig, señor? Et mirakel er når legen
forteller deg at du skal dø og ingenting kan redde deg, og
så er du plutselig frisk. Eller når du ikke har nok penger til
husleien og du finner en konvolutt på fortauet, med akku-
rat nok penger. Mirakler skjer ved magi.

– Hvem sier at mirakler er som magi? Hvem fant på den
regelen? Var det deg?

– Nei. Alle bare vet at det er sånn.

– Jeg sier at vi lager våre egne mirakler.

Han holdt frem hendene mot henne. – Kom her, barn.

Hun gikk nærmere, og rakte ham hendene sine, som
han klemte mellom sine. – Magi er for tåper med svake
hjerter, mens mirakler fødes av tro og ingenting annet. Du
er barnebarnet mitt fordi jeg vil det, med alt hva jeg er.

Inspirert av styrken i ordene og varmen i berøringen
hans forsto Jamilet for første gang nøyaktig hva han
mente. – Bare fordi vi sier at det er sant, blir det sant.

– Det stemmer. Og du må velge historiene dine og tro på dem av hele ditt hjerte og hele din sjel – hele ditt vesen. Forstår du hva jeg sier, Jamilet?

– Jeg tror det.

Han slapp hendene hennes og renset halsen. – Jeg er klar over at jeg ikke er verdens mest tålmodige mann. Jeg kan være humørsyk til tider, til og med vanskelig, men jeg er en grunnleggende enkel og godhjertet sjel, og rimelig godt utdannet. Under min veiledning vil du kunne bruke dine evner på en hederlig måte.

Han snakket til henne med mer oppriktighet enn noen gang før. – Vil du ha meg til bestefar, Jamilet?

– Señor, enhver ville være heldig som får deg til bestefar.

– Godtar du forslaget mitt?

– Jeg antar det ...

– Det er ikke nok å anta, min kjære.

Jamilet samlet sammen overbevisningen sin og helte den ut i hvert eneste ord. – Jeg aksepterer deg som min bestefar, señor. Av hele mitt hjerte.

Fornøyd med oppriktigheten i erklæringen hennes åpnet han den første skuffen i skrivebordet for å hente frem Rosas lille bibel, sprukken og slitt i årenes løp. Han ba Jamilet legge hånden på den, og han gjorde det samme. Stemmen hans ble syngende, og han trakk ut ordene på samme tone mens de klang mykt i rommet.

– Ved makten fra denne hellige boken, og ved kjærligheten og viljen i våre udødelige sjeler, erklærer jeg at du, Jamilet, og jeg, Antonio, fra dette øyeblikket og fremover skal bli kjent som barnebarn og bestefar. Og må sannheten om vårt forhold bli kunngjort for alle som vil høre om det.

Han la bibelen tilbake i skuffen og ryddet plass på skrivebordet. Han kikket opp. Øynene var klare og bestemte. – Nå, vi har mange ting vi må planlegge før reisen vår, men først tror jeg vi må ha litt lunsj.

28

Ølboksen gled ut av Carmens hånd og smalt i gulvet. – Du skal hva? spurte hun. Øynene hennes var runde av vantro.

Jamilet svelget hardt. – Jeg reiser til Spania i morgen kveld med señor Peregrino.

– Du tuller, ikke sant? Carmen forsøkte å presse frem et smil, men visste at niesen ikke var den som spøkte i utide.

– Nei, tía. Vi er blitt bestefar og barnebarn, sa Jamilet og grudde seg til avsløringen, men visste det ikke ville bli noen bedre prøve på troen hennes enn denne. – Vi sverget med hendene våre på Bibelen og alt. Han sa ...

– Han er en fordømt pervers jævel! Jeg visste det fra første dag du fortalte meg om ham. Advarte jeg deg ikke?

Carmen spratt bort til telefonen og gled nesten i ølsølet på gulvet. – Jeg ringer politiet.

– Han har ikke gjort noe galt, tía. Han er bare en hyggelig, gammel mann som ønsker å tro på mirakler. Du vil forstå det bedre hvis du kjente historien hans. Han gikk hundrevis av mil til Santiago ...

– La meg fortelle deg en historie, sa Carmen med en hånd på telefonen. – En gang fantes det en skitten, gammel mann som tenkte for seg selv, jøss, ville det ikke vært hyggelig hvis jeg skaffet meg noe lekkert lammekjøtt? Jeg tror jeg skal finne på en vanvittig historie som bare en dum jente vil tro på, og skaffe meg det. Hvis hun er virkelig dum, skal jeg overbevise henne om at hun er barnebarnet mitt og ta henne med meg et sted. Og hvis hun er helt tilbakestående, skal jeg fortelle henne at hun må blåse på dingsen min, ellers faller flyet ned fra himmelen.

– Det ville han aldri si. Du forstår ikke ...

– Nei, *du* forstår ikke hva som skjer etterpå, men han kommer ikke til å fortelle deg den delen av historien før dere er helt alene.

– Vi har vært alene.

– Nei, sa Carmen. Ansiktet hennes var forvrengt. – Jeg mener *alene* ... borte fra sykehuset, borte fra alt, din dumme jentunge.

Jamilet hadde aldri tatt sjansen på en konfrontasjon med tanten før, likevel var hun innstilt på å gjøre alt som sto i hennes makt for å beskytte señor Peregrino og løftet deres. Blodet raste gjennom årene hennes, og hun snappet etter pusten når hun snakket.

– Legg fra deg telefonen, tía.

– Ja, det kan du tro.

Carmen begynte å slå nummeret. – Jeg skal spørre etter perversitetsavdelingen, sa hun og tastet inn tallene hardt nok til å brekke vanlige fingre. – Tror du jeg vil tillate at min døde søsters barn forsvinner med en gammel, pervers gris?

– Legg fra deg telefonen, tía.

Tanten stirret på Jamilet da hun nærmet seg. – Ta et skritt nærmere, og jeg sparker ræva di hele veien til Spania, og sparer gamlingen for flybilletten.

Jamilet stanset. Det hun sa nå, var det verste hun kunne finne på å si, men hun følte ikke at hun hadde noe valg. Hun måtte si det for å fjerne all tvil og få mirakelet til å skje akkurat som señor Peregrino hadde sagt det ville. Hun trakk pusten dypt, og kastet ut luften fra lungene sammen med ordene. – Du bryr deg ikke om meg. Alt du bryr deg om, er å ha noen her som kan lage mat for deg og gjøre rent, og vaske skittentøyet og holde rottene unna.

Carmen holdt røret bort fra øret og stirret på niesen.
– Hva sa du?

– Innrøm det, tía. Alt du er bekymret for, er å miste slaven din.

Det tok et øyeblikk før Carmen kom seg etter sjokket, og da hun gjorde det, begynte hun å syde og vagge på stedet. – Etter alt jeg har gjort for deg, våger du å si det til meg?

Hun skummet og dirret av raseri, og krøllet sammen tærne. Hun kastet telefonen på gulvet. Jamilet hoppet bakover mot sofaen og falt nesten over den, men fant igjen balansen raskt nok til å komme seg unna Carmen, som skjøv til side møbler, kastet seg frem som en okse og brølte av full kraft.

– Du mener at alle skal synes synd på deg på grunn av den greia på ryggen din! skrek hun. – Vel, det gjør ikke jeg! Jeg synes pokker ikke synd på deg!

Akkurat da kom Louis inn inngangsdøren, og alle tre stivnet. Sofaen var skjøvet tvers over stuegulvet, putene lå på gulvet, og bordet stengte for kjøkkeninngangen. Carmen sto med knyttede never og stirret fortsatt intenst på Jamilet, som sto fanget i et hjørne i den andre enden av rommet.

– Hva er det som foregår? spurte Louis. Blikket hans flakket nervøst mellom dem. – Carmen, snakk til meg.

Hun ristet på hodet, for rasende til å snakke. Tårene truet med å flomme over.

– Jamilet?

Jamilet forklarte, og krympet seg innvendig over den korte fremstillingen, som hørtes enda mer vanvittig ut enn den versjonen hun hadde gitt tanten, men hun hadde lite energi igjen til å gjøre det mer troverdig.

Louis løftet hendene og rettet en mot hver av dem. – Ok, Jamilet, du tror at denne gamlingen på sykehuset er bestefaren din, eller du ønsker å tro det. Han sier at han vil at du skal dra til Spania med ham, på grunn av noe ... jeg fikk ikke med meg den delen helt.

Han snudde seg mot Carmen. – Og du tror gamlingen er pervers, og du er forbannet på Jamilet fordi hun sa at du behandler henne som en slave.

Han kikket smaløyd på dem. – Stemmer det?

Carmen presset frem stemmen som om den var tjære. – Greit nok. Og hun kan finne et annet sted å bo hvis hun skal være en sånn megge.

Louis snudde begge hendene mot Carmen. Håndflatene hans masserte luften mellom dem som om han var en slangetemmer, men Carmen ga seg ikke. – Jeg sa det til deg den første dagen du kom hit, vesla. Jeg liker ikke folk som lyver for meg.

Jamilet forsøkte å konsentrere seg om tantens ord og synet av det kjente ansiktet hennes, men akkurat da følte hun det som om hun sto på en øde vidde med ingenting annet enn pilegrimsveien foran seg. Den eneste hun gjenkjente, var señor Peregrino, og alt hun hørte, var sangen hans. Hun gikk ved siden av ham nå, og forsto at det hadde hun gjort lenge. Ingenting annet enn reisen deres var virkelig for henne lenger.

Louis bablet besvergelser med påtatt ro, i håp om å kunne inspirere til noe av det samme hos Carmen, men hun dyttet ham til side med et uelegant kast med armene som fikk ham til å vakle på én fot. – Ok, jeg sa ikke at hun må dra med en gang og tilbringe natten under en bro, eller noe sånt.

Hun skjøv frem haken mot Jamilet. – Kanskje bestepappaen din vil ta imot deg. Jeg er sikker på at han kan finne et rom til deg på galehuset. Det er der du hører hjemme, hvis du spør meg.

– Vi drar i morgen, sa Jamilet. – Kan jeg få bli til da?

– Gjør som du vil, sa Carmen og gliste sarkastisk til niesen. – Ta med deg noen kastanjetter til meg fra Spania. Jeg har bestemt meg for å slutte i jobben og bli flamencodanser. Det er den hemmelige drømmen min, vet du.

Hun skjøv frem magen og løftet armene over hodet.
– Tror du ikke jeg ville bli en god danser? sa hun. Hun stakk ut en fot og bøyde knærne som en sumobryter.
– Lukk opp vinduet, Louis, beordret hun mens hun inntok en ny posisjon som fikk henne til å se enda mer latterlig ut.
– Når talentspeideren fra folkloreballetten i Mexico går forbi, vil jeg være sikker på at han får øye på meg. Jeg er overbevist om at han vil ansette meg på stedet.

Til tross for forsøket på å holde seg alvorlig, måtte Louis hoste for å skjule latteren, men Carmen fikk det med seg. – Hva? Tror du ikke han kommer?

Hun dyttet til armen hans og stilte seg i samme dramatiske positur igjen. – Vet du ikke at det er magi i luften? Du burde gni meg på magen og ønske deg noe.

Ute av stand til å motstå forslaget klappet han henne forsiktig på magen og lukket øynene til rynkene i øyekroken ble dypere.

– Jeg ønsker at jeg var rik nok til å ordne opp for min Carmencita.

Han åpnet et øye for å se hvordan det ble tatt imot.
– Jeg ville bygget et slott til henne, og hvert rom ville ha et TV-apparat og ...

Carmen slo bort hånden hans igjen. – Jeg vil ikke ha noe av den dritten, sa hun. – Jeg vil bare ha et ærlig liv.

Hun slappet av i kroppen og rettet en tykk finger mot Jamilet. – Det burde være nok for alle.

Den kvelden pakket Jamilet de få eiendelene hun planla å ta med seg, i en plastpose. Hun ventet til hun hørte vannet renne i badekaret og hun forsto at Carmen snart ville ta kveldsbadet sitt. Med skoesken full av penger under armen gikk hun inn i stuen. Louis døset på sofaen, og hun satte skoesken på stuebordet foran ham. Han bråvåknet, og da han fikk øye på henne, presset han en dirrende pekefinger mot leppene og gjorde tegn til at hun skulle gå tilbake til rommet sitt. – Hun kommer over det til i morgen, hvisket han. – Men jeg tror det er best du holder deg ute av syne i kveld.

– Jeg vil gi deg noe, Louis.

– I morgen, i morgen, gjentok han. – Hun kommer til å bli rasende hvis hun vet at vi snakker sammen nå.

– Jeg kommer ikke til å være her i morgen.

Louis sugde på barten sin. – Du vet at hun aldri kommer til å kaste deg ut. Det er bare raseriet hennes som snakker.

– Jeg vet det. Og jeg vet det høres sprøtt ut, men jeg drar til Spania med señor Peregrino i morgen.

Hun skjøv skoesken mot Louis. – Jeg har spart disse pengene, og den eneste grunnen til at jeg har kunnet spare så mye, er at tía aldri lot meg betale for mat eller husleie. Jeg tror det er nok til å få kona og barna dine over grensen. Og da kan du leve et ærlig liv.

Jamilet satte esken på knærne hans. – Tía vil like det.

– Jeg kan ikke ta pengene dine, sa han og skottet mot baderomsdøren, redd for at han hadde snakket for høyt.

– Du tar dem ikke. Jeg gir dem til deg. Det har ingen hensikt å ha penger uten grunn. Det er bedre for meg at du tar dem.

Hun tidde da de hørte vannet surkle i avløpet. Louis dyttet skoesken under sofaen. – Gå tilbake til rommet ditt. Vi snakker om dette i morgen.

– Jeg ber bare om at du får orden på ting, Louis, sa Jamilet, før hun listet seg ut av stuen.

Neste morgen gikk Jamilet på jobb til vanlig tid. Hun ruslet sakte, siden det var siste gang. Hun følte seg allerede litt nostalgisk, og innså at hun kom til å savne den daglige rutinen, det å lage morgenkaffe, dra på jobb og ta seg av señor Peregrino før hun vendte hjem til kveldspliktene og var sammen med Carmen og Louis. Hun lurte på om hun kom til å jobbe hele dagen før de dro til flyplassen. Señor Peregrino hadde sagt de skulle reise om kvelden, men han hadde ikke sagt når.

Hun hadde hatt vondt for å sove, fordi hodet danset av eventyret som ventet henne. Hver gang hun lukket øynene, så hun seg selv stå foran den praktfulle katedralen i Santiago mens hun følte seg som en dråpe i livets elv, akkurat som señor Peregrino hadde beskrevet det. Det ville utvilsomt forandre livet hennes for alltid, og kanskje fantes det en mulighet for et mirakel ... det eneste mirakelet hun noen gang hadde håpet på.

Jamilet økte farten, og kom til sykehuset noen minutter for tidlig. Hun gikk for å stemple inn som hun alltid gjorde, men fant ikke timekortet sitt. Hun forsøkte å roe seg ned ved å se nedover alle navnene på nytt. Et øyeblikk fryktet hun at hun hadde glemt alt señor Peregrino hadde lært henne. Det gikk ikke lange tiden før hun kjente miss Clarkes skulende blikk brenne i nakken.

– Søster B. har timekortet ditt, mumlet hun. – Det er best du snakker med henne.

Hun vendte tilbake til skrivebordet sitt, der en uryddig papirhaug ventet henne.

Da Jamilet kom inn på søster B.'s kontor, så hun at arbeidsgiveren ikke var alene. I stolen Jamilet som regel brukte, satt en mann hun aldri hadde sett før, kledd i en krøllete skjorte og slips. Hornbriller balanserte på den fettete neseryggen hans. Vanligvis ville hun vært taus mens hun ventet på at hennes overordnede skulle bestemme tonen, men hun var forvirret over ikke å ha funnet time-kortet sitt, og ivrig etter å gå opp. Mens hun stirret inn i de merkelige, gule øynene, gikk det opp for Jamilet at dette var første gang hun traff søster B. etter at hun fikk vite hvem hun egentlig var. Selv om søster B. var ubehagelig, tvilte ikke Jamilet på at hun ville bli enda verre hvis hun ante at Jamilet visste hun var Jenny.

– Timekortet mitt er borte, brast det ut av Jamilet. – Og jeg kommer for sent med frokostbrettet til señor Peregrino hvis jeg ikke skynder meg.

– Ikke bry deg om det nå, Monica. Vi har viktigere ting å diskutere, sa hun og bøyde fingrene.

– Er det om señor Peregrino? spurte Jamilet

Søster B. snøftet utålmodig. – Jeg ba deg om å ikke kalle ham det. Men, ja, det har med pasienten din å gjøre, og det faktum at tilstanden hans tydeligvis har forverret seg. Jeg hadde håpet at siden du holdt ut så lenge, ville dét om ikke annet føre til en bedring hos ham, men det er helt klart at vrangforestillingene hans bare er blitt verre, og ...

Mannen hostet og lente seg fremover i stolen. – Situa-sjonen krever ikke en unødvendig gjennomgang av mr. Calderons sykehistorie. Jeg tror det er best du fortsetter med den nødvendige informasjonen, ingenting annet.

Hun lot til å tenke over mannens råd, og fingrene krøkte seg inni håndflatene hennes. Hun snudde seg mot Jamilet igjen.

– Jeg fikk en telefon fra tanten din i dag morges. Hun fortalte meg om den idiotiske planen din om å reise sam-men med din pasient. Til Spania. Jeg tror det var det hun sa.

Jamilet mistet posen med eiendelene sine. – Ringte tía Carmen deg?

– Hun gjorde det som var riktig, sa søster B.

Hun skottet mot mannen, som var fordypet i organise-

356

ringen av alle dokumentene på skrivebordet hennes, og fortsatte: – Da du begynte her, informerte jeg deg om at pasienten kunne komme og gå som han ville. Hvis du husker det, da. Jeg vet at dere er blitt ganske *fortrolige*, sa hun nedlatende. – Kanskje han også har fortalt deg at hvis han ikke samarbeider med den som behandler ham, og ikke viser noen form for bedring ved å forlate rommet sitt av og til for å spise eller spasere i hagen, vil han bli umyndiggjort. Det betyr at omtrent klokken tre i ettermiddag vil han miste alle juridiske rettigheter til å ta sine egne avgjørelser. Mr. Simpson er advokaten som vil sørge for det, sa hun og nikket til mannen foran seg.

Søster B. forsatte med halvlukkede øyne, som om hun siterte fra en journal hun hadde lært seg utenat for lenge siden.

– Pasienter med vrangforestillinger som dem mr. Calderon har, kan være overbevisende og svært troverdige. De er i stand til å finne på detaljerte historier for å støtte opp under vrangforestillingene sine. Noen ganger, sa hun, og senket tempoet som om hun snakket til en idiot som også var døv. – Noen ganger trekker de andre inn i disse vrangforestillingene. Og noen ganger, sa hun enda langsommere. – Noen ganger tror de andre på vrangforestillingen, like mye som pasienten gjør. Dette kalles «folie à deux» blant profesjonelle, eller delt vrangforestilling. Det skjer som oftest når det har oppstått et nært bånd mellom pasienten og noen som ønsker å dele pasientens overbevisning.

Et trist og litt overbærende smil krøp over søster B.'s dratte ansikt. – Han sier det samme hvert år. Han venter på «den utvalgte timen», og når den «utvalgte timen» kommer, skal han forlate rommet sitt med kofferten pakket, og dra til Spania. Stemmer ikke det, mr. Simpson?

Han nikket, irritert over at søster B. ikke fulgte hans anbefaling om å holde munn. Han konsentrerte seg om papirene.

– Du må undertegne der hvor jeg har merket av, sa han til søster B.

Men søster B.'s tale hadde fornyet irritasjonen hennes, og det virket ikke som om hun hørte advokaten. – Dette er årsaken til at jeg ga deg beskjed om å unngå unødvendige samtaler med ham fra begynnelsen. Vet du at i løpet av hele den tiden han har vært her, har han ikke satt sin fot utenfor døren? Hvordan kan han sette seg i et fly og dra til Spania? Det er det mest vanvittige jeg har hørt i mitt liv. Hvis han kunne forlate rommet sitt og be mr. Simpson stanse de juridiske prosedyrene personlig, vil det være noe helt annet. Da ville jeg bli tvunget til å tro at han har gjort fremskritt. Men som saken står nå, finnes det ikke tvil i mitt sinn om at pasienten din må underlegges formynderskap for å få den behandlingen han så sårt trenger. Når det gjelder deg, trengs ikke dine tjenester lenger.

Hun hamret den fyldige hånden i bordet. – Faktisk vil jeg aldri mer se deg innenfor sykehusområdet. Jeg skal sørge for at din siste lønning sendes hjem til deg.

– Du kan ikke gjøre det mot ham, sa Jamilet og rygget mot døren.

– Jeg har gitt ham alle muligheter, forsatte søster B. og ble rød i ansiktet. – Men han har ikke vært villig til å snakke med meg, eller treffe psykiateren sin, og han har absolutt aldri forlatt rommet sitt.

Jamilet følte seg plutselig svak og sterk på samme tid, som om lungene trakk seg sammen i brystkassen hennes. Hun begynte å puste på samme måte som søster B., i korte små rykk og gulp, men det hun sa, var ikke rettet mot arbeidsgiveren hennes, men mot Jenny.

– Han vil ikke snakke med deg fordi han hater deg. Du burde latt ham få gifte seg med kvinnen han elsket. Du burde latt ham gifte seg med Rosa, så ville ingenting av dette ha skjedd.

– Søster B., kan jeg få signaturen din, er du snill, gjentok advokaten, men denne gangen hørte hun absolutt ikke et ord av hva han sa. Hun reiste seg sakte fra stolen og lente seg over skrivebordet mot Jamilet. Ansiktet hennes trakk seg sammen, og øynene blødde av tilbakeholdte følelser. – Jeg ga mitt liv til den mannen, freste hun. – Jeg passet på ham i over førti år, og han valgte et liv med meg. Og nå, på grunn av noen få, støvete brev, vil han late som om de siste førti årene var en løgn.

Raseriet hun hadde holdt inne så lenge, begynte å sprute og boble til overflaten. Hun løftet knyttneven i luften. – Jeg finner meg ikke i det! ropte hun og dundret neven i bordet.

Mr. Simpson hoppet nesten en halvmeter i været, og kikket opp fra arbeidet sitt med et sjokkert og vettskremt uttrykk i ansiktet.

Jamilet var helt rolig. – Kanskje han kommer ut av rommet sitt hvis du forteller ham hva som skjedde med barnet hans, sa hun. – Kanskje sannheten vil helbrede ham.

Søster B. slo hendene sammen og flettet fingrene til en stram knute. – Du har gått altfor langt, og jeg har akseptert det altfor lenge. Hvis du ikke går nå, ringer jeg etter vaktene og får deg kastet ut med makt!

Jamilet plukket opp posen sin og gikk mot døren. Men før hun gikk, snudde hun seg. – Det er aldri for sent å gjøre det som er riktig, Jenny, sa hun.

– Kom deg ut! hylte hun og pekte mot døren.

Jamilet forlot bygningen overveldet av følelser. Hun kjente seg forvirret og panisk på grensen til tårer, men kunne ikke tillate seg å miste kontrollen nå. Hun trengte tid til å tenke. Hun snublet nedover stien og nærmet seg stedet hvor hun og Eddie hadde kommet gjennom porten den første kvelden. Der dukket hun inn i mørket under trærne, og ventet på en idé. Fra skjulestedet kunne hun fortsatt se det meste av bygningen, og hun stirret rett på vinduet til señor Peregrinos rom i femte etasje. Hun hadde latt det stå på gløtt før hun gikk kvelden før, men señor Peregrino var ikke å se. Hun hadde håpet han ville vinke henne opp. Hun gransket resten av bygningen og oppdaget at et av vinduene i første etasje sto åpent. Hun gjemte seg bak et overgrodd kratt og kikket inn. To pasienter sov der inne. De ville snart bli vekket til frokost og dusj. Hun hadde ikke mye tid.

Etter å ha stappet eiendelene sine under en busk lirket hun vinduet litt mer opp. Da hun gjorde det, knirket den stive trerammen, og en av pasientene åpnet øynene. Han oppdaget Jamilet, som satt med et bein slengt over vinduskarmen. Hun stivnet, og pustet lettet ut da hun oppdaget at det var Charlie. Han begynte å klappe av fryd da han så vennen sin. Jamilet la en finger på leppene, og han roet seg med en gang. Hun hadde klart å klemme seg helt inn da hun hørte lyden av autoritære skritt som nærmet seg. Hun hoppet bort fra vinduet og rakk frem til Charlies seng like før avdelingssøsteren dukket opp i døren. Denne var tydelig irritert og ikke i humør til noe tøv. – Dere burde ha vært i dusjen for en halvtime siden. Jeg sa …

Hun stanset da hun fikk øye på Jamilet. – Hva gjør du her?

Jamilet viste frem ID–kortet sitt, heldigvis hadde hun ikke gitt det fra seg. – Jeg jobber her. I femte etasje.

Avdelingssøsteren satte hendene i siden. – Ja, jeg har sett deg, men hva gjør du her? Og hvorfor så jeg ikke at du kom? Ingen kommer inn på min avdeling uten min tillatelse.

Blikket hennes falt på det åpne vinduet.

Jamilet trakk pusten dypt. – Jeg ville vekke Charlie, jeg vet at han alltid kommer for sent til frokost.

Avdelingssøsteren snudde seg mot pasienten. – Hvordan kom hun inn hit, Charlie?

Charlie sperret opp øynene og trakk på skuldrene.

Hun pekte på ham. – Fortell meg sannheten, ellers får du ingen sigaretter i dag. Jeg vet om du lyver.

– Hun kom inn, sa han nervøst mens han vred sengeteppet mellom de tjæreflekkede fingrene. – Det er alt.

Ja, men *hvordan* kom hun inn? spurte avdelingssøsteren.

– Kom hun inn døren?

Charlie ristet på hodet. – Nei, hun kom ikke inn døren.

– Hva med vinduet, Charlie? Kom hun inn gjennom det åpne vinduet?

Han begynte å skjelve, og Jamilet visste at for Charlie var tanken på å miste sigarettene en hel dag uutholdelig. Slik var det for de fleste pasientene. Det var en skjebne verre enn døden.

– Det er ok, Charlie, sa Jamilet. – Du kan fortelle henne sannheten.

Charlie så lenge på Jamilet, og så sluttet han å skjelve. Plutselig smilte han strålende, og pekte mot taket. – Hun kom gjennom skyene som en engel, sa han. – Og hver gang hun kommer ned fra himmelen, har hun gelé og karamellpudding til meg.

Han snudde seg mot avdelingssøsteren, veldig alvorlig.

– Noen ganger tar hun med seg muffins også. Jeg liker best blåbær.

Avdelingssøsteren himlet med øynene.

– Kom deg ut av sengen og inn i dusjen, Charlie. Og du, sa hun og pekte på Jamilet. – Kom deg vekk fra min avdeling før jeg melder fra.

Jamilet skyndte seg til kjøkkenet og hentet señor Peregrinos frokostbrett, som sto klart som alltid. Hun fortsatte til heisen som tok henne opp fire etasjer, så gikk hun opp den trange trappen til femte mens hun balanserte brettet som en ekspert, slik hun hadde lært seg de siste månedene. Nå var hun sterk nok til å bære et brett som var dobbelt så tungt.

Hun banket på to ganger før hun gikk inn, uten å vente på señor Peregrinos tillatelse. Han lå fortsatt til sengs med teppene trukket over hodet. Hun tråkket over kofferten hans og satte brettet på nattbordet før hun gikk inn på badet for å sette i gang med pliktene sine.

Hun vendte tilbake med skittentøyet i armene. Han satt oppreist i sengen og så på henne. Det så ut som om han skulle smelte av fortvilelse. Hun hilste på ham som vanlig, slapp det hun hadde i armene midt i rommet, og åpnet vinduet så morgenbrisen kunne strømme inn.

– Har de snakket med deg? spurte han alvorlig.

– Ja, sa hun. – Og Jenny har dessuten gitt meg sparken, men hun vet ikke at jeg er her.

Jamilet lot vinduet være, og forberedte kaffen hans mens hun ristet på hodet. Etter alle forsinkelsene var kaffen knapt varm nok til å smelte en teskje sukker. Hun brakte den til ham likevel, men han viftet den bort med en skjelvende hånd. – Hvorfor er du her da? spurte han.

Jamilet skjenket en kopp til seg selv, og trakk en stol nærmere ham. Hun tok en slurk og så på ham med klare og nysgjerrige øyne.

– Hvor ellers forventer du jeg skal være på en så vakker morgen som dette, om ikke sammen med min bestefar?

Señor Peregrinos hake sank ned på brystet hans. Jamilet hadde nesten drukket opp kaffen sin før han snakket igjen.
– Det har vært underholdende med ditt selskap disse månedene, jeg kan ikke nekte for det, men sannheten er at jeg er trett av deg. Og jeg tror ikke lenger vårt tidligere arrangement har noe for seg. Det er meningsløst å gjennomføre en slik farse. Du kan velge og vrake i jobber nå som du har fått papirene dine, så la meg være i fred. Jeg er ingens bestefar, og i hvert fall ikke din.

Jamilet satte fra seg koppen og lente seg frem. – Jeg vet hva du gjør, sa hun rolig. – Du forsøker å straffe deg selv og ta motet fra verden. Men det går ikke, bestefar. Du kan ikke løpe fra sannheten.

Señor Peregrino løftet hodet og tørket øynene med ermet.

– Sannheten er at den lille leken vår er over. Min tåpelige pine forhindrer meg i å sette foten utenfor døren, og derfor kommer vi ikke til å reise noe sted. Dessuten vil den lille friheten jeg har hatt, snart bli tatt fra meg. Jeg kan ikke kaste bort tiden min på dette tøvet!

Han knyttet hendene, og raseriet fikk ham til å skjelve litt.

Jamilet lente seg lenger frem. Øynene hennes skinte.

– Sannheten er at vi avla et løfte, du og jeg. Vi la hendene våre på B ibelen, og alt. Du kan ikke forandre det nå, uansett hva Jenny og den advokaten der nede sier.

Hun kikket opp på ham og fortsatte. – Fortell meg om mirakler igjen, bestefar.

Ansiktet hans var tomt. – Jeg husker ikke.

– Jo, det gjør du. Du sa at vi skaper våre egne mirakler, og at vi må bestemme oss for hva som er sant ved å velge våre egne historier og tro på dem av hele vår sjel.

Det begynte å glitre i øynene hans. – Det er fortsatt så mye du ikke vet …

– Jeg vet at da jeg begynte å lytte til historien din og tilbrakte tid med deg her, følte jeg meg for første gang i mitt liv ikke alene. Og jeg vet at hvis jeg kunne velge hvem jeg ville ha til bestefar, blant alle mennesker i hele verden, ville jeg valgt deg.

Øynene hans glimtet til, og han så på henne, selv om han ikke våget å gjøre det ordentlig. – Jeg ville så gjerne at det skulle skje et mirakel for deg, for oss, sa han stille.

Jamilet tok den knyttede hånden hans i sine, og fingrene hans slappet øyeblikkelig av da hun trakk ham varsomt i armen.

– Det er en vakker morgen. Kom til vinduet med meg, og se selv. Måten lyset skimrer gjennom alt på, minner meg om morgenene i Spania som du fortalte meg om.

Motvillig lot señor Peregrino seg trekke ut av sengen og bort til det åpne vinduet. Han og Jamilet sto der sammen og kikket ned på hagen en stund. – Den vakre sangen jeg hørte tidligere, bestefar, sa hun. – Den som ga deg og de andre styrke på reisen, syng den for meg nå.

Señor Peregrino og Jamilet kom ut av heisen i første etasje og fortsatte sammen til søster B.'s kontor.

Da hun så dem i døråpningen, som et portrett i en ramme, falt haken hennes ned, og hun fløt opp fra stolen sin. Øynene hennes klarte ikke å fokusere på scenen foran henne. – Antonio, du er her, du har kommet ut fra rommet ditt.

Mr. Simpson kikket opp fra arbeidet sitt, tydelig skuffet.

Señor Peregrino renset stemmen.

– Mitt barnebarn og jeg spiser frokost i hagen i dag. Det er en slik vakker dag. Jeg er sikker på at vi vil ha godt av den friske luften.

Før de snudde for å gå, la han til: – Og du kan rive i stykker de papirene, Jenny. De trengs ikke, siden jeg reiser hjem snart. Eller hvor jeg nå måtte ønske å dra.

De ruslet ut i hagen, og valgte en benk under det største treet. Señor Peregrino så seg om, og da øynene hans møtte Jamilets, gikk de triumferende smilene deres over i en latter like lett som brisen. Noen øyeblikk senere dukket en sykepasser opp med en kanne nytrukket kaffe, mens søster B. så på dem gjennom vinduet sitt. Uttrykket hennes avslørte forundring og vantro.

Tradisjonen tro skjenket señor Peregrino kaffen, og de nippet til den mens de roste smaken og koste seg i de nye omgivelsene. En fredelig stillhet falt over dem, og det virket som om señor Peregrino hadde sovnet, da han plutselig snakket.

– Jeg var ikke helt ærlig mot deg da jeg fortalte at jeg var ferdig med historien. Det er mer, men jeg fortalte det ikke før, for jeg skammet meg over min tåpelige feighet.

Han snudde seg mot henne. – Det kan hende du forandrer mening om å ha meg som bestefar etter at du har hørt resten, men du fortjener å høre sannheten, og jeg forstår nå mer enn noen gang at jeg trenger å fortelle den.

Jamilet nikket. Han fortsatte historien med halvlukkede øyne og en stemme like alvorlig som en dødsmesse.

Den siste natten Rosa og jeg var sammen i Santiago, mens vi lå i hverandres armer i det stille mørket, svake etter den utsøkte gleden av vår forening, fantes det ingen tvil hos meg om at vi ville tilbringe resten av livet med hverandre. Jeg var fullt og helt forberedt på å møte hvilken skam eller fordømmelse jeg enn måtte tåle for å gjennomføre det. Jeg tenkte allerede over hvordan jeg kunne ta ansvaret for Jenny og barnet jeg trodde hun bar. Kanskje kunne hun overtales til å reise hjem til Amerika og få barnet der. Eller hun kunne la barnet være igjen i Spania hvis hun ville. Rosa og jeg kunne oppdra barnet som vårt eget. Hodet mitt summet av så mange muligheter at jeg ble helt svimmel. Jeg var sikker på at kjærligheten Rosa og jeg delte, var sterk nok til å overkomme dilemmaet vi sto overfor, og enda mange flere.

Rosa ba meg tenne et lys slik at hun kunne finne klærne sine og kle på seg. Jeg gjorde som hun ba meg om. I det flakkende lyset ble fascinasjonen min til skrekk da jeg fikk se den egentlige årsaken til at hun hadde dratt på pilegrimsreise.

Forestill deg en misdannelse i huden som dekker kroppen som en drakt av blod, så grufull at du til å begynne med ikke kan forestille deg at en slik ting eksisterer på noe menneske som går, snakker og lever livet som du og jeg, og enda mindre på et vesen så vakkert som Rosa. Det dekket hele overkroppen hennes, brystene, skuldrene og ryggen, magen og lårene, og strakte seg hele veien ned til anklene hennes. Det så ut som om kroppen hennes var blitt dyppet i en kjele med kokende olje. Jeg klarte ikke finne styrke til å si et eneste ord.

Jamilet avbrøt ham. – Jeg forstår ikke hvordan du kan ha unngått å legge merke til merket hennes før da? Undret du deg ikke?

Señor Peregrino så beskjemmet ut. – Som sagt har jeg ikke vært helt ærlig med deg om dette, Jamilet. Da Rosa kom til meg, nektet hun å tenne lys. Hun kledde av seg i mørket før hun la seg hos meg. Jeg var så fanget av min egen lidenskap at jeg ikke reagerte med en gang. Rosa ... Rosa visste det jo, og ledet meg bort fra slike tanker. Jeg hadde ingen erfaring med kvinner, det var jo derfor Jenny og Tomas kunne lure meg som de gjorde.

Han sukket. – Jeg var forelsket, besatt av Rosa.

Señor Peregrino falt litt i tanker før han fortsatte historien.

Rosa fortalte meg at hun hadde dratt på pilegrimsreisen i håp om at styrken i troen hennes ville få denne misdannelsen, som hadde påført henne så mye lidelse, til mirakuløst å forsvinne. Likevel var hun takknemlig for at hun, ved å vise misdannelsen til Andres, hadde reddet meg fra en duell som helt sikkert ville ha drept meg.

Hun rørte hånden min og sa noe jeg har tenkt på hver eneste dag siden. – I natt ser vi universet som eksisterer mellom besettelse og kjærlighet, og forstår at vi lever inni det, Antonio. Kanskje det er det eneste mirakelet vi kan håpe på.

Men jeg forsto knapt ordene hun sa til meg, eller fattet hvor enorm hennes lidelse var, og hennes store mot. En alvorligere frykt vokste i hjertet mitt og slukte meg, selv mens jeg så henne kle på seg og igjen bli den perfekte skjønnheten jeg forgudet, selv da jeg så henne smette ut av rommet og ut av mitt liv for alltid.

I de pinefulle timene som fulgte, forsøkte jeg å overbevise meg selv om at min kjærlighet til Rosa var større enn min frykt, men jeg var ung og dum, og til slutt fant jeg tilflukt i den falske hederligheten ved å velge et liv med Jenny. Jo mer jeg har forsøkt å gjemme meg for sannheten i årenes løp, jo mer har den preget meg.

Señor Peregrino sukket som for å påkalle et liv bygd på mot, et liv som til nå hadde unngått ham.

– Det ironiske er at jeg nå, som en gammel mann, har forstått at det ikke var det perfekte ansiktet og figuren hennes, men hennes misdannelse og måten hun bar den på, som hevet Rosas skjønnhet til noe som lå langt over alminnelig forstand. Ømheten og medfølelsen den vekket i hjertet hennes, var det jeg elsket mest hos henne, og dette plager meg den dag i dag.

Señor Peregrino snudde seg og oppdaget Jamilet. Han hadde aldri sett henne slik før, likblek i ansiktet og med dirrende lepper. – Tilståelsen min har opprørt deg dypt, akkurat som jeg visste den ville gjøre. Jeg burde ikke ha fortalt deg …

– Nei, jeg er glad du gjorde det, sa hun. Stemmen var knapt mer enn en hvisken.

– Hva er da galt med deg, barn? Du ser ikke bra ut i det hele tatt. Kanskje litt mer kaffe?

– Nei, jeg har det bra. Helt sant.

Señor Peregrino fylte en ny kopp til seg selv. – Jeg har ofte lurt på om Rosa noen gang klarte å tilgi meg. Hvis jeg kunne være sikker på at hun gjorde det, tror jeg at jeg kunne finne fred i livet. Men som det er nå, frykter jeg at hun hatet meg til den dagen hun døde, fordi jeg forlot henne.

Jamilet tok seg sammen og våget å snakke. – Rosa forsøkte sikkert å hate deg en kort stund, i håp om at det ville fjerne smerten over å miste deg, men til slutt forsto hun at du ikke mente å såre henne.

Jamilet snakket med større trygghet da hun fortsatte. – Jeg er sikker på at Rosa tilga deg, bestefar. Og jeg tror at hvis hun hadde visst sannheten, ville hun ha tilgitt Tomas og Jenny også. Det lå i hennes natur å tilgi.

Señor Peregrino aksepterte svaret med et nikk og et usikkert blikk mot søster B.'s vindu.

– Kanskje jeg også kan finne en måte å tilgi på. Men du kan være sikker på at jeg vil finne en måte å takke deg på for alt du har gjort for meg, kjære barn. Jeg lover deg, og jeg tror du vet nå, at jeg om ikke annet er en mann av mitt ord.

Jamilet lot blikket vandre til tretoppene og bladene som flagret svakt i brisen over dem. Hun reiste seg og holdt frem hendene mot ham. – Du kan takke meg ved å lære meg en av sangene du sang sammen med Rosa, så vi kan synge sammen. Og når vi er ferdige med å synge, vil jeg gjerne at du lytter mens jeg forteller deg *min* historie, for en gangs skyld. Det vil forklare hvorfor jeg er her, og kanskje noe mer.

Han klukket, og satte fra seg kaffekoppen før han reiste seg fra benken. – Ja vel, jeg skal lære deg sangen Rosa og jeg sang da vi gikk nedover Monte de Gozo og inn i Santiago, men jeg advarer deg. Det er en vanskelig sang å lære. Noen av tonene går ganske høyt, og du må øve for å få det til. Etterpå skal jeg høre på historien din. Rekker du ikke å fortelle meg alt i dag, har vi alltid i morgen, ikke sant, min kjære?

– Jo, bestefar. Vi har alltid i morgen.

Nyhet!

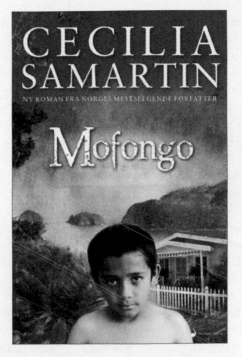

Sebastian er åtte år og har en alvorlig hjertefeil. Skoledagen
er ikke hyggelig, og familien er i ferd med å gå i oppløsning.
Sebastian finner trøst hos bestemoren, Abuela Lola. Sammen
begynner de å tilberede de mest utsøkte måltider fra Lolas
hjemland Puerto Rico. Magien rundt måltidene bringer fami-
lien sammen. MOFONGO er Cecilia Samartins sterkeste roman.
Du kjenner lukten av hvitløk og smaken av eksotisk mat fra
hver bokside. MOFONGO griper sjelen og hjertet ditt, og du
kommer aldri til å glemme Abuela Lola og Sebastian.

I salg fra 3. september som innbundet roman, lydbok og MP3-fil.

ISBN 978 82 8205 0739